Mangez plus pour maigrir

Design graphique et infographie : Luisa da Silva
Traduction : Françoise Schetagne

Catalogage avant publication de Bibliothèque et Archives nationales du Québec et Bibliothèque et Archives Canada

Rolls, Barbara J.
    Manger plus pour maigrir
    Traduction de : The Volumetrics Eating Plan

1. Régimes amaigrissants - Recettes.   2. Appétit.
3. Aliments - Teneur en calories. I. Titre.

RM222.2.R6414 2007   641.5'635   C2007-941660-8

Pour en savoir davantage sur nos publications,
visitez notre site : **www.edhomme.com**
Autres sites à visiter : www.edjour.com
www.edtypo.com · www.edvlb.com
www.edhexagone.com · www.edutilis.com

09-07

L'ouvrage original a été publié
par HarperCollins Publishers Inc.
sous le titre The Volumetrics Eating Plan

Dépôt légal : 2007
Bibliothèque et Archives nationales du Québec

ISBN 978-2-7619-2383-5

DISTRIBUTEURS EXCLUSIFS :

· Pour le Canada et les États-Unis :
MESSAGERIES ADP*
2315, rue de la Province
Longueuil, Québec J4G 1G4
Tél. : 450 640-1237
Télécopieur : 450 674-6237
* une division du Groupe Sogides inc.,
  filiale du Groupe Livre Quebecor Média inc.

· Pour la France et les autres pays :
INTERFORUM editis
Immeuble Paryseine, 3, Allée de la Seine
94854 Ivry CEDEX
Tél. : 33 (0) 4 49 59 11 56/91
Télécopieur : 33 (0) 1 49 59 11 33
Service commandes France Métropolitaine
Tél. : 33 (0) 2 38 32 71 00
Télécopieur : 33 (0) 2 38 32 71 28
Internet : www.interforum.fr
Service commandes Export – DOM-TOM
Télécopieur : 33 (0) 2 38 32 78 86
Internet : www.interforum.fr
Courriel : cdes-export@interforum.fr

· Pour la Suisse :
INTERFORUM editis SUISSE
Case postale 69 – CH 1701 Fribourg – Suisse
Tél. : 41 (0) 26 460 80 60
Télécopieur : 41 (0) 26 460 80 68
Internet : www.interforumsuisse.ch
Courriel : office@interforumsuisse.ch
Distributeur : OLF S.A.
ZI. 3, Corminboeuf
Case postale 1061 – CH 1701 Fribourg – Suisse
Commandes : Tél. : 41 (0) 26 467 53 33
                Télécopieur : 41 (0) 26 467 54 66
                Internet : www.olf.ch
                Courriel : information@olf.ch

· Pour la Belgique et le Luxembourg :
INTERFORUM editis BENELUX S.A.
Boulevard de l'Europe 117,
B-1301 Wavre – Belgique
Tél. : 32 (0) 10 42 03 20
Télécopieur : 32 (0) 10 41 20 24
Internet : www.interforum.be
Courriel : info@interforum.be

Gouvernement du Québec – Programme de crédit d'impôt pour l'édition de livres – Gestion SODEC – www.sodec.gouv.qc.ca

L'Éditeur bénéficie du soutien de la Société de développement des entreprises culturelles du Québec pour son programme d'édition.

Le Conseil des Arts du Canada
The Canada Council for the Arts

Nous remercions le Conseil des Arts du Canada de l'aide accordée à notre programme de publication.

Nous reconnaissons l'aide financière du gouvernement du Canada par l'entremise du Programme d'aide au développement de l'industrie de l'édition (PADIÉ) pour nos activités d'édition.

Barbara Rolls

Mangez plus pour maigrir

**Traduction
du best-seller
The Volumetrics
Eating Plan**

=

LES ÉDITIONS DE
L'HOMME

Remerciements

Je voudrais tout d'abord remercier Charlie Brueggebors, car je n'aurais pas pu écrire ce livre sans ses talents organisationnels et sa créativité en cuisine. Il a élaboré et testé plusieurs des recettes que vous retrouverez ici et m'a montré que tout plat pouvait être à la fois délicieux et répondre aux critères «volumétriques». Charlie fut secondé dans son travail par des membres de mon laboratoire : Jenny Ledikwe, Jennifer Meengs et Anne Gooch n'ont pas ménagé leurs efforts, travaillant soirs et week-ends pour tester les recettes de Charlie et proposant dans la foulée certaines recettes de leur cru. Jenny s'est aussi occupée des tableaux et diagrammes et a contribué à l'organisation générale du livre. L'une de mes étudiantes de doctorat, Julie Ello-Martin, a développé certains des messages clés en ce qui concerne la densité énergétique et la perte de poids. Elizabeth Bell et Julie Flood ont eu la gentillesse de lire le manuscrit et de me faire part de leurs commentaires.

Merci au photographe Michael Black de *Black Sun Studio* et à la styliste culinaire Kerri Kinzle Rossi qui illustré les principes du plan alimentaire Volumetrics.

Je tiens aussi à remercier mon agente Alice Martell pour tous les conseils et les grains de sagesse qu'elle m'a prodigués. Un gros merci à Susan Friedland et Gail Winston, mes éditrices, pour leur soutien indéfectible et pour m'avoir aidé à articuler certains des concepts du plan Volumetrics.

Merci aux nombreuses personnes qui m'ont proposé de nouvelles recettes, de même qu'à tous ceux et celles qui, après avoir lu mon premier livre, ont suivi le programme et m'ont fait part de leur expérience. C'est leur enthousiasme qui m'a inspiré à écrire le présent ouvrage.

Merci à tous mes étudiants et collègues de la Penn State University ; ce sont eux qui m'ont aidée à échafauder la base scientifique solide sur laquelle repose le plan Volumetrics. Je remercie aussi tous les volontaires qui ont participé aux études que nous avons menées et qui, ce faisant, nous ont permis d'étudier leurs comportements alimentaires. Je suis extrêmement reconnaissante au National Institute of Diabetes and Digestive and Kidney Diseases d'avoir financé mes recherches.

1

L'approche Volumetrics

Vous en avez assez de ces régimes à la mode qui vous interdisent de manger vos aliments favoris ? Vous en avez marre de toujours avoir faim parce que vous suivez des régimes qui vous obligent à diminuer votre apport calorique ? Vous voulez trouver une façon saine et efficace de contrôler votre poids ? Alors bienvenue dans l'univers de Volumetrics ! L'approche Volumetrics vous permet d'intégrer vos aliments favoris à un régime alimentaire nutritif. Qui plus est, vous découvrirez qu'on peut maigrir puis contrôler son poids en mangeant plus, et non moins, de certains aliments.

Je ne peux pas vous promettre que vous n'aurez plus jamais de mal à contrôler votre poids, mais je peux vous garantir que le plan Volumetrics vous aidera à atteindre et à maintenir votre poids santé. Votre poids ne cesse d'augmenter au fil des années ? Eh bien, sachez que vous n'êtes pas seul à avoir ce problème. En Amérique, plus de la moitié des adultes souffrent d'embonpoint ou d'obésité. L'industrie alimentaire nous offre une variété de plus en plus grande d'aliments riches en calories alors que nous sommes de moins en moins actifs. Comment ne pas gagner du poids dans cet environnement qui favorise l'obésité !

Pour éviter ce gain de poids progressif qui est le lot de bon nombre d'entre nous, vous devrez adopter des stratégies bien précises. Vous apprendrez par exemple à choisir des aliments qui vous aideront à atteindre et à maintenir votre poids optimal – l'information que je vous communiquerai en ce sens est issue de recherches scientifiques récentes.

Pourquoi suis-je apte à vous conseiller quant à vos choix alimentaires ? Je répondrai à cette question en vous parlant un peu de mon parcours et de mes compétences. J'ai consacré ma carrière entière à l'étude de la gestion du poids et des comportements alimentaires. En ma qualité de professeur au département des sciences nutritionnelles de l'université de la Pennsylvanie, je forme des étudiants et mène des recherches financées par le National Institutes of Health dans un laboratoire qui comprend une cuisine imposante et une grande salle à manger. C'est là que nous étudions l'influence de divers facteurs – densité calorique et contenu en gras d'un aliment, grosseur des portions, etc. – sur la quantité de nourriture qu'une personne mange en un repas et sur la satisfaction et l'impression de satiété qu'elle en retire. Au fil de nos recherches, nous avons découvert que certains aliments faibles en calories sont plus aptes à nous rassasier que d'autres, ce qui est très excitant considérant que, dans notre société, l'obésité est devenue un problème de santé aux proportions épidémiques.

Dans ce livre, j'ai pris toutes les connaissances que nous avons acquises en laboratoire et j'en ai fait un régime alimentaire simple et facile à suivre : à la fine pointe de la science nutritionnelle, le plan Volumetrics vise à optimiser la sensation de satiété tout en limitant l'apport calorique, une approche qui s'avérera efficace tant pour la personne qui veut maigrir que pour celle qui veut maintenir son poids actuel.

Contrairement à bien d'autres méthodes, le plan Volumetrics préconise une alimentation saine et équilibrée. Les gens qui se mettent au régime ont tendance à oublier que leur façon de s'alimenter influence leur poids, mais aussi leur santé. Quand on suit un régime, on mange moins et on consomme moins de calories et il faut donc bien se nourrir pour donner à son corps tous les éléments nutritifs essentiels dont il a besoin ; même quand on veut maigrir, il faut manger des aliments de tous les groupes alimentaires. C'est ici que l'approche Volumetrics prend tout son sens : bien plus qu'un simple régime, elle vous incitera à acquérir de bonnes habitudes alimentaires. Je vous garantis que grâce aux aliments sains et délicieux qu'elle préconise, vous vous forgerez une santé de fer !

En Amérique du Nord, nombreuses sont les cliniques d'amaigrissement qui utilisent le plan alimentaire Volumetrics. Les médecins et diététistes reconnaissent qu'il s'agit d'un plan sain et équilibré, mais plusieurs d'entre eux m'ont dit que leurs patients aimeraient avoir des recettes qui les aideraient à mettre en pratique les principes typiques de l'approche Volumetrics. Le livre que vous avez entre les mains répond à ce besoin, ce qui fait de lui le compagnon idéal de mon ouvrage précédent, *Le plan alimentaire Volumetrics*, dans lequel j'ai exposé en détail les bases scientifiques du programme. Ne vous inquiétez pas si vous ne l'avez pas lu, car je vous expliquerai dans les pages suivantes l'essentiel de l'approche Volumetrics.

Au chapitre 2, vous serez appelé à élaborer un plan personnalisé qui vous permettra de mieux planifier vos repas. Je sais combien il peut être difficile d'appliquer les principes Volumetrics quand on a un horaire chargé ! C'est pourquoi vous devez tout de suite commencer par insérer la méthode Volumetrics dans votre emploi du temps quotidien. Les chapitres 3 à 14 vous proposeront toutes sortes de recettes savoureuses et faciles à préparer, de même que des outils qui vous aideront à suivre votre nouveau plan alimentaire. Vous y trouverez par exemple :

❖ Des techniques qui vous permettront de modifier vos recettes favorites et d'incorporer davantage d'aliments volumétriques à votre régime alimentaire.

❖ Un plan de menus sur lequel vous pourrez vous baser pour décider quels aliments manger et en quelles quantités. Continuez de l'utiliser s'il vous convient, mais n'hésitez pas à l'adapter selon vos préférences.

❖ Toute une variété de plats rapides à préparer qui s'intégreront facilement au plan de menus.

❖ Des listes d'équivalences caloriques qui vous aideront à varier votre menu sans changer le nombre de calories consommé à chaque repas.

❖ Des diagrammes que vous utiliserez pour noter vos progrès.

Bien que j'aie inclus au chapitre 15 un plan de menus qui vous guidera durant votre premier mois d'alimentation volumétrique, j'aimerais que vous appreniez les principes du système afin que vous puissiez les appliquer en toutes situations. Lorsque vous aurez établi une routine d'alimentation adaptée à vos besoins et à votre style de vie, cela vous paraîtra si naturel et agréable que vous ne voudrez plus en changer ! En adoptant le plan Volumetrics, vous bénéficierez d'une alimentation saine qui répond aux recommandations des principaux organismes de santé d'Amérique, vous perdrez tous ces kilos que vous avez en trop et vous n'aurez ensuite aucun mal à maintenir votre poids idéal.

LE PLAN D'ALIMENTATION VOLUMETRICS...

- ◎ Met l'accent sur les aliments que vous pouvez manger et non sur ceux que vous devez éviter.
- ◎ Se base sur des principes nutritionnels reconnus par la vaste majorité des professionnels de la santé.
- ◎ Reconnaît que pour perdre du poids, il faut brûler chaque jour plus de calories que l'on en consomme.
- ◎ Insiste sur l'importance de manger de façon saine et équilibrée quand on suit un régime.
- ◎ Vous apprendra à choisir des aliments nourrissants qui vous procureront une agréable sensation de satiété.
- ◎ Vous montrera comment intégrer vos aliments favoris à votre nouveau régime.
- ◎ Renforce les habitudes alimentaires qui permettent de conserver un poids santé toute la vie durant et incite à la pratique régulière d'activités physiques.

Au fil des années, de nombreuses personnes m'ont contactée pour me raconter les succès qu'ils ont connus grâce au régime Volumetrics. Jill O'Nan est de celles-là. Cette écrivain professionnelle suivait le plan alimentaire Volumetrics depuis six mois lorsqu'elle m'a joint pour la première fois, il y a de cela plusieurs années, et nous avons toujours gardé le contact. Les témoignages de ce genre ne prouvent pas qu'un régime donné fonctionnera pour tout le monde, mais ils n'en sont pas moins une source d'inspiration. Jill raconte ici comment le régime Volumetrics l'a aidée à contrôler son poids et son appétit.

Aussi incroyable que cela puisse paraître, je pesais 360 livres quand j'ai découvert que je ne mangeais pas assez. Pas en termes de calories, mais en termes de volume. Ayant toujours été une grande amatrice de *fast-food*, je mangeais presque toujours un hamburger et des frites le midi. La faim me reprenait au milieu de l'après-midi, ce qui m'incitait à me gaver de biscuits, de craquelins et de friandises. Au souper, je mangeais plus souvent qu'autrement un plat minceur congelé

Les deux repas ci-dessus contiennent 500 calories chacun. Eh oui, c'est vrai ! Le repas de la photo du haut, qui comprend du poulet frit, de la purée de pomme de terre et du brocoli au fromage, est pourtant beaucoup moins copieux que l'autre. Le secret : le repas de la photo du bas a été élaboré selon les principes du régime Volumetrics. On y retrouve des fruits, des légumes, ainsi que d'autres savoureux aliments faibles en gras. Ce festin comprend une salade crémeuse de concombres à l'aneth (page 127), du poulet parmesan (page 188), une version allégée de la purée de pommes de terre (page 157), des asperges grillées (page 151) et, pour dessert, une poire pochée avec sauce aux framboises (page 231). Selon vous, lequel des deux semble plus apte à satisfaire votre appétit ?

de 300 calories. Les portions étaient si petites que j'avais pris l'habitude de manger de la crème glacée au dessert pour calmer ma faim. Pour tout dire, j'avais toujours faim, même quand je n'étais pas au régime.

Tout a changé quand j'ai découvert le régime Volumetrics. C'est alors que j'ai appris le rapport qu'il y a entre l'apport calorique et la densité énergétique d'un aliment, et le niveau de satiété qu'il procure. Obèse comme je l'étais, je n'aurais jamais pu imaginer que je devais manger plus pour maigrir. En lisant *Le plan alimentaire Volumetrics*, je me suis rendu compte que je ne mangeais pas assez pour calmer mon appétit; comme j'avais toujours faim, je grignotais sans cesse des cochonneries au lieu de m'alimenter sainement. L'idée que je pouvais perdre du poids en mangeant à satiété m'enchantait au plus haut point. Aucun autre régime n'abordait ainsi la notion de satiété. Bien au contraire, on nous donnait toujours l'impression qu'il fallait souffrir pour maigrir. La plupart des régimes sous-entendent que l'obésité et l'embonpoint sont causés par des excès alimentaires répétés et présentent donc la faim comme une pénitence incontournable, voire même nécessaire !

J'ai commencé à suivre le programme Volumetrics en avril 2001. Dans mon cas, le plus difficile a été d'apprendre à réduire mon apport calorique en changeant d'alimentation. J'ai très vite compris que les aliments à haute densité énergétique comme les frites et la crème glacée ne pouvaient pas faire partie de mon menu quotidien; comme ils contiennent énormément de calories, je n'aurais pas pu en manger suffisamment pour apaiser ma faim. Je pouvais par contre manger des aliments à faible densité énergétique en grandes quantités : les fruits, les légumes et les soupes me rassasiaient sans augmenter pour autant mon apport calorique. Je favorisais désormais les produits de qualité, remplaçant les mets riches en féculent dont je raffolais auparavant par des soupes, des légumes et des salades. Au dessert, fruits et yogourts sans gras ont pris la place de la crème glacée. J'ai même troqué mon cher hamburger contre des aliments tels que le poulet et le poisson, qui sont plus maigres mais tout aussi riches en protéines.

Mes économies caloriques n'ont pas tardé à payer des dividendes : alors même que mes repas se faisaient plus copieux, je me suis mis à maigrir. Depuis que j'applique les principes Volumetrics, j'ai perdu 176 livres ! Votre régime extraordinaire me permet de manger à ma faim même si je surveille mon alimentation. J'atteins toujours les objectifs que je me fixe au niveau de mon poids, ce qui est très encourageant. Je n'aurais jamais pu imaginer qu'un régime me procurerait un jour pareille satisfaction.

La satiété : l'ingrédient manquant

N'importe quel régime qui réduit votre consommation de calories peut vous aider à perdre du poids. Certaines personnes ont plus de facilité à couper les matières grasses, d'autres ne voient aucun inconvénient à diminuer les glucides... mais ces bonnes résolutions ne durent toujours qu'un temps. Le problème est que la plupart d'entre nous ne peut imaginer la vie sans chocolat, crème glacée, pâtes alimentaires, pain et pommes de terre. Personne ne peut se priver éternellement des aliments qu'il aime. Or, quand vous cédez à la tentation et mangez un peu de ce fruit interdit, vous avez l'impression de tricher et vous vous sentez coupable. Mais n'ayez crainte, cela ne se reproduira plus : avec le plan Volumetrics, vous ne vous sentirez jamais coupable puisque vous pourrez manger de tout, même les aliments que d'autres régimes proscrivent. Il va sans dire qu'avec certains aliments, la modération est tout de même de mise !

Plusieurs régimes prétendent que certains aliments ou combinaisons d'éléments nutritifs favorisent l'élimination des calories et une diminution du tissu adipeux. Croyez-moi, s'il existait une solution métabolique magique, il y a longtemps que les chercheurs qui s'échinent à lutter contre l'obésité vous l'auraient dit, et moi la première ! La triste vérité, c'est qu'il faut nécessairement manger moins de calories pour perdre du poids. Lorsque vous limitez votre apport calorique, votre corps transforme en énergie tous les aliments que vous mangez, peut importe qu'il s'agisse de glucides, de protéines ou de matières grasses. Il est vrai que le corps n'utilise pas tous les éléments nutritifs de la même façon, mais ces différences n'affecteront que très marginalement votre poids corporel.

En revanche, les aliments et éléments nutritifs que vous choisirez auront un net impact sur votre capacité à poursuivre un régime. Il faut choisir des aliments nourrissants et agréables à manger, soit, mais il faut aussi que ces aliments rassasient votre faim. La notion de satiété est au cœur même du plan Volumetrics. Qu'est-ce que la satiété ? C'est la satisfaction que vous éprouvez après avoir bien mangé et que vous n'avez plus faim du tout.

La satiété est l'ingrédient qui manque à la plupart des systèmes de gestion du poids. Si vous limitez vos calories en mangeant moins, vous aurez l'impression de vous priver et vous aurez toujours faim. Vous réussirez peut-être à suivre ce genre de diète pendant un temps, à force de volonté, mais si vous voulez régler une fois pour toutes vos problèmes de poids, vous devez choisir un régime qui vous permet de manger à votre faim tout en ingérant moins de calories. Indépendamment des calories qu'ils contiennent, certains aliments ont la faculté d'apaiser la faim plus longtemps que d'autres. Je vais vous montrer quels aliments sont les plus performants en ce sens. Manger à satiété des aliments que l'on aime est un aspect essentiel du plan alimentaire Volumetrics.

Vous avez plus de chances d'être rassasié si :

❖ Vous mangez des aliments à faible densité énergétique.
❖ Vous favorisez les aliments riches en fibres.
❖ Vous mangez une quantité adéquate de protéines maigres.
❖ Vous réduisez les matières grasses.

Voici en quoi ces types d'aliments affectent la satiété.

Pour choisir des aliments qui procurent un haut niveau de satiété, il faut être capable d'interpréter les notions de densité énergétique (calories par gramme), de fibre, de protéine et de matière grasse. Tous ces éléments apparaissent sur l'étiquette des produits que l'on retrouve en épicerie. N'oubliez pas que les valeurs indiquées sont pour une portion seulement ! Aux pages 24-25, je vous expliquerai comment calculer la densité énergétique à partir des valeurs nutritives inscrites sur l'étiquette.

VALEUR NUTRITIVE		
Portion 1 tasse (253 g)		← Grammes
Portions par contenant 4		← Nombre de portions
Teneur par portion		
Calories 260	Calories des lipides 72	
	% valeur quotidienne	
Total des lipides 8 g	13 %	
Saturés 3 g	17 %	
Cholestérol 130 mg	44 %	
Sodium 1010 mg	42 %	
Total des glucides 22 g	7 %	
Fibres 9 g	36 %	
Sucres 4 g		
Protéines 25 g		

Calories →
Matières grasses →
Fibres →
Protéines →

La densité énergétique

Il est important de savoir la quantité de calories qu'il y a dans une quantité donnée d'un aliment (calories par gramme) quand on essaie de consommer moins de calories. Un aliment de haute densité énergétique (ou densité calorique) contient beaucoup plus de calories par gramme qu'un aliment à faible densité énergétique. Cela signifie qu'on peut manger une portion beaucoup plus grosse d'un aliment à densité énergétique faible sans consommer pour autant davantage de calories. Et, justement, pour maximiser la sensation de satiété, il faut manger en grandes quantités des aliments qui contiennent peu de calories par gramme, c'est-à-dire des aliments de faible densité énergétique.

Pourquoi doit-on se soucier de la quantité de nourriture que l'on mange ? Des recherches ont démontré que nous avons tendance à manger chaque jour le même poids en aliments. Il y a bien sûr des fluctuations – on a tendance par exemple à manger plus quand on va au restaurant –, néanmoins les analyses scientifiques démontrent que le nombre de calories ingéré par jour varie davantage que la quantité (poids) de nourriture consommée. Bref, on a tendance à manger quotidiennement le même poids en aliments, mais avec un apport calorique qui varie énormément. En quelque sorte, nous avons appris quelle quantité de nourriture nous avions besoin d'ingérer pour nous sentir rassasiés. Dans mon laboratoire, nous avons effectué de nombreuses études qui démontrent que, quand les gens se servent eux-mêmes, ils prennent toujours des aliments similaires en quantités égales même si leur contenu calorique n'est pas le même. Par exemple, quand on réduit la densité énergétique d'un plat en casserole en y ajoutant de l'eau ou des légumes qui contiennent beaucoup d'eau, les gens en mangent la même quantité que s'il n'avait pas été allégé. Ils consomment donc moins de calories, mais en obtenant une sensation de satiété égale. Je parlerai plus en détail de nos études sur la densité énergétique et le niveau de satiété dans des chapitres subséquents, mais si vous voulez en savoir plus, lisez *Le plan alimentaire Volumetrics*.

En bref, ces études nous disent qu'en choisissant des aliments faibles en calories, on peut continuer de manger la même quantité de nourriture que d'habitude. On peut donc perdre du poids sans souffrir de la faim ! Dans ce livre, vous trouverez des tas de conseils et de recettes qui vous aideront à réduire la densité énergétique de votre alimentation. Je vous proposerai par exemple des variantes de faible densité énergétique de plats populaires tel le macaroni au fromage – comparé à la recette traditionnelle, vous pourrez

OÙ LES CALORIES SE CACHENT-ELLES ?

D'où viennent les calories dans votre alimentation ? Eh bien, imaginez que les petits dessins ci-dessous sont des poids et que chacun des cercles qu'ils contiennent équivaut à un gramme (il y a 28 grammes dans une once) ; le nombre de cercles dans chaque poids représente la densité énergétique (ou calorique) des principaux éléments nutritifs. Comme vous pouvez le voir, la différence est appréciable : les matières grasses renferment 9 calories par gramme (cal/g) ; l'alcool en contient 7 ; les glucides et protéines, 4 ; les fibres, 2 ; et l'eau, 0. On peut donc manger, à calories égales, des portions plus grosses et plus satisfaisantes d'un aliment à faible densité énergétique.

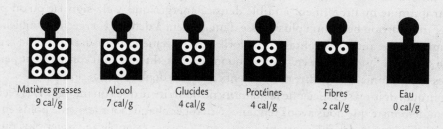

| Matières grasses | Alcool | Glucides | Protéines | Fibres | Eau |
| 9 cal/g | 7 cal/g | 4 cal/g | 4 cal/g | 2 cal/g | 0 cal/g |

Le contenu en eau de différents aliments varie beaucoup lui aussi. Les aliments dont le contenu en eau est élevé favorisent la sensation de satiété tout en diminuant votre apport calorique.

ALIMENT	CONTENU EN EAU (pourcentage)
Fruits et légumes	80-95
Soupes	80-95
Céréales chaudes	85
Yogourt aux fruits faible en gras	75
Œuf bouilli	75
Pâtes alimentaires (cuites)	65
Poisson et fruits de mer	60-85
Viandes	45-65
Pain	35-40
Fromage	35
Noix	2-5
Craquelins	3
Croustilles	2
Huile	0

manger, à calories égales, presque deux fois plus de mon macaroni aux légumes et au fromage (page 216).

On réduit la densité énergétique d'un plat quand on y ajoute des ingrédients contenant beaucoup d'eau – des légumes, par exemple – ou quand on réduit son contenu en gras. De tous les éléments nutritifs, ce sont les matières grasses qui affichent la plus haute densité énergétique, soit 9 calories par gramme, plus que le double des glucides dont la densité énergétique est de 4 calories par gramme. Pareille densité signifie qu'on peut facilement ingérer trop de calories quand on mange des aliments riches en matières grasses. Mais si vous remplacez ces aliments par des aliments à plus faible densité énergétique, vous pourrez manger plus sans augmenter votre apport calorique. Vous pourrez vous offrir deux tranches de pain nature au lieu d'une seule tranche de pain beurrée, puisque ces deux options contiennent 140 calories chacune. Le lait écrémé contient la moitié des calories du lait entier, ce qui fait qu'on peut en boire deux fois plus à calories égales. À la page 21, je parlerai plus en détail des stratégies visant à réduire l'apport en matières grasses.

Plus encore que l'élimination des gras, l'eau contribuera à réduire la densité énergétique de votre alimentation puisqu'elle ne contient aucune calorie. L'eau a en effet une densité énergétique de 0. Même s'ils sont faibles en calories, les aliments qui contiennent beaucoup d'eau procurent une sensation de satiété de par leur poids et leur volume, et on peut en manger en plus grandes quantités sans ingérer de calories excédentaires. Comparez par exemple les raisins secs aux raisins ordinaires : dans une collation de 100 calories, on peut manger 2 tasses de raisins, mais seulement ¼ de tasse de raisins secs. Pour le même nombre de calories, on peut donc manger huit fois plus de raisins naturels parce qu'ils contiennent de l'eau alors que les raisins secs n'en contiennent pas.

Bien qu'il s'agisse d'un élément sain, on ne peut pas s'alimenter uniquement à l'eau vu qu'elle ne procure pas à elle seule une sensation de satiété appréciable. Le truc est de manger des aliments contenant beaucoup d'eau comme des fruits, des légumes, du lait écrémé et des céréales cuites. Favorisez les plats riches en eau – soupe, bouillie, ragoût, pâtes aux légumes, desserts à base de fruits, etc. – et limitez votre consommation d'aliments faibles en eau, peu importe qu'il s'agisse d'aliments gras comme les croustilles ou faibles en gras comme les bretzels, les craquelins et les biscuits sans gras. Mangez de ces aliments moins souvent et en plus petites quantités.

Les recettes contenues dans ce livre vous permettront de réduire la densité énergétique de toute une variété de plats cuisinés, dont certains grands favoris comme les crêpes (page 66), la salade de pâtes (page 137) et la pizza au pepperoni (page 221). Vous verrez que ces variantes sont aussi savoureuses que substantielles.

Les fibres et autres glucides

Les céréales, le pain, les fruits, les légumes et le sucre raffiné sont principalement composés de glucides. Ces éléments nutritionnels qui sont le carburant du corps comptent pour plus de la moitié des calories que nous consommons.

Nul n'est besoin de bannir les glucides de son alimentation pour perdre du poids. Au contraire, les glucides sont essentiels parce qu'ils nous donnent de l'énergie et qu'ils sont riches en nutriments. Le tout est de choisir les aliments à glucides les plus nourrissants et rassasiants. Optez pour ceux qui contiennent beaucoup d'eau et de fibres, particulièrement les fruits, les légumes et les grains entiers.

Les fibres sont une forme de glucides que l'organisme ne peut pas complètement digérer. Elles contribuent à réduire la densité énergétique des aliments parce qu'elles renferment moins de calories (1,5 à 2,5 par gramme) que les autres éléments nutritionnels – à l'exception de l'eau, bien entendu. Les fibres favorisent la sensation de satiété du fait qu'elles ralentissent le transit des aliments à travers le système digestif. La plupart des gens consomment beaucoup moins de fibres que la quantité recommandée (25 grammes par jour pour les femmes et 38 grammes par jour pour les hommes). Les aliments riches en fibres vous aideront à perdre du poids tout en soignant votre alimentation ; vous réduirez de beaucoup votre apport calorique si vous consommez 30 grammes de fibres par jour plutôt que les 15 grammes qui sont la consommation actuelle d'un adulte moyen. Des études ont démontré qu'on peut perdre jusqu'à cinq livres en quatre mois sans faire de régime rien qu'en doublant sa consommation en fibres !

Optez autant que possible pour des aliments entiers plutôt que pour des aliments traités. Le processus de traitement détruit ou retire la fibre des aliments, ce qui les rend moins aptes à rassasier la faim. Les fruits entiers, par exemple, procurent une sensation de satiété supérieure au jus de fruits, lequel contient très peu de fibres. Quant aux céréales entières, elles sont plus nourrissantes que les céréales traitées et doivent être mastiquées davantage ; par conséquent, vous mangerez moins vite et goûterez plus vos aliments. Je vous proposerai ici plusieurs délicieuses recettes volumétriques riches en glucides, notamment le gruau crémeux aux abricots (page 71), la soupe orientale aux haricots noirs (page 99), les haricots rouges et riz des bayous (page 200), ainsi que les poivrons farcis au boulghour et aux légumes (page 160).

DEVENEZ FAN DES FIBRES

◎ Intégrez fruits et légumes à vos repas et collations.
◎ Mangez les fruits et légumes entiers ; ne les peler que si c'est nécessaire.
◎ Visez les pains et céréales à grains entiers :
— Lisez l'étiquette. Choisissez des pains de blé ou grains entiers à 100 pour cent, ou dans lesquels les grains entiers figurent au début de la liste des ingrédients. Votre pain devrait contenir au moins 2 grammes de fibres par tranche.
— Choisissez avec soin vos céréales de déjeuner. Favorisez celles qui ont une haute teneur en fibres – au moins 3 grammes par portion.
— Optez pour le riz brun et les pâtes au blé entier.
◎ Les légumineuses comme les haricots secs, les lentilles, les pois chiches, les haricots noirs et les pois cassés sont très riches en fibres.
— Mettez-en dans les pâtes, les soupes et les ragoûts.
— Incorporez des légumineuses cuites dans vos hamburgers et pains de viande.

Les régimes protéinés

Ces dernières années, on a beaucoup parlé des régimes hyperprotéinés. Bien des gens disent que ces régimes qui mettent l'accent sur les protéines au détriment des glucides sont faciles à suivre – du moins pour un temps. Cela est sans doute dû au fait que les aliments riches en protéines rassasient plus vite et prolongent la sensation de satiété plus longtemps que les aliments riches en glucides ou en matières grasses. Quand on veut perdre du poids, c'est en effet une bonne stratégie que de manger des aliments qui sont à la fois riches en protéines et de faible densité énergétique – sachez cependant que vous ne deviendrez pas plus mince et plus musclé simplement parce que vous mangez

- Les meilleures sources de protéines maigres sont la volaille, les fruits de mer, les produits laitiers faibles en gras, les blancs d'œufs, le tofu et les légumineuses. Combinez, en portions modérées, ces sources de protéines avec des aliments à basse densité énergétique tels les grains entiers, les fruits et les légumes.
- Mangez une bonne source de protéines maigres à chaque repas. Cela pourrait être des céréales avec du lait écrémé au déjeuner, du thon en conserve pour le dîner et du poulet ou des légumineuses au souper.
- Optez pour des collations moins caloriques et plus protéinées. Le yogourt, la dinde fumée, les bâtonnets de mozzarella faible en gras et les crudités accompagnées d'hoummos ou d'une trempette aux haricots noirs.
- Réduisez les matières grasses en retirant la peau des volailles et en enlevant le gras apparent sur les pièces d'agneau, de bœuf et de porc.
- Les blancs d'œufs ne contiennent aucun gras et peuvent être battus plusieurs fois. Bon nombre de recettes permettent de substituer un œuf entier par deux blancs d'œufs.

un surplus de protéines ! Toute personne qui compte ses calories doit s'assurer de manger une quantité adéquate de protéines issues de sources faibles en matières grasses. L'apport quotidien en protéines varie selon le poids de l'individu. On recommande généralement 0,4 g par livre de poids ; une personne très active pourrait nécessiter jusqu'à 0,8 g par livre.

La saveur sans le gras

Pourquoi est-il si difficile de se passer de matières grasses ? Parce qu'elles sont en grande partie responsables de la texture et de la saveur de nos aliments. Il faut bien sûr réduire les lipides quand on veut couper les calories, mais sans oublier que certains gras sont bons pour la santé – c'est le cas de ceux que l'on retrouve dans le poisson, les noix, les olives et l'avocat. Le truc est de conserver les gras qui sont sains et qui donnent du goût aux plats cuisinés, tout en éliminant ceux qui présentent une densité énergétique élevée.

Une fois que vous aurez identifié les sources de lipides qui vous conviennent, vous pourrez facilement adapter votre alimentation, votre but étant de réduire votre apport calorique sans sacrifier pour autant le goût des aliments. Portez une attention particulière à la teneur en lipides indiquée sur l'emballage des aliments en boîte ou en conserve. De 20 à 30 pour cent des calories que vous consommez quotidiennement doivent provenir des matières grasses ; cela représente 36 à 53 grammes de lipides pour une personne qui mange 1600 calories par jour.

Pour réduire son apport quotidien en lipides, il suffit d'éviter les aliments forts en gras en faveur de variantes faibles en gras ou allégées. La teneur en lipides des aliments

Remplacez les produits riches en gras par des équivalents allégés, faibles en gras ou sans gras :

◎ Optez pour des tartinades et vinaigrettes légères, faibles en gras ou sans gras.

◎ Mangez des soupes à base de bouillon et non à base de crème. Si vous aimez les soupes crémeuses, essayez des recettes volumétriques comme la crème de brocoli (page 95) et la soupe d'automne à la citrouille (page 94).

◎ Garnissez vos pommes de terre au four de yogourt ou crème sure légère ou faible en gras, ou de salsa tex-mex (page 77). Évitez le beurre et la crème sure non allégée.

Assaisonnez vos plats avec des ingrédients légers :

◎ Faites revenir champignons, oignons, céleri et autres légumes dans un bouillon faible en gras, dans du vin ou dans de l'eau assaisonnée plutôt que dans du beurre, de la margarine ou de l'huile.

◎ Rehaussez la saveur de vos plats en y ajoutant des légumes. Les oignons, l'ail, le céleri et les poivrons sont excellents en ce sens.

◎ Agrémentez vos plats de sauces et condiments sans gras – ketchup, moutarde, salsa, sauce soya, sauce aigre-douce, sauce aux piments forts, sauce teriyaki, gingembre frais, raifort, vinaigre, sauce Worcestershire, etc.

◎ Expérimentez pour trouver de nouvelles façons de donner du goût à vos plats. Vous pouvez par exemple mettre du zeste de citron dans votre riz, du jus de limette sur les poissons, aromatiser le porc au jus d'orange ou accompagner les volailles de salsa aux tomates ; quant à la moutarde, elle se marie bien à la saveur du bœuf et du poulet.

◎ Utilisez des herbes et des épices.

Employez des modes de cuisson alternatifs :

◎ Favorisez les méthodes de cuisson qui ne nécessitent pas l'ajout de matières grasses, c'est-à-dire : la cuisson au four, sur le gril, à la rôtissoire, au micro-ondes ou à la vapeur.

◎ Employez des poêles et casseroles à surface antiadhésive.

◎ Utilisez un vaporisateur de cuisson antiadhésif plutôt que du beurre, de la margarine ou de l'huile.

◎ Ne faites sauter les aliments que très légèrement dans une petite quantité d'huile d'olive ou de canola, ou dans un bouillon faible en sodium.

étiquetés comme étant faibles en gras est généralement de l'ordre de 3 grammes ou moins; pour ce qui est des aliments allégés, leur contenu en lipides doit avoir été réduit d'au moins 25 pour cent par portion pour qu'ils puissent être étiquetés comme ayant moins de calories ou de matières grasses qu'un produit similaire non allégé.

Lorsque confronté à deux produits similaires, lisez l'étiquette et choisissez la version qui contient moins de matières grasses et de calories. Il est aujourd'hui plus facile que jamais de trouver des produits allégés qui ont bon goût. Il y a des tas de nouveaux produits sur le marché et ils sont constamment améliorés afin que leur goût s'approche de plus en plus de la saveur onctueuse de leur équivalent non allégé. Les vinaigrettes légères et les fromages faibles en gras, par exemple, sont bien meilleurs aujourd'hui qu'ils ne l'étaient il y a quelques années. Essayez-les, vous m'en direz des nouvelles!

Il est important de choisir des aliments légers ou allégés, certes, mais il ne faut pas oublier qu'il y a différents types de gras et qu'ils n'ont pas tous le même effet sur la santé. Les gras *monoinsaturés* que l'on retrouve dans les olives, les noix et les avocats, et particulièrement les acides gras oméga-3 que contient le poisson, sont essentiels au maintien d'une bonne santé et peuvent même réduire les risques de maladies cardiaques. Il faut donc manger de ces aliments, mais en quantités modérées compte tenu de leur densité énergétique élevée – un trait commun à tous les aliments riches en lipides.

Les gras saturés et les gras trans sont à éviter. Ces types de gras peuvent élever le taux de cholestérol sanguin et augmentent les risques de maladies cardiaques. Les gras saturés sont présents dans la viande rouge et dans les produits laitiers non allégés; les gras trans se retrouvent dans les aliments frits et dans les produits qui contiennent des huiles hydrogénées ou partiellement hydrogénées. En limitant votre consommation de gras trans et de gras saturés, vous contribuerez à réduire la densité énergétique de votre alimentation et vous pourrez même améliorer votre santé cardiovasculaire.

Limitez la quantité et la fréquence d'utilisation des huiles, ainsi que des tartinades, sauces et vinaigrettes riches en matières grasses. N'utilisez ces ingrédients que lorsque vous y tenez particulièrement et évitez de les consommer par habitude. N'ajoutez à vos salades que la quantité de vinaigrette qu'il faut pour leur donner un petit goût agréable – mieux encore, mangez-les nature! Même si vous adorez le pain beurré, habituez-vous à manger votre pain sans beurre durant les repas; vous réserverez ainsi ces grammes de gras à des aliments plus judicieux. Tout au long de ce livre, je vous donnerai d'autres conseils pour vous aider à réduire votre consommation de matières grasses. Je vous proposerai aussi des variantes faibles en gras de mets traditionnels tel le risotto (risotto primavera, page 204).

La densité énergétique et la satiété

Maintenant que vous savez que vos choix alimentaires affectent votre sensation de satiété, il est temps de vous montrer comment choisir des aliments en fonction de leur densité énergétique de manière à prolonger la satiété. Puisque la densité énergétique dépend du nombre de calories dans une quantité donnée de nourriture, j'exprimerai cette mesure en termes de calories par gramme. Certains d'entre vous ont peut-être plus

Les quatre catégories ci-dessous ont pour but de guider vos choix alimentaires. Le tableau des pages 28 et 29 identifie plus spécifiquement les aliments se trouvant dans chaque catégorie.

VALEUR NUTRITIVE			
Catégorie 1	Densité énergétique très faible	0 à 0,6	Fruits et légumes non amylacés (sans amidon), lait écrémé et soupes à base de bouillon.
Catégorie 2	Densité énergétique faible	0,6 à 1,5	Fruits et légumes amylacés, céréales et grains entiers; céréales de déjeuner avec lait partiellement écrémé; viande maigre et légumineuses; plats composés faibles en gras (chili, spaghetti, etc.).
Catégorie 3	Densité énergétique moyenne	1,5 à 4,0	Viandes, fromages, pizza, frites, vinaigrettes, pain, bretzels, crème glacée et gâteau.
Catégorie 4	Forte densité énergétique	4,0 à 9,0	Craquelins, croustilles, friandises au chocolat, biscuits, noix, beurre et huiles.

de facilité à mesurer en onces, toutefois la notion de densité énergétique est plus facile à saisir en grammes qu'en onces. Sur l'étiquette d'un aliment, les portions sont exprimées en grammes, or, je vais vous expliquer comment calculer le nombre de calories par gramme en vous basant sur cette information.

Afin de vous aider à faire des choix alimentaires judicieux basés sur la densité énergétique (nombre de calories par gramme), nous avons divisé les aliments en quatre catégories de densité énergétique – n'oubliez pas que la densité énergétique varie de 0 à 9 calories par gramme. Ce sont ces catégories qui, à l'avenir, guideront vos choix alimentaires. Je vous donnerai toutes sortes de conseils qui vous aideront en ce sens. En voici quelques-uns :

❖ Pour réduire votre apport calorique et pour vous sentir rassasié avec moins de calories, choisissez des aliments de la catégorie 1 (aliments à très faible densité énergétique) et de la catégorie 2 (aliments à faible densité énergétique).

❖ Consommez les aliments de la catégorie 1 (fruits, légumes, soupes à base de bouillon, produits laitiers sans gras) aussi souvent que possible. Mangez ces aliments avant ou durant les repas, incorporez-les à vos recettes habituelles, et n'oubliez pas que les fruits et légumes sont une excellente collation.

❖ Complétez vos repas avec des aliments de la catégorie 2 – viande maigre, céréales et grains entiers, autres mets faibles en gras.

❖ Mangez moins fréquemment des aliments de la catégorie 3 (aliments à densité énergétique moyenne) et limitez vos choix et portions en ce qui a trait aux aliments de la catégorie 4 (aliments à forte densité énergétique).

Comment calculer la densité énergétique

Le tableau de valeur nutritive qui apparaît sur l'étiquette d'un produit alimentaire ne fait pas mention de sa densité énergétique, mais ne vous en faites pas car je vais maintenant vous montrer comment évaluer et comparer rapidement la densité énergétique de différents aliments. Vous vous souvenez que la densité énergétique se mesure en termes de calories par gramme, ce qui fait qu'elle indique la quantité d'énergie se trouvant dans une quantité donnée d'un aliment. Un aliment ayant une densité énergétique de 2,0 vous procurera donc, à quantité égale, deux fois plus de calories qu'un aliment dont la densité énergétique est de 1,0 ; un aliment ayant une densité de 4,0 en contiendra quatre fois plus, et ainsi de suite. Une fois que vous aurez appris à réduire la densité énergétique de vos plats et aliments favoris, vous consommerez moins de calories sans diminuer la quantité de nourriture que vous mangez. Vous aimez les crêpes ? Alors vous serez ravi d'apprendre que mes crêpes de blé entier au babeurre et aux petits fruits ne contiennent que 270 calories – une différence de 130 calories comparativement aux crêpes traditionnelles servies avec beurre et sirop (400 calories).

Il est important que vous lisiez l'étiquette des produits que vous songez à acheter si vous voulez réduire la densité énergétique de votre alimentation – la valeur nutritive d'un produit commercial est presque toujours indiquée sur son étiquette. Servez-vous du tableau des valeurs nutritives comme d'un outil qui vous aidera à faire des choix alimentaires plus éclairés.

Voyons maintenant comment calculer la densité énergétique d'un aliment à partir des renseignements se trouvant sur son étiquette. Admettons, pour les besoins de la cause, que nous sommes en présence d'un paquet de fromage mozzarella partiellement écrémé. Commencez par repérer le nombre de grammes et de calories par portion. Dans le cas de notre mozzarella, nous avons 60 calories par portion de 28 grammes. Pour

COMMENT CALCULER LA DENSITÉ ÉNERGÉTIQUE

Densité énergétique (D. E.) = $\dfrac{\text{Calories}}{\text{Grammes}}$

Une *calorie* est l'unité de mesure de la valeur énergétique d'un aliment. Les calories donnent à notre corps l'énergie dont il a besoin.

Un *gramme* (abrév. g) est une mesure de masse.
Il y a 28 grammes dans 1 once.

L'exemple ci-dessous montre que la mozzarella à calories réduites a une densité énergétique de 2,1.

VALEUR NUTRITIVE
Portion 28 g
Portions par contenant 12
Teneur par portion
Calories 60

Densité énergétique (D. E.) = $\dfrac{\text{60 calories}}{\text{28 grammes}}$ = 2,1

calculer la densité énergétique, on divise le nombre de calories par le nombre de grammes par portion – 60 calories divisées par 28 grammes – 2,1 calories par gramme. Mais nul n'est besoin d'avoir une calculatrice ou d'être bon en math pour calculer la densité énergétique d'un aliment ! Vous aurez une bonne idée de la densité en comparant le nombre de calories au nombre de grammes par portion : si les calories sont inférieures aux grammes, la densité énergétique de l'aliment sera inférieure à 1,0 calorie par gramme ; s'il y a deux fois plus de calories que de grammes (200 calories par 100 grammes, par exemple), la densité énergétique de l'aliment sera de 2,0 calories par gramme.

Lorsque vous ferez votre marché, vous pourrez rapidement fixer vos choix en appliquant les règles suivantes :

❖ Si le nombre de calories est inférieur aux grammes : allez-y, vous pouvez manger de cet aliment en grandes quantités.
❖ Si le nombre de calories est égal ou jusqu'à deux fois celui des grammes : commencez à contrôler les portions.
❖ Si le nombre de calories est plus de deux fois celui des grammes : limitez les portions.

ÉVALUER LA DENSITÉ ÉNERGÉTIQUE

La méthode suivante vous permettra d'évaluer rapidement, et sans l'aide d'une calculatrice, la densité énergétique d'un aliment. Pouvez-vous manger de grosses portions d'un aliment donné ou devez-vous faire preuve de modération à son égard ? Vous le saurez en comparant le nombre de calories au nombre de grammes par portion.

Salsa
Moins de calories (15) que de grammes (33) par portion.
Densité énergétique : inférieure à 1.
Manger en portions substantielles !

VALEUR NUTRITIVE
Portion 2 c. à soupe (33 g)
Portions par contenant 14
Teneur par portion
Calories 15

Haricots frits
Les calories (123) sont quasiment égales aux grammes (124).
Densité énergétique : 1.
Contrôler un peu les portions !

VALEUR NUTRITIVE
Portion ½ tasse (124 g)
Portions par contenant 4
Teneur par portion
Calories 123

Thon en conserve (dans l'huile)
Deux fois plus de calories (112) que de grammes (56).
Densité énergétique : 2.
Contrôler les portions !

VALEUR NUTRITIVE
Portion 2 oz (56 g)
Portions par contenant 2,5
Teneur par portion
Calories 112

Craquelins
Plus du double de calories (140) par rapport aux grammes (30).
Densité énergétique : supérieure à 2.
Limitez les portions !

VALEUR NUTRITIVE
Portion 18 craquelins (30 g)
Portions par contenant 7
Teneur par portion
Calories 140

Référez-vous au besoin au tableau de densité énergétique des pages 28 et 29. J'ai conçu cette liste expressément pour que vous puissiez la copier et l'emmener avec vous à l'épicerie. Les aliments sont classés dans chaque catégorie selon leur densité énergétique, de la valeur la plus basse à la plus haute. Cela vous facilitera énormément la tâche quand viendra le temps de comparer les aliments appartenant à une même catégorie, votre but étant de choisir ceux qui présentent une faible densité énergétique. Cette liste vous permettra d'identifier les aliments dont vous pouvez manger sans vous soucier des portions, de même que ceux que vous devez consommer avec modération. Portez une attention particulière aux étiquettes des aliments préparés, car leur densité énergétique peut varier d'une marque à l'autre.

Notez que les valeurs inscrites au tableau sont basées sur une moyenne. Je vous donnerai éventuellement des petits trucs qui vous permettront de comparer avec plus de précision la densité énergétique de différents aliments.

Remarquez qu'il n'est pas nécessaire de toujours choisir ses aliments en fonction de leur densité énergétique. Il ne faut pas non plus manger que des aliments se situant en deçà d'un certain seuil de densité énergétique. Il y a des aliments très sains et nourrissants qui ont une densité énergétique moyenne, voire même élevée – c'est le cas des noix et de l'huile d'olive. Consommez-les en petites quantités au lieu de les bannir de votre régime alimentaire. Certains aliments à forte densité énergétique – le chocolat, par exemple – sont trop tentants pour que l'on puisse carrément s'en passer. Gâtez-vous en en savourant un peu à la fin d'un repas.

Je sais que vous avez hâte de commencer à élaborer votre plan personnalisé d'alimentation et de gestion du poids, mais j'ai d'abord d'autres sujets importants à aborder.

Les boissons

Si les aliments riches en eau favorisent la sensation de satiété, cela veut-il dire qu'on peut calmer sa faim en buvant? Malheureusement non. Les boissons telles que les boissons gazeuses et le jus étanchent la soif, mais n'apaisent pas la faim. Vous ne mangerez pas moins simplement parce que vous buvez des calories. De plus, les calories que ces breuvages contiennent viennent s'ajouter à celles que vous consommer durant les repas. Une étude menée dans mon labo nous a appris qu'un individu qui boit un breuvage de 150 calories au repas du midi aura un apport calorique bien supérieur à quelqu'un qui boit une boisson sans calorie.

Fort heureusement, on peut très facilement réduire sa consommation de boissons caloriques sans avoir pour autant l'impression de se priver. L'eau est ce qu'il y a de mieux pour étancher la soif, cela dit, on peut aisément varier son menu liquide en choisissant parmi toute une panoplie de breuvages à basses calories. Essayez les boissons gazeuses diète, ou alors confectionnez-vous un bon panaché aux fruits en mélangeant jus de fruits et club soda. Il n'y a pas d'inconvénient à boire du thé chaud ou froid, du moment qu'on n'y ajoute pas du sucre. Le café ne contient presque aucune calorie en soi, mais méfiez-vous des cafés de spécialité – café au lait, cappuccino, mochaccino, etc. –, car ils peuvent

CATÉGORIE 1 :

Les aliments à très faible densité énergétique (0 à 0,6 calorie par gramme)

N'oubliez pas que vous pouvez manger des portions substantielles d'un aliment quand le nombre de calories qu'il contient par portion est inférieur au nombre de grammes par portion.

ALIMENT	DENSITÉ ÉNERGÉTIQUE
Bouillon de poulet sans gras	0,07
Gélatine sans sucre à saveur de fruits	0,07
Concombre	0,13
Céleri	0,16
Bouillon de poulet	0,16
Laitue	0,18
Tomate	0,21
Asperge	0,24
Champignons	0,27
Brocoli	0,28
Fraises	0,3
Soupe végétarienne aux légumes	0,3
Pamplemousse	0,3
Fenouil	0,31
Melon d'eau	0,32
Haricots verts	0,35
Cantaloup	0,35
Poulet, riz et soupe aux légumes	0,35
Courge d'hiver	0,38
Carottes	0,39
Pêche	0,43
Compote de pommes non sucrée	0,43
Vinaigrette italienne sans gras	0,43
Orange	0,47
Framboises	0,48
Yogourt aux fruits sans gras, avec édulcorant faible en calories	0,53
Yogourt nature sans gras	0,56
Bleuets	0,56
Pommes	0,58
Gélatine à saveur de fruits	0,59
Poires	0,59

CATÉGORIE 2 :

Les aliments à faible densité énergétique (0,6 à 1,5 calorie par gramme)

La plupart des aliments que nous mangeons se retrouvent dans cette catégorie. Vous pouvez manger les aliments qui ont une D. É. inférieure à 1,0 en portions substantielles ; pour les autres, songez à contrôler un peu les portions.

ALIMENT	DENSITÉ ÉNERGÉTIQUE
Tofu	0,61
Gruau instantané, préparé avec de l'eau	0,62
Mayonnaise sans gras	0,62
Yogourt nature faible en gras	0,63
Fromage cottage sans gras	0,65
Raisins	0,67
Chili végétarien	0,67
Haricots noirs	0,78
Pois verts	0,78
Maïs en épi bouilli et égoutté	0,86
Sébaste orangé (grillé)	0,89
Banane	0,92
Fèves au lard	0,93
Crème sure sans gras	0,94
Crevettes bouillies ou à la vapeur	1
Yogourt glacé sans gras	1
Yogourt aux fruits faible en gras	1
Fromage cottage régulier	1
Patate douce cuite au four	1
Olives	1,1
Flocons de son avec lait 1 %	1,1
Ketchup	1,1
Pomme de terre au four, avec la peau	1,1
Thon en conserve dans l'eau	1,2
Yogourt glacé aux fruits	1,3
Riz blanc à grains longs (cuit)	1,3
Chili con carne	1,3
Vinaigrette ranch sans gras	1,4
Pâtes alimentaires (cuites)	1,4
Avocat	1,4
Jambon extra maigre (5 % de gras)	1,5
Spaghetti avec sauce à la viande	1,5

Catégorie 3 :

Aliments à densité énergétique moyenne (1,5 à 4,0 calories par gramme)
Faites attention aux portions, surtout avec les aliments dont la D. É. est plus élevée.

ALIMENT	DENSITÉ ÉNERGÉTIQUE
Yogourt glacé au chocolat ou à la vanille	1,6
Œuf cuit dur	1,6
Poitrine de dinde grillée, sans la peau	1,6
Poitrine de poulet grillée, sans la peau	1,7
Burger végétarien	1,8
Bifteck de surlonge grillé (viande maigre)	1,9
Thon en conserve dans l'huile	2
Burrito aux haricots et au fromage	2
Œuf frit	2
Tarte à la citrouille	2,1
Margarine faible en calories	2,1
Pain de blé entier	2,5
Confitures, gelées et marmelades	2,5
Crème glacée	2,5
Gâteau éponge	2,6
Fromage mozzarella partiellement écrémé	2,6
Vinaigrette ranch réduite en calories	2,7
Pain blanc italien	2,7
Bœuf haché maigre (grillé)	2,7
Bagel nature	2,8
Pizza au fromage	2,9
Muffin aux bleuets	2,9
Raisins secs	3
Patates frites	3,2
Ravioli au fromage	3,2
Mayonnaise légère	3,3
Fromage à la crème (non allégé)	3,5
Vinaigrette italienne (non allégée)	3,6
Gâteau au chocolat avec glaçage	3,7
Fromage suisse ou américain	3,8
Bretzels secs	3,9
Croustilles tortillas cuites au four	3,9

Catégorie 4 :

Aliments à forte densité énergétique (4,0 à 9,0 calories par gramme)
Gérez votre consommation de ces aliments en limitant les portions ou en les remplaçant par des aliments à D. É. plus faible.

ALIMENT	DENSITÉ ÉNERGÉTIQUE
Croustilles cuites au four	3,9
Rondelles d'oignon panées et frites	4,1
Glaçage blanc	4,1
Croissant	4,1
Pâte à tarte	4,1
Beigne nature	4,1
Biscuits Graham	4,2
Barre granola	4,3
Maïs soufflé au caramel	4,3
Fromage parmesan	4,6
Biscuits aux brisures de chocolat faits maison	4,6
Biscuits au chocolat avec garniture crémeuse	4,9
Craquelins au fromage	5
Bacon	5
Croustilles tortillas	5,1
Beurre d'arachide réduit en gras	5,3
Croustilles (pomme de terre ou maïs)	5,4
Tablette de chocolat au lait	5,4
Arachides rôties	5,9
Vinaigrette ranch (non allégée)	5,9
Beurre d'arachide crémeux	5,9
Pacanes rôties à sec	6,6
Mayonnaise (non allégée)	7,2
Beurre	7,2
Margarine	7,2
Huile végétale	8,8

LA DENSITÉ ÉNERGÉTIQUE DES BOISSONS

Certaines boissons peuvent être une source de calories cachées. De plus, quantité de boissons qui sont vendues en format «individuel» contiennent en fait plusieurs portions – une bouteille de boisson gazeuse de 16 onces, par exemple. Pensez à ce que vous avez bu hier et demandez-vous : Combien de calories ai-je bues ?

BOISSONS	QUANTITÉ	CALORIES	DENSITÉ ÉNERGÉTIQUE
Eau ou boisson gazeuse diète	8 oz	0	0,00
	12 oz	0	
	16 oz	0	
Bière «light»	8 oz	66	0,28
	12 oz	99	
	16 oz	132	
Lait écrémé	8 oz	86	0,35
	12 oz	129	
	16 oz	172	
Bière	8 oz	97	0,41
	12 oz	146	
	16 oz	195	
Boisson gazeuse	8 oz	101	0,41
	12 oz	152	
	16 oz	203	
Lait 1 %	8 oz	102	0,42
	12 oz	153	
	16 oz	205	
Jus d'orange	8 oz	112	0,45
	12 oz	167	
	16 oz	223	
Lait 2 %	8 oz	122	0,5
	12 oz	183	
	16 oz	244	
Lait entier	8 oz	149	0,61
	12 oz	223	
	16 oz	298	
Vin	8 oz	165	0,7
	12 oz	248	
	16 oz	330	

contenir beaucoup de sucre et de gras ; une seule de ces boissons peut contenir autant de calories qu'un repas complet !

Les boissons alcoolisées contiennent elles aussi des calories qui viennent s'ajouter à celles que vous mangez. Comptant pas moins de 7 calories par gramme, l'alcool affiche une forte densité énergétique, et le fait qu'on le mélange souvent à des boissons sucrées telles que le jus et les boissons gazeuses n'arrange pas les choses. Je n'irai évidemment pas jusqu'à vous demander d'arrêter complètement de boire de l'alcool. Il n'y a rien de mal à boire un verre de vin aux repas, mais n'oubliez pas que 4 onces de vin contiennent environ 85 calories que vous allez devoir compter dans le cadre de votre plan alimentaire.

Bref, soyez judicieux dans vos choix de boissons. Dites-vous que pour chaque boisson gazeuse de 12 onces que vous vous abstenez de boire, vous économisez 150 calories. Ce n'est pas beaucoup, direz-vous, mais en vérité ces 150 calories quotidiennes que vous ne consommez peuvent vous amener à perdre jusqu'à 15 livres en l'espace d'un an !

CONTRECARRER LA DISTORSION DES PORTIONS

On n'a pas à s'inquiéter des portions quand on mange des aliments de très faible densité énergétique – ce sont justement là les aliments que je veux que vous mangiez en grandes quantités. Par contre, quand on mange des aliments à plus haute densité énergétique et qu'on veut gérer son poids, il faut absolument procéder à un contrôle des portions. Voici les stratégies à adopter :

◎ Songez que la grosseur des portions a augmenté ces dernières années et que, par conséquent, il est possible que l'on vous serve davantage de calories que vous n'en avez besoin.

◎ Lisez religieusement les étiquettes des produits alimentaires en portant une attention particulière à l'ampleur de la portion suggérée et au nombre de calories qu'elle contient.

◎ Tenez compte de la densité énergétique d'un aliment et non pas seulement du nombre de calories qu'il contient par portion. Vous pourrez manger de plus grosses portions d'un aliment à faible D. É.

◎ Prenez l'habitude de peser (avec une balance de cuisine) ou de mesurer (avec une tasse à mesurer) vos aliments. Cela vous permettra de calculer exactement la quantité de nourriture et le nombre de calories que vous ingérez.

◎ Ne laissez pas les autres décider des portions que vous mangez.

◎ Référez-vous au *Guide alimentaire canadien* pour constituer des repas équilibrés qui contiennent, en proportions adéquates, les quatre groupes alimentaires. Vous apprendrez à compter les portions en allant au http://www.hc-sc.gc.ca/fn-an/ food-guide-aliment/using-utiliser/count-calcul/index_f.html.

- Évaluez votre faim et votre sensation de satiété pendant que vous mangez (voir page 46) et arrêtez quand vous vous sentez rassasié. Rien ne vous oblige à finir votre assiette.
- Mangez lentement, prenez le temps d'apprécier les saveurs et textures de votre nourriture. Quand vous avez fini votre assiette, relaxez-vous pendant quelques minutes pour voir si vous avez encore faim au lieu de vous accorder automatiquement une portion supplémentaire.
- Achetez les grignotines de haute densité énergétique – croustilles, biscuits, etc. – en petits formats ou en portions individuelles. Si vous tenez absolument à acheter les gros formats pour économiser, transférez leur contenu dans des sacs d'emballage qui se ferment hermétiquement ou dans des contenants de plastique.
- Divisez les aliments destinés au congélateur en portions individuelles adéquates.
- Si vous faites toujours trop de nourriture quand vous préparez un repas, apprenez à préparer juste ce qu'il faut – sauf s'il s'agit de soupes, de plats en casserole ou d'autres mets qui doivent nécessairement être cuisinés en plus grandes quantités. S'il y a des restes, emballez-les immédiatement après le repas pour éviter la tentation.
- Au restaurant, choisissez les plats qui viennent en petites portions ou commandez une entrée plutôt qu'un plat principal. Et ramenez les restes à la maison au lieu de vous forcer à finir une assiette trop copieuse.
- Il y a des plats, les desserts et les entrées par exemple, qui se partagent fort bien au restaurant.

Gérez vos portions

Comment décidez-vous de la quantité de nourriture que vous devez manger? Si vous vous basez sur les portions qu'on vous sert au restaurant, alors vous consommez beaucoup plus de calories que vous n'en avez besoin. Au resto, un sandwich à la salade de thon pèse plus de 10 onces et peut compter au-delà de 680 calories. Or, les experts en nutrition ont déterminé qu'une portion de 4 onces (seulement 290 calories) était adéquate pour ce type de sandwich. Le resto vous donne donc plus du double des calories recommandées.

Vous avez sans doute remarqué que les restaurants ont graduellement augmenté leurs portions ces dernières années. D'autres ont suivi leur exemple: les fabricants de produits alimentaires se sont eux aussi employés à grossir leurs portions. Les portions que nous servons à la maison semblent avoir suivi le mouvement, car si on compare les livres de recettes publiés dans les dernières décennies, on s'aperçoit qu'une même recette faite en quantités égales rend aujourd'hui moins de portions qu'il y a 20 ans! La plupart d'entre nous sont sensibles au phénomène de la «distorsion des portions». Des études réalisées dans mon labo ont démontré qu'un individu a tendance à manger plus quand on lui donne des plus grosses portions. Mais le pire, c'est que nous ne nous rendons même pas compte que nous faisons cela!

Quand on coupe les calories en mangeant moins, on reste toujours sur sa faim et on a l'impression de se priver. C'est pourquoi il est si difficile de s'astreindre à ce genre de régime.

Le plan alimentaire Volumetrics, ne vous force pas à manger moins. Bien au contraire ! Vous devez bien sûr limiter votre consommation d'aliments à densité énergétique élevée, par contre, vous pouvez manger les aliments de densité énergétique très basse (moins de 0,6 calorie par gramme) en plus grandes quantités que vous ne le faisiez auparavant. Vous pouvez par exemple manger des portions substantielles de fruits, de légumes ou de soupes à base de bouillon sans crainte d'accumuler les calories. Vous allez donc réduire votre apport calorique quotidien tout en augmentant la quantité de nourriture que vous consommez. Votre faim sera apaisée et vous n'aurez pas toujours l'impression de vous priver.

Je vais vous montrer comment réduire les portions d'aliments à D. É. élevée tout en incorporant dans votre alimentation toutes sortes d'aliments de D. É. très faible. Vous découvrirez, avec joie sans doute, qu'on peut se resservir plusieurs fois quand on mange des aliments de très faible D. É. Dorénavant, quand vous aurez un petit creux entre les repas, vous pourrez savourer sans crainte n'importe quel aliment de la catégorie 1, sachant qu'ils apaiseront votre faim sans vous encombrer de calories inutiles. Vous pourrez aussi prendre l'habitude de manger une soupe, un fruit ou une salade avec vinaigrette faible en gras avant les repas ; ainsi, vous aurez moins faim et mangerez moins du plat principal.

Devez-vous compter les calories ?

Une chose est certaine, c'est que les calories comptent. Elles sont importantes parce qu'elles représentent la valeur énergétique de ce que vous mangez. Imaginez votre corps comme une fournaise qui brûle des calories pour les convertir en énergie : pour maintenir son poids, il doit brûler autant de calories qu'il n'en consomme ; pour perdre du poids, il doit brûler plus de calories qu'il n'en consomme. Dans le processus de perte de poids, il faut donc tenir compte de l'énergie que l'on ingère et de l'énergie que l'on brûle.

Je sais, vous me voyez venir avec mes gros sabots ! « Une autre nutritionniste qui va me dire que je dois manger moins de calories et être plus actif pour perdre du poids ! » vous direz-vous. Oui, c'est vrai, néanmoins il faut que vous sachiez que même les petits changements dans votre alimentation et votre niveau d'activité peuvent avoir, si vous les maintenez, un impact énorme sur votre poids et votre santé. On peut perdre 10 livres en un an simplement en mangeant 100 calories de moins par jour. Pensez-y ! Évidemment, l'inverse est également vrai : manger chaque jour un peu plus de calories que ce que l'on a besoin mène inévitablement à un gain de poids progressif. Dans votre corps, chaque livre de graisse contient environ 3500 calories. Cela signifie que pour chaque livre que vous voulez perdre, vous devez consommer 3500 calories de moins que vous n'en brûlez. Ça semble beaucoup, mais vous allez voir que les petits changements s'additionnent rapidement.

AU LIEU DE	D. É.	CALORIES	SUBSTITUER	D. É.	CALORIES	ÉCONOMIE EN CALORIES
Bagel (1)	2,8	195	Pain de blé entier (1 tranche)	2,5	62	**133**
Beigne à la confiture (1)	3,4	289	Muffin aux bleuets et à la compote de pommes (1) (page 70)	1,6	123	**166**
Lait entier (8 onces)	0,61	150	Lait écrémé (8 oz)	0,35	86	**64**
Crème glacée (½ tasse)	2,5	270	Yogourt glacé sans gras (½ tasse)	1,2	80	**190**
Thon en conserve dans l'huile (2 oz)	2	110	Thon en conserve dans l'eau (2 oz)	1,2	66	**44**
Ailes de poulet grillées (3 onces)	2,9	247	Poitrine de poulet grillée, sans la peau (3 oz)	1,7	140	**107**
Boisson gazeuse (12 oz)	0,41	152	Boisson gazeuse diète (12 oz)	0	0	**152**

À ce point-ci, vous vous demandez sans doute comment on s'y prend pour compter les calories. Ceux qui ont tenté l'expérience savent combien cet exercice peut être fastidieux. Heureusement pour vous, le plan Volumetrics ne vous obligera pas à compter les calories de chaque bouchée que vous mangez. En ce qui nous concerne, l'important est de savoir d'où proviennent ces calories. Une fois que vous aurez appris à faire des choix alimentaires plus éclairés, vous mangerez toujours à votre faim sans jamais ingérer de calories excédentaires. Vous êtes prêt? Alors, allons-y!

Le programme de perte de poids idéal doit assouvir la faim, réduire les calories, inclure une grande variété d'aliments, répondre aux besoins nutritionnels de l'individu et prévoir un plan d'activité physique. Il se doit aussi d'être plaisant et facile à respecter.

ÉLÉMENT	RECOMMANDATION	COMMENTAIRES
Énergie (calories)	Ingérer entre 500 et 1000 calories de moins par jour	Devrait produire une perte de poids de 1 ou 2 livres par semaine.
Lipides	20 à 30 % de l'apport calorique total	Favorisez les aliments de faible D. É. réduits en gras, ainsi que les gras sains.
Glucides	55 % ou plus de l'apport calorique total	Les glucides provenant des fruits, légumes et grains entiers augmentent la sensation de satiété.
Fibres	25 grammes par jour pour les femmes.	Mangez beaucoup de fruits, de légumes, de légumineuses et de grains entiers. Les fibres ont une D.É. faible et favorisent la satiété.
Sucres	Modérez les sucres dans votre alimentation	Réduisez votre consommation de boissons gazeuses caloriques, qui favorisent peu la satiété.
Protéines	15 à 35 % de l'apport calorique total, soit environ 0,4 gramme par livre de poids corporel. Allez jusqu'à 0,8 g si vous êtes très actif.	Rassasient plus que les glucides et lipides. Les protéines aident à prévenir la perte de masse musculaire et à maintenir le taux métabolique durant un régime. Les meilleures sources sont les haricots, les poissons faibles en gras et les viandes maigres.
Alcool	Maximum : 1 consommation par jour pour les femmes, 2 pour les hommes.	Mangez des repas de faible D. É. quand vous buvez.
Eau	Boire 9 tasses d'eau ou autres boissons par jour pour les femmes, 13 pour les hommes.	Buvez de l'eau ou des boissons sans calories plutôt que des boissons sucrées.
Activité physique	Visez de 30 à 60 minutes d'activité physique d'intensité moyenne par jour, incluant deux séances d'entraînement musculaire par semaine.	Comptez le temps passé à monter et à descendre des escaliers, de même que les activités usuelles comme la marche, le jardinage et les travaux ménagers. Procurez-vous un compteur de pas !

2

Votre plan personnalisé de gestion du poids

Dans ce chapitre, je vais vous enseigner les bases de la gestion du poids et je vais vous aider à développer un plan personnalisé selon vos préférences et vos objectifs. Nous allons commencer à la semaine 0, une semaine d'évaluation qui vous permettra de savoir où vous en êtes présentement sur le plan de l'alimentation et de l'activité physique. Profitez de cette première semaine pour vous familiariser avec les principes de base de l'approche Volumetrics en lisant le présent ouvrage, ainsi que *Le plan alimentaire Volumetrics*. Après cette semaine préparatoire, vous allez planifier votre menu et fixer vos objectifs pour les quatre semaines à venir. Je vais aussi vous montrer comment augmenter progressivement votre niveau d'activité. Si le plan proposé dans ce livre vous paraît trop rigide et structuré, vous pouvez l'adapter à votre guise, mais toujours en respectant les principes volumétriques. Il est très important de tenir un journal de nutrition quand on suit un programme comme celui-ci. Dans ce journal, vous allez noter ce que vous avez mangé dans la journée, les activités physiques que vous avez faites, de même que vos progrès. Des études ont démontré que le journal de nutrition est un élément crucial du processus de gestion du poids.

Dans la lettre suivante, une dame qui a décidé d'appliquer les principes volumétriques après avoir lu *Le plan alimentaire Volumetrics* raconte comment cela a changé sa vie :

> Chère Dr Rolls,
> On m'a diagnostiqué avec un diabète de type II en février dernier. Une des premières choses que j'ai fait a été de consulter une nutritionniste. J'avais environ 70 livres à perdre et j'avais besoin d'aide. J'ai demandé à la nutritionniste ce que je pouvais faire pour arrêter d'avoir tout le temps faim, mais elle n'a pas vraiment répondu à ma question. C'est après ça que j'ai commencé sans le savoir à expérimenter avec les concepts qu'on retrouve dans vos livres. Je dis « sans le savoir » parce que je ne savais même pas que la volumétrique existait et que vous en étiez un chef de file en la matière. J'ai commencé par me faire des grosses salades pour souper, puis je me suis mis à inventer des plats faibles en calories et qui, du point de vue de la quantité, pouvaient remplir un bol de soupe. C'est après ça que j'ai découvert votre livre. En le lisant, j'ai réalisé que j'avais à mon insu mis en pratique ce que vous prêchiez. Cela prouve que votre approche est pleine de bon

sens. Je recommande toujours votre livre à ceux qui me demandent comment j'ai fait pour perdre 70 livres – et ils sont nombreux. Je veux que la volumétrique continue de gagner en popularité et je ferai tout ce qui est en mon pouvoir pour vous aider en ce sens. Continuez votre excellent travail.

Merci du fond du cœur,
PAM COBO

Semaine 0

C'est durant cette semaine préparatoire que vous vous fixerez des objectifs personnels. Vous aurez différents feuillets à remplir, mais ne vous en faites pas, je vous montrerai comment les remplir en vous donnant des exemples du genre d'objectifs que vous pourrez raisonnablement vous fixer. Il est en effet très important que vous choisissiez des objectifs réalisables. Il n'y a aucun mal à rêver d'avoir l'air d'un top-modèle ou de retrouver sa taille de jeune fille, néanmoins une attitude réaliste vous permettra d'éviter les grosses déceptions. Il est vrai que certaines personnes ont connu des pertes de poids phénoménales, mais ce sont des exceptions; pour la plupart des gens au régime, le poids se stabilise après une perte de 5 à 10 pour cent du poids initial. Un résultat de cet ordre a de nombreux effets bénéfiques sur la santé, notamment: réduction du taux de glycémie à jeun; baisse de tension artérielle; et diminution des facteurs de risque associés aux maladies cardiaques.

Bref, une perte de 5 à 10 pour cent de votre poids actuel est pour vous un objectif raisonnable. Le tableau de la page 39 vous aidera à calculer combien de livres cela représente pour vous. Une fois que vous aurez calculé votre poids cible, inscrivez-le au tableau des objectifs de la page 40. Vous pourrez réévaluer votre poids cible par la suite si vous constatez que vous êtes en mesure de perdre plus de poids que vous ne le pensiez. N'oubliez pas de vous féliciter chaque fois que vous enregistrez une perte de poids et continuez de vous concentrer sur vos objectifs à long terme qui sont de bien manger et de rester actif!

Le taux de cholestérol et la tension artérielle sont deux indicateurs de l'état de santé d'un individu. De même, il y a des indicateurs tel l'indice de masse corporelle et la mesure du tour de taille qui nous renseignent sur le niveau d'embonpoint d'un individu.

L'indice de masse corporelle (IMC) permet de déterminer si vous avez un poids adéquat par rapport à votre taille. Ce test s'avère fiable pour toutes les personnes adultes, sauf dans le cas des athlètes, lesquels peuvent être plus lourds parce que plus musclés. Trouvez votre IMC actuel en vous référant au tableau de la page 41, puis déterminez votre IMC idéal en utilisant le poids cible que vous venez de calculer. Par exemple, si vous mesurez 5 pieds 6 pouces et pesez 165 livres, votre IMC est 27; avec un poids cible de 149 livres, votre IMC cible sera 24.

TABLEAU DES OBJECTIFS (exemple)

SEMAINE 0 (évaluation)	OBJECTIFS
Âge : *35 ans*	
Tour de taille : *42 po* (voir pages 40 et 42)	
Poids : *165 lb*	Poids cible : *149 lb*
IMC : *27* (voir page 41)	IMC cible : *24*
Besoin journalier en calories : *2324 calories* (voir page 49)	Objectif journalier : *1824 calories*
Pas par jour : *4500 pas* (voir page 52)	Objectif initial : *6500 pas* Objectif à long terme : *10 000 pas*

TABLEAU DES OBJECTIFS (à remplir vous-même)

SEMAINE 0 (évaluation)	OBJECTIFS
Âge : _____	
Tour de taille : _____	
Poids : _____	Poids cible : _____
IMC : _____	IMC cible : _____
Besoin journalier en calories : _____	Objectif journalier : _____
Pas par jour : _____	Objectif initial : _____ Objectif à long terme : _____

CALCULEZ VOTRE OBJECTIF DE PERTE DE POIDS

Exemple

Si vous pesez 165 lb, une perte de 10 % équivaut à 16 lb :

_____165 lb_____ (poids actuel) x 0,10 = ___16 lb___ (10 % de votre poids actuel)

Votre poids cible sera donc 149 lb :

_____165 lb_____ (poids actuel) – _____16 lb_____ (10 % du poids actuel) = _____149 lb_____

À vous maintenant de calculer

10 % de votre poids actuel (pour une perte de poids de 5 %, remplacer 0,10 par 0,05) :

_____ lb (poids actuel) x 0,10 = _____ lb (10 % de votre poids actuel)

Votre poids cible :

_____ lb (poids actuel) – _____ livres (10 % du poids actuel) = _____ lb

L'interprétation de l'IMC

Si votre IMC est de :

❖ Moins de 18,5 : Votre poids est insuffisant. Un régime amaigrissement est déconseillé et pourrait être néfaste pour votre santé.

❖ 18,5 à 24,9 : Vous avez un poids sain et normal. Donnez-vous pour objectif de maintenir ce poids en mangeant sainement et en maintenant un bon niveau d'activité physique.

❖ 25 à 29,9 : Vous souffrez de surcharge pondérale (excès de poids). À ce niveau, les risques pour la santé sont minimes, néanmoins vous devez vous donner pour objectif de ne plus gagner de poids. Les risques pour la santé s'accroissent quand l'IMC dépasse 27.

❖ 30 à 34,9 : Vous êtes obèse. Vous devez agir immédiatement pour améliorer votre santé, car les risques sont importants à ce niveau-ci. Songez que même une baisse marginale de votre IMC peut affecter votre santé de façon positive.

❖ Plus de 35 : On parle à ce stade-ci d'obésité morbide. Si vous en êtes là, vous devez absolument perdre du poids. Parlez-en à votre médecin.

Quel que soit votre IMC, les risques de maladies cardiaques ou de diabète sont accrus si vous portez votre poids excédentaire au niveau du ventre – celles qui font de l'embonpoint au niveau des hanches et des cuisses n'ont pas à s'inquiéter de ce côté-là. Plus spécifiquement, un tour de taille de plus de 35 pouces chez les femmes et 40 pouces

DÉTERMINEZ VOTRE IMC EN TROUVANT LE POINT D'INTERSECTION DE VOTRE POIDS ET DE VOTRE TAILLE.

Poids en lb	100	105	110	115	120	125	130	135	140	145	150	155	160	165	170	175	180	185	190	195	200	205	210	215	220	225	230	235	240	245	250
Taille																															
5'0"	20	21	21	22	23	24	25	26	27	28	29	30	31	32	33	34	35	36	37	38	39	40	41	42	43	44	45	46	47	48	49
5'1"	19	20	21	22	23	24	25	26	27	27	28	29	30	31	32	33	34	35	36	37	38	39	40	41	42	43	44	45	46	46	47
5'2"	18	19	20	21	22	23	24	25	26	26	27	28	29	30	31	32	33	34	35	36	37	38	39	40	41	42	43	44	45	45	46
5'3"	18	19	19	21	22	23	24	24	25	26	27	28	29	29	30	31	32	33	34	35	36	37	38	39	40	40	41	42	43	43	44
5'4"	17	18	19	20	21	22	22	23	24	25	26	27	28	28	29	30	31	32	33	33	34	35	36	37	38	39	40	40	41	42	43
5'5"	17	17	18	19	20	21	22	22	23	24	25	26	27	27	28	29	30	31	32	32	33	34	35	36	37	37	38	39	40	41	42
5'6"	16	17	18	19	19	20	21	22	23	23	24	25	26	27	27	28	29	30	31	31	32	33	34	35	36	36	37	38	39	40	40
5'7"	16	16	17	18	19	20	20	21	22	23	23	24	25	26	27	27	28	29	30	31	31	32	33	34	35	35	36	37	38	38	39
5'8"	15	16	17	17	18	19	20	21	21	22	23	24	24	25	26	27	27	28	29	30	30	31	32	33	34	34	35	36	37	37	38
5'9"	15	16	16	17	18	18	19	20	21	21	22	23	24	24	25	26	27	27	28	29	30	30	31	32	33	33	34	35	36	36	37
5'10"	14	15	16	17	17	18	19	19	20	21	22	22	23	24	25	25	26	27	27	28	29	30	30	31	32	32	33	34	35	35	36
5'11"	14	15	16	16	17	17	18	19	20	20	21	22	22	23	24	24	25	26	27	27	28	29	29	30	31	31	32	33	34	34	35
6'0"	14	14	15	16	16	17	18	18	19	20	20	21	22	22	23	24	24	25	26	26	27	28	28	29	30	30	31	32	33	33	34
6'1"	13	14	15	15	16	16	17	18	18	19	20	20	21	22	22	23	24	24	25	26	26	27	28	28	29	30	30	31	32	32	33
6'2"	13	13	14	15	15	16	17	17	18	18	19	20	20	21	22	22	23	23	24	25	25	26	27	27	28	28	29	30	31	31	32
6'3"	12	13	14	14	15	16	16	17	17	18	19	19	20	21	21	22	22	23	24	24	25	26	26	27	28	28	29	29	30	31	31
6'4"	12	13	13	14	15	15	16	16	17	17	18	18	19	20	20	21	22	22	23	23	24	24	25	26	26	27	28	28	29	30	30
	POIDS INSUFFISANT				POIDS NORMAL								EXCÈS DE POIDS						OBÉSITÉ												

chez les hommes augmente les risques pour ces types de maladies. Le tour de taille se mesure en plaçant un ruban à mesurer autour de la taille juste au sommet de l'os iliaque (l'os de la hanche). Tendez le ruban, mais sans presser la peau, expirez, puis mesurez ; demandez à un ami de vous aider si vous avez du mal à prendre la mesure par vous-même. Le résultat que vous obtiendrez sera peut-être différent de votre tour de taille de jupe ou pantalon et ne représentera pas nécessairement la partie la plus mince de votre taille, tout dépendant de votre type physique. Notez aussi que le corps change de forme quand on fait un régime, ce qui peut influencer momentanément la mesure du tour de taille. Quoi qu'il en soit, toute réduction du tour de taille a des effets bénéfiques sur la santé. Mesurez votre tour de taille régulièrement en notant bien vos progrès. Cela vous aidera à rester motivé.

Calculer le besoin calorique journalier

Un bon programme de gestion du poids commence habituellement par une période pré-paratoire durant laquelle le client note soigneusement tout ce qu'il mange. Le plan *Volumetrics* fonctionne comme cela lui aussi. Cette façon de faire vous aidera à prendre conscience de ce que vous mangez et à voir quels aspects de votre alimentation ont besoin d'être améliorés – c'est ici que vos habitudes alimentaires seront mises à l'épreuve ! Vous serez également appelés à identifier les choses que vous allez pouvoir changer facilement, ainsi que celles qui sont susceptibles de vous donner plus de fil à retordre. Tout au long de la semaine préparatoire, vous inscrirez dans le formulaire de la page 44 le détail de ce que vous mangez à chaque jour. J'ai inclus à votre intention un exemple de ce « journal alimentaire » à la page 43.

Comme vous le voyez, je vous demande de préciser la catégorie de densité énergéti-que des aliments que vous mangez. Vous apprendrez ainsi la D. É. de différents aliments, et puis cela vous aidera à prendre conscience des changements que vous devez faire pour abaisser la densité énergétique de votre alimentation. Vous pouvez calculer la densité énergétique d'un aliment à partir de l'information qu'il y a sur l'étiquette comme nous l'avons vu à la page 25, ou bien référez-vous aux listes de densité énergétique des pages 28 et 29 ou aux listes modulaires des pages 251 à 269.

Une fois que votre semaine d'évaluation sera terminée, vous allez réviser votre jour-nal alimentaire en vous posant les questions suivantes :

❖ La plupart des aliments que vous avez choisis font-ils partie des catégories 1 et 2 ? Il n'y a pas de mal à manger des aliments des catégories 3 et 4, mais uniquement en portions limitées.

❖ Y a-t-il dans les catégories 3 et 4 des aliments que vous avez consommés et que vous pourriez manger moins souvent ou pas du tout ? Pourriez-vous réduire la D. É. de certains aliments en changeant votre méthode de préparation ? – vous pourriez par exemple griller vos poissons au lieu de les faire frire. Trouvez d'autres moyens de diminuer les matières grasses.

HEURE	ALIMENT	QUANTITÉ	CATÉGORIE DE D. É.	STRATÉGIES D'AMÉLIORATION
7 h 30	Jus d'orange	1 tasse	1	Remplacer par une orange entière.
7 h 30	Café avec crème	1 tasse	1	Remplacer la crème par du lait.
7 h 30	Muffin anglais beurré	2	3	Remplacer par une céréale de déjeuner riche en fibres avec du lait partiellement écrémé.
10 h 30	Biscuits au chocolat fourrés à la crème	6	4	Manger une pomme à la place.
12 h 30	Pomme de terre au four avec beurre et sauce au fromage	1	3	Garnir la pomme de terre de brocoli vapeur et de salsa.
12 h 30	Sandwich jambon-fromage	1	3	Utiliser un pain de blé entier. Ajouter des légumes. Garnir de moutarde ou de mayonnaise réduite en gras.
3 h 30	Croustilles	1 petit sac	4	Remplacer par du yogourt faible en gras ou une portion de fromage allégé.
6 h 00	Pizza à pâte épaisse toute garnie	3 pointes	3	Commencer le souper avec une soupe et salade à basse D. É. Opter pour une pizza à pâte mince aux légumes et manger en plus petite quantité.
8 h 00	Lait fouetté	1 tasse	2	Remplacer par un yogourt frappé aux fruits frais.

JOURNAL ALIMENTAIRE VOLUMETRICS

DATE :

HEURE	ALIMENT	QUANTITÉ	CATÉGORIE DE D. É.	STRATÉGIES D'AMÉLIORATION

❖ Avez-vous mangé une bonne variété d'aliments? La variété est le secret d'une alimentation optimale qui fournira à votre corps tous les nutriments nécessaires. Votre alimentation devrait inclure des quantités importantes de fruits et légumes, de grains entiers, de produits laitiers faibles en gras, ainsi que des sources de protéines comme le poisson, les légumineuses et la viande maigre.

❖ Quels moyens pourriez-vous employer pour augmenter votre consommation de fruits et légumes? Ne pourriez-vous pas manger des fruits au goûter? Vous résisterez mieux aux friandises des machines distributrices si vous apportez une pomme en guise de collation.

❖ Buvez-vous trop de boissons caloriques telles que les boissons gazeuses, les jus de fruits ou les boissons alcoolisées? Songez que les calories que vous buvez s'ajoutent à celles que vous mangez. Avec tous les breuvages sans calories ou faibles en calories qu'il y a sur le marché, vous devriez être capable de couper les calories de ce côté-là sans trop de difficulté.

❖ Mangez-vous à intervalles réguliers tout au long de la journée? Le modèle classique des trois repas par jour plus deux collations nutritives est particulièrement efficace pour tenir la faim en laisse.

❖ Vous arrive-t-il de sauter un repas? Il est difficile de contrôler la quantité de nourriture que l'on mange durant un repas quand on a sauté le repas précédent.

Analysez votre journal alimentaire en pensant que votre but, au cours des quatre prochaines semaines, sera d'améliorer votre alimentation de façon durable. Partant des données recueillies durant la semaine d'évaluation, vous serez appelé à essayer de nouveaux aliments et à explorer des nouvelles méthodes de préparation.

Je vous ai demandé jusqu'ici de vous concentrer sur les types d'aliments que vous mangez, mais vous allez aussi devoir changer vos comportements alimentaires. Je veux que vous restiez alerte durant les repas et que vous savouriez chaque bouchée; on consomme presque toujours des calories en trop quand on mange distraitement. Un bon niveau d'attention durant les repas vous aidera à apprivoiser la sensation de satiété. Vous apprendrez ainsi à manger juste assez pour assouvir votre faim. Vos objectifs personnels devraient inclure des stratégies visant à améliorer à la fois ce que vous mangez et la manière dont vous mangez. La semaine d'évaluation est le moment idéal pour découvrir si vous êtes à l'écoute des sensations de faim et de satiété. Ceux qui ont des problèmes en ce sens pourront remédier à cela en appliquant les techniques que j'expose à la page 46.

Vous vous demandez sans doute pourquoi je ne vous ai pas encore demandé de calculer votre apport calorique journalier à partir des données que vous avez inscrites dans votre journal alimentaire. L'exercice n'est pas dénué d'intérêt, mais sachez que ces calculs risquent de s'avérer laborieux, même si vous employez un logiciel informatique spécialement conçu à cet effet. Je vous conseille plutôt d'utiliser la fiche des besoins énergétiques journaliers de la page 49; cette formule qui a été élaborée par l'institut de médecine des États-Unis permet de déterminer le nombre approximatif de calories qu'un individu doit

Écoutez-vous votre corps quand il vous dit qu'il a faim ou qu'il est rassasié ? Si ce n'est pas le cas, alors je vais vous montrer ce qu'il faut faire pour rester à l'écoute. La première chose que vous devez faire, c'est de ralentir le rythme des repas pour avoir le temps de porter attention aux sensations que vous éprouvez. La faim qu'on ressent avant chaque repas est une sensation appropriée. Lorsqu'ils décrivent leur faim, la plupart des gens disent que c'est comme un mal de ventre accompagné de gargouillements. Vous ne devriez pas attendre d'avoir faim au point de vous sentir faible ou étourdi avant de manger ; il est difficile de contrôler ses portions quand on a une faim pareille. La sensation de faim devrait décliner au fur et à mesure où vous mangez et vous devriez éventuellement vous sentir agréablement rassasié, mais pas tant que vous avez l'impression d'avoir trop mangé. Si vous ne reconnaissez pas ou ne ressentez pas ce cycle de la faim et de la satiété, essayez les trucs suivants :

◎ Sur une période de deux jours durant la semaine préparatoire, demandez-vous avant chaque repas : « Est-ce que j'ai faim ? »
◎ Évaluez votre faim sur une échelle de 1 à 10 (voir ci-dessous), 1 voulant dire que vous êtes affamé et 10, que vous êtes plein au point de ne plus pouvoir manger une bouchée.

Est-ce que j'ai faim ?
Affamé 1 2 3 4 5 6 7 8 9 10 Complètement rassasié

◎ Marquez des pauses fréquentes durant le repas et demandez-vous : « Est-ce que j'ai encore faim ? »
◎ Si vous êtes à 5, il est peut-être temps d'arrêter de manger. Les chiffres du milieu de l'échelle indiquent que vous n'avez plus faim et que vous avez atteint un niveau satisfaisant de satiété. Vous n'avez pas l'impression d'avoir trop mangé.
◎ Dès que vous commencez à vous sentir rassasié, prenez une pause de 15 minutes durant laquelle vous ne mangerez pas. Cela vous donnera le temps de reconnaître les signaux de satiété que vous envoie votre corps.
◎ Si vous avez encore faim après ces 15 minutes de répit, recommencez à manger tout en restant à l'écoute de vos sensations de faim et de satiété.
◎ Si vous êtes complètement déconnecté du mécanisme de la faim et de la satiété, déjeunez, dînez et soupez à heures régulières pendant plusieurs jours et ne mangez rien entre les repas. Grâce à cette stratégie, vous devriez sentir la faim avant les repas et la satiété après avoir mangé. Évaluez votre faim sur l'échelle de 1 à 10 avant chaque repas et soyez attentif à ce que vous ressentez. Souvenez-vous de ces sensations : ce sont elles qui vous guideront à l'avenir quand vous mangerez.

consommer quotidiennement. Pour remplir cette fiche, vous allez devoir d'abord mesurer votre niveau d'activité physique en comptant – à l'aide d'un compteur électronique, bien entendu – le nombre de pas que vous faites chaque jour. Vous inscrirez ce nombre au tableau de la page 52. On évalue ainsi le niveau d'activité en se basant sur une vitesse de marche d'environ 3 milles à l'heure. Une fois que vous aurez calculé votre besoin journalier en calories, inscrivez-le au tableau de la page 39.

J'estime important que vous perdiez du poids à un rythme régulier, mais lent, soit à raison de 1 ou 2 livres par semaine. Je sais que vous aimeriez que les choses se passent plus rapidement, mais songez qu'une perte de poids graduelle est plus facile à maintenir qu'une perte de poids rapide. On doit consommer 500 calories de moins par jour pour perdre 1 livre par semaine et 1000 calories de moins par jour pour en perdre 2. Vous calculerez donc votre objectif calorique journalier en retranchant 500 ou 1000 calories par jour du chiffre correspondant à votre besoin journalier en calories. Le nombre de calories résultant n'est bien sûr qu'une estimation : revoyez ce chiffre à la baisse si votre perte de poids est trop lente ou à la hausse si elle est trop rapide. Vous verrez de toute manière que plus vous mangerez d'aliments à basse densité énergétique et moins vous vous préoccuperez de compter les calories !

Les objectifs visant l'activité physique

L'augmentation du niveau d'activité physique est un élément important de votre programme de gestion du poids. Quand on coupe les calories pour perdre du poids, on perd en plus du gras de la masse corporelle maigre, et principalement du muscle. C'est malheureux, car le muscle est l'arme secrète du métabolisme. Les muscles sont des tissus très actifs : même au repos, une livre de muscle brûle plus de calories qu'une livre de graisse. Vos muscles soutiennent par ailleurs toute la charpente du merveilleux édifice qu'est votre corps. Pour conserver sa masse musculaire quand on fait un régime, l'exercice physique est de mise. Voici quelques-uns des bienfaits que procure l'activité physique :

❖ L'activité physique ralentit la perte de masse corporelle maigre durant le processus de perte de poids.
❖ Non seulement brûle-t-on des calories durant l'exercice, on en brûle aussi à un rythme accéléré dans les heures qui suivent la séance d'exercice.
❖ L'exercice physique permet aux muscles de se développer. Les exercices de musculation ou contre résistance sont évidemment très efficaces en ce sens, mais les exercices aérobiques qui font travailler les muscles longs des jambes et des bras (marche, jogging, natation, ski de fond, etc.) contribuent eux aussi au développement des muscles.
❖ L'activité physique incite l'individu à vivre plus sainement.

Quel est votre niveau d'activité physique ?

Sédentaire : Marche, déambulation dans des escaliers, jardinage ou autres activités de faible intensité en petite quantité.

Peu actif : 30 à 90 minutes d'activité vigoureuse par jour (entre 3600 et 10 800 pas)

Actif : 1,5 à 3,5 heures d'activité vigoureuse par jour (entre 10 800 et 25 000 pas)

Très actif : Plus de 3,5 heures d'activité vigoureuse par jour (plus de 25 000 pas)

1. Si votre niveau d'activité est :
   Sédentaire, inscrivez 1,00   1,14
   Peu actif, inscrivez 1,14   (niveau d'activité)   (A)—
   Actif, inscrivez 1,27
   Très actif, inscrivez 1,45

   Vous passez 45 minutes par jour à marcher vigoureusement et avez donc un niveau d'activité faible. Vous devez inscrire 1,14.

2. Multipliez votre taille (en po)   1107   (B)—
   par 16,78   (taille x 16,78)

   Vous mesurez 5 pi et 6 po, ce qui équivaut à 66 po.
   66 x 16,78 = 1107.

3. Multipliez votre poids (en lb)   817   (C)—   165 lb x 4,95 = 817
   par 4,95   (poids x 4,95)

4. Multipliez votre âge (en années)   256   (D)—   35 ans x 7,31 = 256
   par 7,31   (âge x 7,31)

   (E)— 1107 + 817 = 1924

5. Additionnez les résultats   1924   (F)— 1,14 x 1924 = 2193
   des lignes B et C   (B + C)

   (G)— 387 − 256 = 131

6. Multipliez le résultat de la   2193
   ligne A par celui de la ligne E   (A x E)

7. Soustrayez de 387 le résultat   131
   de la ligne D   (387 − D)

   131 + 2193 = 2324
   Votre besoin énergétique journalier est de 2324 calories. Pour perdre 1 lb par semaine, vous devez consommer 500 calories de moins, soit 1824 calories par jour.

8. Additionnez les résultats   2324
   des lignes G et F   calories (G + F)

BESOINS ÉNERGÉTIQUES JOURNALIERS

Quel est votre niveau d'activité physique ?

Sédentaire : Marche, déambulation dans des escaliers, jardinage ou autres activités de faible intensité en petite quantité.
Peu actif : 30 à 90 minutes d'activité vigoureuse par jour (entre 3600 et 10 800 pas)
Actif : 1,5 à 3,5 heures d'activité vigoureuse par jour (entre 10 800 et 25 000 pas)
Très actif : Plus de 3,5 heures d'activité vigoureuse par jour (plus de 25 000 pas)

FEMMES

1. Si votre niveau d'activité est :   (A)
   Sédentaire, inscrivez 1,00
   Peu actif, inscrivez 1,14   (niveau d'activité)
   Actif, inscrivez 1,27
   Très actif, inscrivez 1,45

2. Multipliez votre taille   (B)
   (en po) par 16,78   (taille x 16,78)

3. Multipliez votre poids   (C)
   (en lb) par 4,95   (poids x 4,95)

4. Multipliez votre âge   (D)
   (en années) par 7,31   (âge x 7,31)

5. Additionnez les   (E)
   résultats des lignes   (B + C)
   B et C

6. Multipliez le résultat   (F)
   de la ligne A par celui   (A x E)
   de la ligne E

7. Soustrayez de 387 le   (G)
   résultat de la ligne D   (387 – D)

8. Additionnez les
   résultats des lignes   calories (G + F)
   G et F

HOMMES

1. Si votre niveau d'activité est :   (A)
   Sédentaire, inscrivez 1,00
   Peu actif, inscrivez 1,12   (niveau d'activité)
   Actif, inscrivez 1,27
   Très actif, inscrivez 1,54

2. Multipliez votre taille   (B)
   (en po) par 12,8   (taille x 12,8)

3. Multipliez votre poids   (C)
   (en lb) par 6,46   (poids x 6,46)

4. Multipliez votre âge   (D)
   (en années) par 9,72   (âge x 9,72)

5. Additionnez les   (E)
   résultats des lignes   (B + C)
   B et C

6. Multipliez le résultat   (F)
   de la ligne A par celui   (A x E)
   de la ligne E

7. Soustrayez de 864 le   (G)
   résultat de la ligne D   (864 – D)

8. Additionnez les
   résultats des lignes   calories (G + F)
   G et F

Ce chiffre représente le nombre approximatif de calories dont vous avez besoin pour maintenir votre poids actuel.

Lorsque pratiquée avec régularité, l'activité physique est un des moyens les plus efficaces pour soulager l'anxiété et la dépression, régulariser l'humeur, améliorer la qualité du sommeil et développer l'estime de soi. Quand on fait de l'exercice physique, on se sent bien ; or, il a été prouvé que cela aide les gens qui entreprennent un programme de perte de poids à persévérer dans leur démarche. Une activité physique soutenue, même si elle est d'intensité modérée, vous aidera à ne pas reprendre le poids que vous aurez perdu et réduira les risques de diabète et de maladies cardiovasculaires bien au-delà de ce qu'une meilleure nutrition peut accomplir à elle seule.

Vous aurez plus de facilité à intégrer l'exercice physique dans votre quotidien si vous pratiquez une activité que vous aimez. Rester en forme et en santé ne devrait pas être une corvée, mais un plaisir ! Alors, optez pour l'activité qui vous convient le mieux. Je me concentrerai ici sur la marche pour les besoins de la cause, mais n'hésitez pas à choisir une autre activité si vous n'aimez pas spécialement marcher. L'important est que vous notiez soigneusement chaque jour le détail de vos activités physiques et que vous vous fixiez des objectifs visant à maintenir ou augmenter votre niveau d'activité.

Pas à pas vers la grande forme

Toute la journée, sans s'en rendre compte, on fait des pas : on marche pour aller au coin de la rue, pour se rendre à son auto, entre les rayons d'un grand magasin ou du supermarché, etc. La marche est une activité qu'on peut faire n'importe où ; nul n'est besoin d'aller au gym, sur une piste de jogging ou dans un parc pour la pratiquer. Mieux encore, il suffit que vous ajoutiez quelques pas à ceux que vous faites dans le cadre de vos activités quotidiennes pour augmenter de façon appréciable votre niveau d'activité.

Je vous conseille fortement de vous procurer un compteur de pas. Comme son nom l'indique, ce petit appareil qui s'agrafe tout bêtement à la ceinture d'un vêtement compte le nombre de pas que l'on fait ; vous en trouverez dans toutes les bonnes boutiques de sport. Un conseil cependant : passez outre aux modèles les moins chers, qui ne sont pas particulièrement précis, mais choisissez-en un qui est facile d'utilisation. Certains modèles proposent toute une panoplie de fonctions supplémentaires – un compteur de calories, par exemple – qui ne vous serviront finalement pas à grand-chose.

Parce qu'il est le reflet immédiat du niveau d'activité, le compteur de pas motive bien souvent les gens qui le portent à bouger davantage. Augmenter son niveau d'activité en ajoutant quelques pas à son quotidien est un moyen facile et plaisant de s'occuper de son corps et d'améliorer sa qualité de vie. Quand vous commencerez à porter votre compteur, je parie que vous serez d'abord étonné du nombre de pas que vous faites dans une journée. Ne changez rien à vos activités habituelles pendant quelques jours pour voir combien de pas vous faites actuellement chaque jour, puis, une fois que vous serez prêt à ajouter des pas supplémentaires à votre quotidien, allez-y ! Votre chiffre initial s'élèvera rapidement, vous verrez ! Au fond, c'est tout simple : il suffit d'ajouter chaque jour quelques pas de plus par rapport au nombre total de pas que vous avez fait la veille. Vous pouvez faire ces pas supplémentaires d'un seul coup, en une seule séance de marche quotidienne, toutefois il est généralement plus facile d'ajouter quelques pas ici et là tout au long de la journée. Il est tout aussi bénéfique pour la santé de faire plusieurs marches courtes durant la journée qu'une seule grande marche soutenue.

QUELQUES FAITS INTÉRESSANTS

- 1,6 km = 2000 à 2500 pas
- 10 000 pas = 6,4 à 8 km
- En ville, un pâté de maisons équivaut à 200 pas environ.
- La plupart des gens font environ 1200 pas en 10 minutes.

Comme je le disais précédemment, la première chose à faire est de porter le compteur pendant plusieurs jours pour voir combien de pas vous faites actuellement dans une journée. Afin de déterminer votre niveau d'activité initial, vous allez porter votre compteur pendant une semaine sans rien changer à vos activités quotidiennes habituelles.

- ❖ **Au début de la journée :** Remettez le compteur à zéro en pressant la touche marquée *reset*. N'oubliez pas que vous ne devez pas changer votre niveau d'activité pour le moment.
- ❖ **À la fin de la journée :** Notez sur la fiche de la page 52 le nombre de pas inscrit au compteur.
- ❖ **À la fin de la semaine :** Additionnez le total obtenu pour chaque journée, puis divisez par 7 pour obtenir votre niveau d'activité initial. Vous êtes maintenant prêt à fixer votre objectif personnel.

Fixez votre objectif en ajoutant 2000 pas par jour à votre moyenne quotidienne. Par exemple, si vous avez une moyenne de 4500 pas par jour, votre objectif sera de 6500 pas par jour. Ça paraît beaucoup, 2000 pas, mais en fait vous pourrez les faire en 15 ou 20 minutes réparties tout au long de la journée. Augmentez votre objectif au début de chaque nouvelle semaine jusqu'à ce que vous atteigniez 10 000 pas par jour, ce qui est le minimum recommandé. Si, arrivé à un certain point, vous avez du mal à faire vos 2000 pas supplémentaires, ne vous frustrez pas ; changez plutôt votre objectif et n'ajoutez que 1000 pas de plus par semaine à ceux que vous faites déjà. La plupart des gens peuvent atteindre les 10 000 pas par jour quelques semaines seulement après avoir commencé le programme, et ce, même s'ils n'ajoutent que 1000 pas par semaine à leur régime d'exercice.

	SEMAINE 0
Lundi	Nombre de pas :
Mardi	Nombre de pas :
Mercredi	Nombre de pas :
Jeudi	Nombre de pas :
Vendredi	Nombre de pas :
Samedi	Nombre de pas :
Dimanche	Nombre de pas :
	Total des pas =
	Moyenne quotidienne (total divisé par 7) =
	Objectif personnel (moyenne quotidienne + 2000) =

Il peut être amusant et stimulant de se joindre à d'autres personnes qui veulent elles aussi retrouver la forme par la marche. Des organismes tel Kino-Québec (www.kino-quebec.qc.ca) qui sont voués à la promotion de la santé peuvent vous mettre en contact avec des ressources locales susceptibles de vous aider en ce sens.

Les conseils suivants vous aideront à augmenter le nombre de pas que vous faites chaque jour de manière à ce que vous puissiez atteindre votre objectif personnel :

QUELQUES TRUCS POUR MARCHER PLUS

À la maison :
- Chargez-vous de la promenade du chien ; si vous n'avez pas de chien, demandez à promener celui d'un voisin.
- Allez voir vos amis à pied au lieu de leur téléphoner.
- Marchez en parlant quand vous faites un appel téléphonique.
- Demandez à des voisins ou amis de se joindre à vous pour former un club de marche.
- Éteignez la télé et faites quelque chose d'actif avec votre conjoint et vos enfants.
- Planifiez des marches quotidiennes – au début de la journée avec un ami et le soir avec votre petite famille, par exemple.
- Planifiez des activités qui vous garderont actifs durant les week-ends (marches plus longues, randonnées pédestres, promenades au parc, etc.).

À l'extérieur :
- Placez-vous aussi loin que possible de l'entrée quand vous garez votre véhicule dans un grand parking.
- Effectuez les déplacements de moins de 2 km à pied plutôt qu'en voiture.
- Marchez dans l'aéroport en attendant votre avion ; ne prenez pas les trottoirs roulants.
- Si vous allez dans un commerce qui offre le service au volant, descendez plutôt de voiture et rendez-vous à pied à l'intérieur.
- Planifiez des vacances actives.

Au travail :
- Si vous allez au travail en autobus, descendez avant votre arrêt et marchez le reste de la distance.
- Garez votre voiture aussi loin que possible de l'entrée.
- Constituez un club de marche avec vos confrères et consœurs de travail.

- Allez à pied à des toilettes, abreuvoirs ou photocopieuses situés sur d'autres étages que le vôtre.
- Marchez durant l'heure du lunch.
- Marchez jusqu'au bureau d'un collègue au lieu de le contacter par téléphone ou par courriel.
- Si vous travaillez assis à un bureau, levez-vous au moins une fois la demi-heure pour vous dégourdir les jambes et marcher un peu.
- Montez et descendez les escaliers au lieu de prendre l'ascenseur ou l'escalier mobile.
- Essayez de compléter la moitié de votre objectif quotidien avant midi.

Les défis comportementaux

Vous êtes maintenant prêt à commencer le programme proprement dit. N'oubliez pas que l'approche volumétrique n'est pas un de ces régimes miracle dont le seul but est de vous faire perdre le plus de poids possible en un minimum de temps. Notre objectif à nous est de vous inculquer des habitudes de vie saines que vous pourrez maintenir par la suite. Cet apprentissage se manifestera en une série d'objectifs visant votre alimentation et votre niveau d'activité physique.

Pour que la perte de poids que vous visez soit permanente, il faut que vous choisissiez judicieusement vos objectifs. Voici quelques conseils qui vous guideront en ce sens.

- ❖ **Soyez spécifique.** Il est certes louable de se dire : «Je vais faire plus d'exercice», mais ce n'est pas assez spécifique comme objectif. Les objectifs que vous vous fixerez doivent être mesurables et spécifiques, du genre : «Je vais faire de la marche 20 minutes par jour, 3 fois par semaine» ou «Je vais essayer un nouveau légume cette semaine».
- ❖ **Soyez réaliste.** La plupart des gens qui commencent un nouveau programme de nutrition sont très motivés au début et ont tendance par conséquent à se fixer des objectifs par trop ambitieux. Quand ils se rendent compte qu'ils ne pourront jamais atteindre ces objectifs, ils se découragent et abandonnent le programme. Au lieu de vous condamner ainsi à l'échec, visez des objectifs immédiats plus modestes qui vous permettront d'atteindre sans problème vos objectifs de longue haleine. Vouloir marcher 8 km par jour est un objectif spécifique et mesurable, mais est-ce un objectif réalisable pour quelqu'un qui vient tout juste de se mettre à la marche ou qui a un horaire très chargé ? Je ne le crois pas. Allez-y d'abord avec des objectifs réalistes et réalisables, puis montez la barre graduellement tout au long du programme.
- ❖ **Soyez indulgent envers vous-même.** Ne vous laissez pas abattre après avoir fait un mauvais choix alimentaire ou quand vous êtes incapable d'atteindre un objectif

relié à l'activité physique. Les matins où vous mangerez un gros beigne à la gelée en vous rendant au bureau, vous vous direz sans doute que vous êtes aussi bien de vous empiffrer de cochonneries pour le reste de la journée puisque vous avez déjà tout gâché. Plutôt que de vous laisser aller à cette attitude destructrice, convenez de faire des choix alimentaires plus sains au dîner et au souper, comme ça la journée aura été un succès en dépit de ce malencontreux beigne matinal. De même, quand vous manquez une journée de marche parce que vous êtes trop occupé ou parce que le temps est inclément, ne vous fustigez pas : pardonnez-vous à vous-même, puis remplacez la marche par d'autres activités que vous pourrez faire ici et là tout au long de la journée ; vous pourriez par exemple prendre les escaliers au lieu de l'ascenseur.

Pour avoir du succès avec le programme Volumetrics, vous allez aussi devoir apprendre à identifier et à contrôler les stimuli incitatifs qui vous poussent à manger de façon inappropriée. Votre objectif sera ici de changer ces stimuli qui peuvent être tant sociaux qu'environnementaux. Vous découvrirez peut-être que vous avez tendance à forcer la mesure quand vous mangez en regardant la télé, quand on vous propose des viennoiseries au bureau ou quand vous êtes avec une certaine personne. Voici quelques conseils qui vous aideront à changer votre réponse aux stimuli ou situations qui vous incitent à adopter de mauvaises habitudes alimentaires :

- ❖ **Dissociez la nourriture du stimulus incitatif.** Vous pourriez par exemple arrêter de manger en regardant la télé. Prenez la décision de ne manger que dans certaines pièces de votre domicile – la cuisine et la salle à manger, par exemple.
- ❖ **Évitez ou éliminez le stimulus incitatif.** Bannissez de votre cuisine les aliments qui vous incitent à la gourmandise – chocolat, biscuits, fromages gras, croustilles, etc. Réservez dorénavant ces aliments aux occasions spéciales. S'il y a des viennoiseries ou autres friandises dans la salle à café de votre lieu de travail, ne flânez pas dans cet endroit tentateur ! Versez-vous un café, puis quittez la pièce immédiatement. Vous avez envie de grignoter durant la journée ? Assurez-vous alors d'avoir au bureau un goûter sain conforme aux principes volumétriques.

Les semaines 1 à 4

Bon, enfin ! Voilà que la semaine d'évaluation est officiellement terminée ! Ceux qui étaient pressés de commencer leur régime ont sans doute trouvé la semaine 0 très longue, mais je vous assure que cette période préparatoire était nécessaire. Dans quelques semaines, vous pourrez jeter un coup d'œil en arrière à vos résultats initiaux... et je vous garantis que vous serez fier du chemin parcouru !

À partir d'aujourd'hui, vous allez suivre le plan de menus du chapitre 15 (pages 239 à 269), lequel élimine la nécessité de compter les calories. Durant les trois premières semaines, le plan vous dira ce que vous devez manger et en quelles quantités. Chaque repas est conçu en fonction d'un apport calorique précis, ce qui veut dire que vous avez le choix de suivre le plan religieusement, sans rien y changer, ou de combiner en un seul repas des éléments issus de repas différents – une approche qui vous permettra de manger plus souvent les aliments que vous préférez. Tout au long de la 4e semaine, vous serez appelé à créer votre propre plan alimentaire à partir des aliments qui conviennent le mieux à vos goûts et à votre mode de vie.

Vous ne devriez plus avoir à compter les calories une fois que vous aurez bien compris et intégré les principes volumétriques. Dans mon labo, j'ai mené une étude durant laquelle les participants ont appris à réduire la densité énergétique de leur régime alimentaire sans compter les calories. Résultat : les participants ont enregistré une perte de poids égale aux meilleurs résultats issus de d'autres études. Et ils ont réussi à faire cela simplement en faisant les bons choix d'aliments, en mangeant en portions appropriées, en augmentant leur niveau d'activité physique et en se fixant des objectifs personnels réalistes. Appliquez les principes Volumetrics... et vous y arriverez vous aussi !

Bon, voici ce que je veux que vous fassiez durant les semaines où vous suivrez le plan de menus :

❖ Vous trouverez en page 59 une fiche intitulée : « Ce que j'ai mangé aujourd'hui ». Photocopiez cette fiche et inscrivez-y quotidiennement le détail de ce que vous avez mangé durant la journée. Comme ça, vous saurez exactement où vous en êtes ! Comme je l'ai mentionné précédemment, cet exercice qui tient à la fois de la conscientisation et de la documentation est un incontournable de tous les bons programmes de gestion du poids – moi-même, je documente ce que je mange depuis plusieurs années. Une chose est sûre, c'est que vous aurez éventuellement plus de facilité à faire des choix alimentaires sains si vous prenez le temps de penser à ce que vous mangez. Pour l'instant, votre tâche ne pourrait être plus simple : comme vous suivez le plan de menus, vous savez ce que vous devez manger et vous n'avez pas à vous soucier de l'apport calorique ou de la densité énergétique des aliments que vous consommez. L'exemple suivant montre comment remplir la fiche de la page 59 :

CE QUE J'AI MANGÉ AUJOURD'HUI (exemple)

	DÉJEUNER	GOÛTER	DÎNER	GOÛTER	SOUPER	GOÛTER	BREUVAGES
LUNDI	• Céréales avec lait	• Raisins • Salade mixte • Tranche de pain de blé entier • Pomme	• Sandwich roulé au poulet	• Bâtonnet de fromage mozzarella	• Salade • Riz aux haricots rouges	• Poire	• Lait • Eau • Cola diète

❖ La fiche intitulée «Où j'en suis» de la page 60 vous questionnera quotidiennement sur vos habitudes alimentaires : Vos repas de la journée étaient-ils riches en
aliments de densité énergétique faible ? Étiez-vous à l'écoute des sensations de
faim et de satiété ? Ce compte rendu objectif vous permettra de voir s'il y a matière
à amélioration. Si vous éprouvez des difficultés, portez une attention particulière
à ce que vous mangez, mais aussi à l'endroit où vous mangez. Mangez à des heures
régulières en réévaluant constamment votre faim durant le repas. Mangez à table
plutôt que devant la télé. Comme vous le pouvez le voir dans l'exemple ci-dessous,
la fiche «Où j'en suis» est très simple à remplir :

OÙ J'EN SUIS (exemple)

POIDS : 162 LB

	Ai-je mangé beaucoup d'aliments à D. É. faible ?	Ai-je écouté mes sensations de faim et de satiété ?	Nombre de pas	Mes mets volumétriques préférés	Mon objectif de la journée
LUNDI	☒ Oui ☐ Passablement ☐ À améliorer	☐ Oui ☒ Passablement ☐ À améliorer	8028	• La salade de bifteck Santa Fe • Le hoummos au citron	Apporter un lunch et des collations volumétriques au bureau.

❖ Inscrivez dans la colonne appropriée le nombre de pas que vous avez fait dans la
journée. À la fin de la journée, prenez le temps d'imaginer de nouveaux moyens
d'augmenter ce chiffre.
❖ Notez quels aliments ou mets vous ont plu le plus dans votre plan de menus de la
journée. Vous pourrez vous référer à ces notes pour planifier vos repas et collations futurs. Parlant de collation, choisissez toujours, parmi les aliments proposés sur les listes modulaires, celui ou ceux qui vous aideront le mieux à résister
aux alternatives riches en calories. Prenez note des goûters qui vous ont plu et qui
ont calmé votre faim jusqu'au prochain repas.
❖ Inscrivez l'objectif que vous vous étiez donné pour la journée. N'oubliez pas que
vos objectifs doivent toujours être réalisables – vous pourriez par exemple vous
dire qu'au moins une fois par jour, vous allez prendre les escaliers au lieu de l'ascenseur. Révisez régulièrement vos objectifs précédents avec l'intention d'en faire
chaque fois un peu plus. Un de vos objectifs devrait être d'essayer un nouveau
fruit ou légume par semaine.

❖ Surveillez votre poids et notez sa progression à l'aide du diagramme de la page 61. Photocopiez-le, puis remplissez-le en suivant l'exemple ci-après. Je vous conseille de le conserver à proximité de la balance sur laquelle vous vous pesez. Je sais que certains programmes disent qu'il ne faut pas se peser régulièrement, et certainement pas plus d'une fois par semaine, cependant plusieurs études ont enregistré un fort taux de succès chez les gens qui tenaient le journal de leur alimentation, de leurs activités physiques, mais aussi de leur poids. L'approche que je préconise est que vous vous pesiez au moins une fois par semaine en notant le résultat. Il est inutile que vous vous pesiez plus d'une fois par jour, car vous ne feriez que constater les fluctuations dues à ce que vous venez de boire ou manger. Bref, décidez de la fréquence à laquelle vous voulez vous peser, mais tout en sachant qu'il est normal que votre poids fluctue de plusieurs livres d'un jour à l'autre et que ces fluctuations ne reflètent pas nécessairement vos progrès réels. Pesez-vous toujours à la même heure et préférablement sans vêtements. En suivant le programme Volumetrics, vous devriez enregistrer au diagramme une perte de poids de 1 à 2 livres par semaine.

❖ Ne vous découragez pas si la perte de poids ralentit ou stoppe carrément après les premières semaines. Ces périodes de stagnation sont normales et peuvent vouloir dire que vous devez diminuer votre apport calorique ou augmenter votre niveau d'activité physique. Votre priorité durant ces périodes devrait être de ne pas reprendre le poids que vous avez perdu.

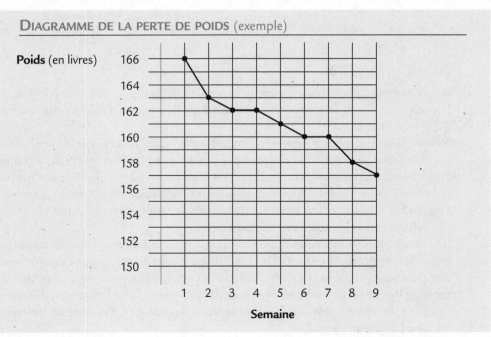

DIAGRAMME DE LA PERTE DE POIDS (exemple)

CE QUE J'AI MANGÉ AUJOURD'HUI

	DÉJEUNER	GOÛTER	DÎNER	GOÛTER	SOUPER	GOÛTER	BOISSONS
Lundi							
Mardi							
Mercredi							
Jeudi							
Vendredi							
Samedi							
Dimanche							

Après la semaine 4

Maintenant que vous avez suivi le plan de menus, que vous avez augmenté votre niveau d'activité et que vous avez appris à vous fixer des objectifs raisonnables, vous disposez des connaissances nécessaires pour structurer vous-même vos repas. Vous pouvez bien sûr continuer de suivre le plan de menus si cela vous satisfait, mais je suis sûr que bon nombre d'entre vous voudront expérimenter en mettant l'accent sur les aliments ou les plats que vous préférez ou qui sont les mieux adaptés à votre style de vie. J'ose espérer que le plan vous aura permis d'identifier les aliments et portions qui sont les plus efficaces pour vous dans le processus de gestion de poids.

POIDS : _____

	Ai-je mangé beaucoup d'aliments à D. É. faible ?	Ai-je écouté mes sensations de faim et de satiété ?	Nombre de pas	Mes mets volumétriques préférés	Mon objectif de la journée
LUNDI	☐ Oui ☐ Passablement ☐ À améliorer	☐ Oui ☐ Passablement ☐ À améliorer			
MARDI	☐ Oui ☐ Passablement ☐ À améliorer	☐ Oui ☐ Passablement ☐ À améliorer			
MERCREDI	☐ Oui ☐ Passablement ☐ À améliorer	☐ Oui ☐ Passablement ☐ À améliorer			
JEUDI	☐ Oui ☐ Passablement ☐ À améliorer	☐ Oui ☐ Passablement ☐ À améliorer			
VENDREDI	☐ Oui ☐ Passablement ☐ À améliorer	☐ Oui ☐ Passablement ☐ À améliorer			
SAMEDI	☐ Oui ☐ Passablement ☐ À améliorer	☐ Oui ☐ Passablement ☐ À améliorer			
DIMANCHE	☐ Oui ☐ Passablement ☐ À améliorer	☐ Oui ☐ Passablement ☐ À améliorer			

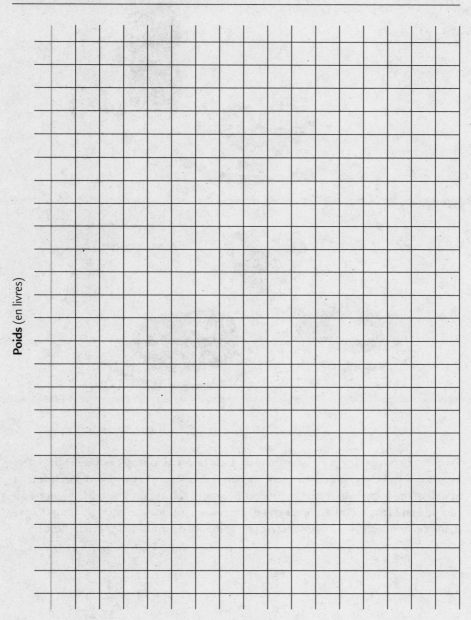

Poids (en livres)

Semaine

Peut-on réinterpréter à la volumétrique un mets favori mais trop calorique ? Bien sûr !
Les deux repas ci-dessus contiennent chacun 500 calories. Lequel vous paraît le plus
appétissant : le demi-burger avec frites et boisson gazeuse ; ou le sandwich ouvert au
rôti de bœuf (page 114) accompagné d'une soupe rustique aux tomates (page 97) et
d'une eau minérale, avec pour dessert une compote de fruits au four (page 230) ?

Maintenant que vous avez complété le programme, vous ne devez pas oublier ce que vous devez faire pour continuer de bien gérer votre poids. Voici quelques conseils qui vous rafraîchiront la mémoire au besoin.

❖ Les aliments de densité énergétique faible vous aideront à réduire votre apport calorique tout en vous permettant de manger des portions substantielles de nourriture. Optez pour des aliments des catégories 1 et 2 et vous n'aurez plus à compter les calories !

❖ Mangez des aliments qui favorisent la sensation de satiété.

❖ Continuez de documenter votre alimentation, vos activités physiques et vos objectifs. Vous pouvez simplifier votre journal de nutrition en n'y inscrivant que l'essentiel.

❖ Continuez d'inscrire vos progrès au diagramme de la perte de poids de la page 58. N'oubliez pas que votre objectif est de perdre une livre par semaine.

❖ Réjouissez-vous de vos succès et acceptez de bonne grâce les rechutes et autres contretemps. Au-delà des objectifs à court terme, visez cet objectif à long terme qui est de manger sainement tout en restant actif.

Vous constaterez un jour que vous ne voulez plus perdre du poids, soit parce que vous avez atteint votre objectif personnel, soit parce que vous êtes satisfait du résultat que vous avez obtenu. Bien des gens trouvent qu'il est plus facile de perdre du poids que de maintenir ensuite leur nouveau poids. J'admets que, psychologiquement, il est plus gratifiant de voir les chiffres dégringoler sur la balance que de constater, semaine après semaine, qu'on est toujours au même poids, néanmoins il va falloir que vous vous efforciez de voir les choses sous un autre angle. La capacité de maintenir son poids, c'est-à-dire de ne pas reprendre le poids qu'on a perdu, est un des aspects les plus importants du processus de gestion de poids. Dites-vous bien qu'il n'y a rien de plus sain et de plus gratifiant que de se maintenir à son poids idéal ! Or, vous ne devriez avoir aucun mal à faire cela si vous continuez à appliquer les principes du plan alimentaire Volumetrics. Je vous encourage à continuer de tenir la liste de vos aliments et mets favoris, et à trouver sans cesse de nouveaux moyens d'augmenter votre niveau d'activité. Continuez d'essayer des nouveaux aliments et de nouvelles activités physiques.

La science a démontré qu'il est plus important que jamais de documenter ses activités et son alimentation quand on arrive au point où l'on doit maintenir son poids. Continuez de noter votre poids et de tenir votre journal de nutrition : ces outils sont le reflet objectif de votre état actuel. Il va sans dire que vous serez plus apte à maintenir votre poids si vous demeurez actif. Des études récentes ont démontré que les individus qui continuent de suivre leur programme d'alimentation et d'activité physique après avoir maigri réussissent mieux que les autres à maintenir leur nouveau poids.

Petit-déjeuner

Maman avait raison : on ne devrait jamais oser *penser* à sauter le petit-déjeuner ! Il est bon d'avoir une stratégie efficace qui vous donnera toujours envie de manger le matin. Cela est une part importante de votre programme de gestion du poids. Planifiez votre repas la veille ou levez-vous quelques minutes plus tôt pour bien le préparer. Le fait de prendre le temps de manger augmentera facilement votre consommation de vitamines, de sels minéraux et de fibres. Les céréales entières vous procureront de nombreux bienfaits tels que la réduction du risque de diabète et de maladies du cœur. Le petit-déjeuner restaure votre taux de glucose sanguin qui chute pendant la nuit, ce qui vous rendra plus énergique et plus alerte. Si vous essayez de perdre du poids, vous croyez peut-être que le fait de sauter le petit-déjeuner est une façon simple d'éviter un bon nombre de calories pendant la journée. De nombreuses études ont indiqué que cette manière de penser est fausse. Il a été démontré que le petit-déjeuner est une importante stratégie pour contrôler efficacement son poids. Lisez bien ce qui suit.

❖ Ceux qui sautent le petit-déjeuner mangent davantage plus tard dans la journée quand ils ont des aliments à haute densité énergétique à portée de la main.
❖ Ceux qui prennent régulièrement leur repas du matin ont un poids inférieur à ceux qui ne le font pas.
❖ Les femmes qui suivent un régime pour perdre du poids et qui prennent leur petit-déjeuner perdent plus de poids en trois mois que celles qui ne le font pas.
❖ Le National Weight Control Registry, qui repère les milliers d'hommes et de femmes qui ont réussi à maintenir une perte de poids de 13,5 kg (30 lb) ou plus pendant un an a remarqué que 78 p. cent d'entre eux prennent un petit-déjeuner chaque jour.

Si toutes ces données ne vous ont pas encore convaincu, observez vos enfants. Le fait de sauter le repas du matin est associé à l'obésité chez les enfants et cette mauvaise habitude risque d'être toujours là une fois qu'ils seront des adultes. Les enfants qui mangent avant d'aller à l'école ont de meilleurs résultats scolaires. Ils sont plus créatifs, manifestent des compétences linguistiques supérieures et ont une meilleure capacité de résoudre des problèmes.

Crêpes de blé entier au babeurre et aux petits fruits

Voici une bonne manière de faire manger des fruits et des fibres aux jeunes enfants. Ces crêpes sont les préférées du fils de mon directeur de laboratoire.

4 PORTIONS

180 g (1 ¼ tasse) de farine de blé entier
375 ml (1 ½ tasse) de babeurre maigre
1 œuf battu
1 c. à soupe de sucre
1 c. à café (1 c. à thé) de levure chimique
    (poudre à lever)

½ c. à café (½ c. à thé) de bicarbonate
    de soude
¼ c. à café (¼ c. à thé) de sel
125 ml (½ tasse) de Sauce aux framboises
    (p. 231)
300 g (2 tasses) de petits fruits mélangés

❖ Dans un bol moyen, mélanger la farine, le babeurre, l'œuf, le sucre, la levure chimique, le bicarbonate de soude et le sel. Remuer doucement pour bien mélanger tous les ingrédients. La pâte doit être légèrement grumeleuse.

❖ Vaporiser légèrement un poêlon d'enduit végétal et chauffer à feu moyen. Verser le quart de la pâte dans la poêle pour faire une crêpe. Retourner la crêpe quand des petites bulles commencent à apparaître à la surface. Cuire jusqu'à ce que l'autre côté soit légèrement doré. Faire 8 crêpes de la même façon.

❖ Servir 2 crêpes par assiette. Napper chaque portion avec 2 c. à soupe de sauce aux framboises et le quart des petits fruits.

CONSEIL DU CHEF

Garder les crêpes au four à 95 °C (200 °F) pendant que l'on fait cuire les autres dans la poêle.

POUR FAIRE UN PETIT-DÉJEUNER DE 270 CALORIES

TRADITIONNEL	COMMENT DIMINUER LA DENSITÉ ÉNERGÉTIQUE	VOLUMETRICS
Crêpes avec beurre et sirop	☺ Utiliser de la farine de blé entier ☺ Omettre le beurre et l'huile ☺ Remplacer le sirop par la sauce aux framboises ☺ Ajouter des fruits frais	Crêpes de blé entier au babeurre et aux petits fruits

INFORMATION NUTRITIONNELLE PAR PORTION

Calories 270 | Densité énergétique 1,0 | Glucides 51 g | Matière grasse 3 g | Protéines 10 g | Fibres 8 g

Pain doré aux petits fruits cuit au four

Voici une bonne suggestion pour les matins de week-end où l'on se sent particulièrement paresseux.

4 PORTIONS

1 œuf
4 blancs d'œufs
250 ml (1 tasse) de lait écrémé
¼ c. à café (¼ c. à thé) de levure chimique
   (poudre à lever)
½ c. à café (½ c. à thé) d'extrait de vanille
120 g (½ tasse) de sucre
½ c. à café (½ c. à thé) de cannelle moulue

1 pain de blé entier en tranches de 21 cm
   (8 ½ po) d'épaisseur
375 g (2 ½ tasses) de framboises non sucrées
   congelées
375 g (2 ½ tasses) de fraises non sucrées
   congelées
1 c. à soupe de fécule de maïs

❖ Préchauffer le four à 200 °C (400 °F).
❖ Fouetter légèrement l'œuf et les blancs d'œufs dans un plat de cuisson peu profond. Ajouter le lait, la levure chimique, la vanille, la moitié du sucre et la cannelle. Ajouter le pain et bien l'enrober. Laisser reposer 10 min en retournant le pain de temps à autre.
❖ Vaporiser légèrement un plat de cuisson de 23 x 33 cm (9 x 13 po) d'enduit végétal.
❖ Mélanger les framboises et les fraises congelées, le reste du sucre et la fécule de maïs. Verser uniformément dans le plat de cuisson.
❖ Couvrir avec le pain étalé sur une seule couche. Cuire au four de 20 à 25 min, jusqu'à ce que le pain soit doré et que les fruits soient bouillonnants.
❖ Servir 2 tranches de pain doré par assiette. Napper de fruits et de sauce.

CONSEIL DU CHEF

Essayez cette recette avec différents fruits congelés : bleuets, pêches, etc. Il n'est pas nécessaire de les faire décongeler avant usage. Vous pouvez aussi utiliser des fruits frais.

INFORMATION NUTRITIONNELLE PAR PORTION

Calories 315 | Densité énergétique 1,1 | Glucides 66 g | Matière grasse 3 g | Protéines 9 g | Fibres 7 g

Sandwiches roulés aux œufs à la mexicaine

Une recette passe-partout qui sera appréciée le matin, le midi ou le soir.

4 PORTIONS

2 tranches de bacon de dos, haché

50 g (½ tasse) de courgettes émincées

60 g (½ tasse) de champignons en dés

60 g (½ tasse) de poivrons rouges ou verts, épépinés et coupé en dés

4 œufs

4 blancs d'œufs

¼ c. à café (¼ c. à thé) de sauce au piment fort

Une pincée de sel

4 tortillas de blé

4 c. à soupe de Salsa aux tomates cerises (p. 222)

4 c. à soupe de fromage mexicain à faible teneur en matière grasse, émincé

❖ Vaporiser légèrement un poêlon d'enduit végétal et chauffer à feu moyen. Faire sauter le bacon de 3 à 4 min, jusqu'à ce qu'il soit doré. Ajouter les courgettes, les champignons et les poivrons. Faire sauter 2 min.

❖ Dans un bol moyen, battre les œufs, les blancs d'œufs, la sauce au piment fort et le sel. Verser dans la poêle et remuer avec le bacon et les légumes. Cuire, en remuant souvent, jusqu'à ce que les œufs soient cuits au goût.

❖ Réchauffer les tortillas dans le micro-ondes de 20 à 30 sec en les mettant entre deux feuilles de papier essuie-tout humides.

❖ Diviser les œufs à parts égales sur les tortillas. Napper de salsa et garnir de fromage. Plier les tortillas en deux et servir.

CONSEIL DU CHEF

Pour faire un plat végétarien, remplacez le bacon par 30 g (¼ tasse) d'oignons hachés ou d'un autre légume et faire sauter avec les courgettes. Vous pouvez remplacer les tortillas de blé par des tortillas de maïs.

INFORMATION NUTRITIONNELLE PAR PORTION

Calories 240 | Densité énergétique 1,3 | Glucides 21 g | Matière grasse 9 g | Protéines 17 g | Fibres 2 g

Frittata piquante

Essayez ce plat avec des fruits frais pour le petit-déjeuner ou servez-le avec une salade pour le repas du midi.

6 PORTIONS

5 œufs + 7 blancs d'œufs
½ c. à café (½ c. à thé) de sel
Poivre noir du moulin
120 g (1 tasse) de mozzarella partiellement
   écrémée, en fines lamelles
120 g (1 tasse) d'oignons hachés

180 g (1 ½ tasse) de champignons en tranches
100 g (1 tasse) de courgettes en dés
90 g (¾ tasse) de poivrons rouges rôtis en pot,
   égouttés
1 c. à café (1 c. à thé) de thym séché
3 c. à soupe de parmesan râpé

❖ Dans un bol moyen, mélanger les œufs, les blancs d'œufs, la moitié du sel et un peu de poivre noir. Incorporer la mozzarella.

❖ Vaporiser légèrement une grande poêle antiadhésive d'enduit végétal et chauffer à feu moyen. Ajouter les oignons et les champignons. Cuire 5 min en remuant. Ajouter les courgettes, les poivrons, le thym, le reste du sel et une pincée de poivre noir. Cuire 4 min en remuant.

❖ Verser les œufs sur les légumes et cuire 7 min à feu moyen-vif. Quand les œufs commencent à prendre, passer une spatule tout autour et pencher la poêle pour que la partie non cuite coule sous la partie cuite. Ne pas remuer. Quand les œufs sont presque cuits, couvrir et cuire à feu moyen-doux de 8 à 10 min.

❖ Préchauffer le gril. Garnir de parmesan. Griller la frittata au four environ 4 min, jusqu'à ce que le fromage commence à griller. Découper en 6 pointes.

CONSEIL DU CHEF

Vous pouvez remplacer les courgettes par d'autres légumes tels que les asperges, les brocolis, les choux-fleurs et les courges d'été jaunes.

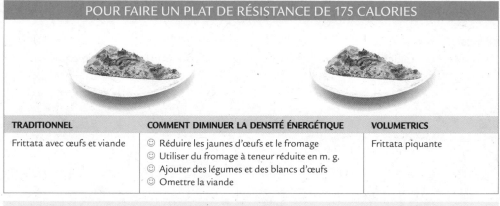

POUR FAIRE UN PLAT DE RÉSISTANCE DE 175 CALORIES		
TRADITIONNEL	**COMMENT DIMINUER LA DENSITÉ ÉNERGÉTIQUE**	**VOLUMETRICS**
Frittata avec œufs et viande	☺ Réduire les jaunes d'œufs et le fromage ☺ Utiliser du fromage à teneur réduite en m. g. ☺ Ajouter des légumes et des blancs d'œufs ☺ Omettre la viande	Frittata piquante

INFORMATION NUTRITIONNELLE PAR PORTION

Calories 175 | Densité énergétique 1,0 | Glucides 9 g | Matière grasse 8 g | Protéines 16 g | Fibres 1 g

Muffins aux bleuets et à la compote de pommes

Ces muffins regorgent de fruits et sont très appréciés à l'heure du petit-déjeuner ou du goûter. La compote de pommes remplace une grande partie du gras utilisé habituellement dans ce genre de recette et elle aide à préserver l'humidité des muffins.

16 PORTIONS

210 g (1 ¾ tasse) de farine tout usage

180 g (¾ tasse) de cassonade pâle ou de sucre roux

70 g (½ tasse) de farine de blé entier

2 c. à café (2 c. à thé) de levure chimique (poudre à lever)

1 c. à café (1 c. à thé) de bicarbonate de soude

¼ c. à café (¼ c. à thé) de sel

¼ c. à café (¼ c. à thé) de muscade râpée

1 c. à café (1 c. à thé) de cannelle moulue

300 ml (1 ¼ tasse) de babeurre maigre

300 ml (1 ¼ tasse) de compote de pommes

1 œuf

1 c. à café (1 c. à thé) d'huile végétale

1 c. à café (1 c. à thé) d'extrait de vanille

225 g (1 ½ tasse) de bleuets frais

- ❖ Préchauffer le four à 200 °C (400 °F).
- ❖ Vaporiser légèrement 16 moules à muffins d'enduit végétal.
- ❖ Dans un grand bol, mélanger 180 g (1 ½ tasse) de farine tout usage, la cassonade, la farine de blé entier, la levure chimique, le bicarbonate de soude, le sel, la muscade et la cannelle. Faire un puits au centre.
- ❖ Dans un petit bol, fouetter le babeurre, la compote de pommes, l'œuf, l'huile et la vanille.
- ❖ Enrober les bleuets avec le reste de farine tout usage.
- ❖ Verser les ingrédients liquides sur les ingrédients secs et remuer juste assez pour humecter ceux-ci. Incorporer les bleuets.
- ❖ Verser à parts égales dans les moules. Cuire au four 20 min. Laisser refroidir le moule sur une grille environ 5 min. Démouler les muffins et servir chauds ou à température ambiante.

CONSEIL DU CHEF

Utilisez toujours des fruits frais ; les fruits congelés donnent une pâte trop aqueuse.

INFORMATION NUTRITIONNELLE PAR PORTION

Calories 125 | Densité énergétique 1,6 | Glucides 25 g | Matière grasse 1 g | Protéines 3 g | Fibres 1 g

Gruau crémeux aux abricots

Ces céréales à haute teneur en fibres composent un petit-déjeuner réconfortant et satisfaisant.

4 PORTIONS

135 g (1 ½ tasse) de flocons d'avoine à cuisson rapide
1 litre (4 tasses) de lait écrémé
½ c. à café (½ c. à thé) de muscade râpée

4 c. à soupe de son d'avoine
10 abricots secs hachés finement (environ 60 g/2 oz)
2 c. à soupe de cassonade ou de sucre roux

❖ Mélanger les flocons d'avoine et 750 ml (3 tasses) de lait dans une casserole moyenne. Porter à ébullition à feu moyen-vif en remuant. Incorporer la muscade et le son d'avoine. Laisser mijoter à feu doux environ 1 min, en remuant souvent, jusqu'à ce que les flocons soient tendres.
❖ Verser à parts égales dans 4 bols. Garnir d'abricots et de cassonade.
❖ Servir immédiatement avec le lait restant (facultatif).

CONSEIL DU CHEF

Les abricots secs se découpent facilement à l'aide de ciseaux de cuisine. Essayez d'autres fruits secs tels que les pruneaux. Vous pouvez réchauffer le lait restant avant de le verser sur les céréales.

INFORMATION NUTRITIONNELLE PAR PORTION

Calories 265 | Densité énergétique 0,90 | Glucides 47 g | Matière grasse 3 g | Protéines 15 g | Fibres 5 g

Hors-d'œuvre, entrées et goûters

Les mets présentés dans ce chapitre sont souvent proposés pour supprimer la faim jusqu'à ce que le plat principal soit servi. Le problème est que ces plats sont si bons et si variés qu'il est facile d'oublier de contrôler le nombre de portions. Voici quelques recettes et trucs qui vous empêcheront de trop manger avant les repas, entre les repas ou lors des repas de fête.

Hors-d'œuvre

On commence souvent le repas par des Hors-d'œuvre quand on mange à l'extérieur de chez soi. Les réceptions et les fêtes nous en mettent aussi plein la vue. Lorsque vous mangez avant un repas, vous ajoutez des calories en trop. La variété de saveurs, de couleurs, de senteurs et de textures garde votre appétit en état d'alerte. Dans un tel cas, vous devez absolument calculer vos calories. Les plans de menus (p. 247-250) vous enseigneront comment combiner plusieurs plats lors d'un même repas tout en respectant votre programme de gestion du poids.

Lorsque vous êtes à une fête ou que vous mangez à l'extérieur de chez vous, vous devez adopter une stratégie gagnante.

❖ N'arrivez pas trop affamé. Prenez un goûter en mangeant un fruit, des légumes ou un verre de lait avant de quitter la maison. Cela vous aidera à résister à la grande variété de mets à haute densité énergétique qui vous donneront envie de manger plus que vous ne le devriez.

❖ Si l'on vous demande d'apporter un plat, profitez-en pour faire une assiette du Plan alimentaire Volumetrics qui vous permettra de déguster des aliments santé faibles en calories. Ou préparez une simple assiette de melon et de prosciutto. Prenez une tranche de melon bien mûr et quelques tranches fines de prosciutto dont vous aurez enlevé la plus grande partie du gras. Cela ne vous donnera que 120 calories et une densité énergétique de 0,6. Pensez aussi aux endives et au saumon fumé. Napper les feuilles d'endive de fromage de yogourt (p. 81), puis ajoutez du saumon fumé, un peu de jus de citron, une pincée d'aneth haché et du poivre noir. Chaque feuille vaudra 25 calories et une densité énergétique de 0,58.

❖ La variété des hors-d'œuvre nous donne envie de manger plus qu'il ne faut. Pour bien respecter votre programme, commencez par remplir votre assiette de fruits et de légumes. Si on les sert avec des sauces ou des vinaigrettes, n'en prenez pas ou mettez-en juste un peu. Choisissez les hors-d'œuvre qui semblent les plus appétissants. Prenez-en une petite quantité et décidez ensuite si vous en voulez davantage. Si c'est le cas, concentrez-vous sur deux ou trois choix que vous appréciez particulièrement et, encore une fois, prenez-en une petite quantité.

❖ En regardant tout ce que vous avez mis dans votre assiette, vous serez en mesure d'évaluer ce que vous vous apprêtez à consommer. Si vous prenez une bouchée ici et une autre là, vous aurez du mal à calculer toute l'information nécessaire pour respecter votre programme de gestion du poids.

❖ Essayez les plats spéciaux ou les nouveautés. Ne perdez pas de temps avec des aliments communs à forte densité énergétique comme les croustilles.

❖ Éloignez-vous des plats dans lesquels vous pourriez avoir envie de grappiller.

❖ Ne buvez pas trop d'alcool. Il contient plusieurs calories et affaiblit votre volonté de surveiller votre appétit.

❖ Tenez un verre dans votre main dominante, ce qui vous empêchera de prendre les bouchées et les canapés que l'on vous offrira. N'oubliez pas qu'un verre d'eau ou de soda est aussi bon qu'un verre de vin ou de bière.

❖ Concentrez-vous sur vos amis plutôt que sur les aliments.

Goûters

Le fait de manger et boire entre les repas ajoute des calories supplémentaires à une journée. Cela est devenu une habitude pour plusieurs. Même s'ils n'ont pas faim, ils trouvent agréable d'aller retrouver leurs collègues à l'heure de la pause. Un beigne le matin, un biscuit l'après-midi... le problème n'est pas de manger, mais le choix de ce que l'on mange. Ces aliments à haute densité énergétique nous poussent à trop manger et on peut ingurgiter ainsi de 200 à 500 calories très rapidement. Pourtant, un goûter de 100 calories pourrait satisfaire notre faim.

Consultez votre journal alimentaire (p. 44) pour déterminer ce que vous mangez entre les repas et faire les améliorations requises s'il y a lieu. Les études prouvent que vous mangerez la même quantité aux repas, peu importe si vous avez mangé ou non entre les repas. Cela ne signifie pas que vous devez vous priver de collation puisqu'un petit goûter peut parfois vous empêcher de devenir affamé au point de perdre contrôle au repas du midi ou du soir. Prenez conscience de votre appétit (p. 46) et mangez juste ce qu'il faut pour le satisfaire.

Profitez de l'heure du goûter pour augmenter votre consommation de fruits et de légumes. Essayez entre autres Mon yogourt fouetté préféré (p. 88) et le Sorbet fouetté des tropiques (p. 89). Mettez-les dans votre boîte à lunch. Si vous savez que vous avez une pomme ou un yogourt avec vous, la distributrice automatique sera moins tentante. Pour découvrir de nouvelles idées pour le goûter, lisez les p. 264 à 267.

Plateau de légumes des jours de fête

Voici un choix de légumes à faible densité énergétique que vous aimerez servir à vos invités lors de vos réceptions. Ils sont à la fois délicieux et nourrissants.

16 PORTIONS

2 concombres moyens (environ 480 g/1 lb)
2 courges jaunes (environ 480 g/1 lb)
2 gros poivrons rouges (environ 480 g/1 lb)
2 gros poivrons jaunes (environ 480 g/1 lb)
4 tiges de céleri
480 g (1 lb) de carottes épluchées
480 g (1 lb) d'asperges fines
240 g (2 tasses) de petits champignons blancs, parés

360 g (2 tasses) de tomates cerises
540 g (3 tasses) de bouquets de brocoli
540 g (3 tasses) de bouquets de chou-fleur
Vinaigrette maison (p. 76)
Hoummos au citron (p. 76)
Salsa tex-mex (p. 77)

❖ Couper les concombres, les courges, les poivrons, le céleri et les carottes en bâtonnets de 2 x 7,5 cm (¾ x 3 po). Parer les asperges avant de les blanchir 4 min dans une casserole d'eau bouillante. Égoutter et plonger les asperges dans un bol d'eau glacée pendant quelques minutes. Égoutter.

❖ Dresser les légumes dans une grande assiette en faisant alterner les couleurs. Servir la vinaigrette et le hoummos dans des petits bols.

POUR FAIRE UN HORS-D'ŒUVRE DE 175 CALORIES

TRADITIONNEL	COMMENT DIMINUER LA DENSITÉ ÉNERGÉTIQUE	VOLUMETRICS
Croustilles et trempette	☺ Remplacer les croustilles par des légumes ☺ Remplacer les trempettes à haute teneur en m. g. par des trempettes à faible teneur en m. g.	Plateau de légumes pour les jours de fête

INFORMATION NUTRITIONNELLE PAR PORTION

Calories 175 | Densité énergétique 0,49 | Glucides 30 g | Matière grasse 4 g | Protéines 10 g | Fibres 8 g

Vinaigrette maison

La coriandre et le cumin donnent un goût exotique à cette vinaigrette crémeuse. Essayez-la entre autres comme trempette avec des légumes coupés en bâtonnets.

12 PORTIONS DE **2** C. À SOUPE CHACUNE

½ c. à café (½ c. à thé) d'ail émincé
¼ c. à café (¼ c. à thé) de sel
2 c. à soupe de jus de citron vert
½ c. à café (½ c. à thé) de sauce Worcestershire
½ c. à café (½ c. à thé) de coriandre moulue

½ c. à café (½ c. à thé) de cumin moulu
1 c. à soupe d'oignons verts, émincés
250 g (1 tasse) de Fromage de yogourt (p. 81)
250 ml (1 tasse) de babeurre maigre
Une pincée de poivre noir du moulin

❖ Fouetter tous les ingrédients dans un grand bol jusqu'à ce que la vinaigrette soit lisse tout en restant croquante.

INFORMATION NUTRITIONNELLE PAR PORTION
Calories 35 | Densité énergétique 0,75 | Glucides 4 g | Matière grasse 1 g | Protéines 3 g | Fibres 0 g

Hoummos au citron

Cet hoummos légèrement piquant, créé par ma fille Melissa, est délicieux comme trempette ou comme garniture à sandwich.

10 PORTIONS DE **2** C. À SOUPE CHACUNE

60 à 80 ml (¼ à ⅓ tasse) de jus de citron
   fraîchement pressé
370 g (2 tasses) de pois chiches en conserve,
   rincés et égouttés
60 ml (¼ tasse) de tahini

2 c. à café (2 c. à thé) d'ail haché
1 c. à café (1 c. à thé) de zeste de citron râpé
½ c. à café (½ c. à thé) de sel

❖ À l'aide du mélangeur ou du robot de cuisine, réduire 60 ml (¼ tasse) de jus de citron en purée avec tous les autres ingrédients jusqu'à consistance légèrement croquante. Goûter et ajouter un peu de jus de citron au besoin.

INFORMATION NUTRITIONNELLE PAR PORTION
Calories 90 | Densité énergétique 1,7 | Glucides 13 g | Matière grasse 3 g | Protéines 3 g | Fibres 2 g

Salsa tex-mex

Ajoutez une touche du Sud-Ouest à vos plats de poisson ou de poulet grâce à cette douce salsa. Vous l'aimerez également pour garnir des pommes de terre cuites au four ou comme trempette avec des légumes crus.

8 PORTIONS DE **125** ML **(½ TASSE)** CHACUNE

350 g (1 ¾ tasse) de haricots noirs en conserve, rincés et égouttés

400 g (2 tasses) de grains de maïs entiers, égouttés

120 g (1 tasse) de poivrons rouges ou verts, épépinés et hachés

15 g (½ tasse) de coriandre ou de persil plat frais, haché

80 g (1 tasse) d'oignons verts, hachés

3 c. à soupe de jus de citron vert

2 c. à soupe de vinaigre de vin rouge

½ c. à café (½ c. à thé) de cumin moulu

¼ c. à café (¼ c. à thé) de sel

¼ c. à café (¼ c. à thé) de sauce au piment fort

❖ Mélanger tous les ingrédients dans un grand bol. On peut conserver cette salsa pendant 3 jours dans le réfrigérateur.

CONSEIL DU CHEF

Les saveurs de cette salsa s'intensifient si on laisse aux légumes et aux haricots le temps de mariner dans les autres ingrédients.

INFORMATION NUTRITIONNELLE PAR PORTION

Calories 95 | Densité énergétique 0,65 | Glucides 18 g | Matière grasse 1 g | Protéines 5 g | Fibres 5 g

Bruschetta aux haricots cannellinis

Pour réussir la bruschetta (prononcer brew-sketta), utilisez des tranches de bon pain grillé.

16 PORTIONS DE **1** MORCEAU DE PAIN ET DE **1** ½ C. À SOUPE DE GARNITURE CHACUNE

400 g (2 tasses) de haricots cannellinis, rincés et égouttés
1 c. à soupe de jus de citron
1 c. à soupe d'huile d'olive extravierge
1 c. à café (1 c. à thé) d'ail émincé
1 c. à soupe de persil plat frais, haché

1 c. à soupe d'aneth frais
¼ c. à café (¼ c. à thé) de sel
16 tranches de baguette grillées de 6 mm (¼ po) d'épaisseur coupées en travers
1 gousse d'ail, coupée en deux

❖ Réduire tous les ingrédients en purée, sauf le pain et l'ail.
❖ Frotter les morceaux de pain de chaque côté avec l'ail.
❖ Tartiner le pain avec la garniture et servir.

CONSEIL DU CHEF

Faites un autre genre de garniture en mélangeant 7 g (¼ tasse) de basilic haché avec 360 g (2 tasses) de tomates hachées, 1 c. à café (1 c. à thé) d'ail émincé, 2 c. à café (2 c. à thé) d'huile d'olive extravierge, ½ c. à café (½ c. à thé) de sel et une pincée de poivre. Chaque portion a 45 calories et une densité énergétique de 1,2.

INFORMATION NUTRITIONNELLE PAR PORTION

Calories 60 | Densité énergétique 1,5 | Glucides 11 g | Matière grasse 1 g | Protéines 3 g | Fibres 2 g

Bruschetta aux crevettes et au citron

4 PORTIONS

120 g (2 tasses) de roquette émincée
12 tranches de baguette grillées de 6 mm
    (¼ po) d'épaisseur coupées en travers
1 c. à soupe d'huile d'olive extravierge
2 gousses d'ail en fines tranches
12 grosses crevettes décortiquées et déveinées
    (environ 240 g/8 oz)

4 c. à soupe de jus de citron
60 ml (¼ tasse) de vin blanc sec
7 g (¼ tasse) de ciboulette hachée
1 c. à soupe de zeste de citron râpé

❖ Diviser la roquette à parts égales dans 4 assiettes. Mettre 3 morceaux de pain dans chacune.

❖ Vaporiser légèrement une grande poêle antiadhésive d'enduit végétal. Ajouter l'huile et chauffer à feu moyen jusqu'à ce qu'elle commence presque à fumer. Ajouter l'ail et remuer environ 1 min pour faire brunir légèrement.

❖ Ajouter les crevettes et cuire de 2 à 3 min, jusqu'à ce qu'elles soient bien roses. Retourner les crevettes, ajouter le jus de citron et le vin, puis remuer 1 min. À l'aide d'une cuillère à égoutter ou d'une pince, placer 1 crevette sur chaque morceau de pain.

❖ Mélanger la ciboulette avec la sauce dans la poêle. Napper les crevettes de sauce et parsemer de zeste de citron.

CONSEIL DU CHEF

N'importe quel mélange de laitues peut remplacer la roquette. Le bouillon de poulet peut être utilisé à la place du vin.

INFORMATION NUTRITIONNELLE PAR PORTION

Calories 215 | Densité énergétique 1,6 | Glucides 22 g | Matière grasse 6 g | Protéines 16 g | Fibres 1 g

Insalata Caprese

Le mélange de basilic frais et de mozzarella rehausse le goût des tomates dans cette entrée simple et colorée.

6 PORTIONS

4 tomates moyennes bien mûres, en tranches (environ 680 g/1 ½ lb)
150 g (5 oz) de mozzarella fraîche en boules

240 g (4 tasses) de roquette émincée
18 à 20 feuilles de basilic frais
Vinaigrette balsamique (p. 142)

❖ Épépiner les tomates et les couper en tranches de 6 mm (¼ po).
❖ Découper la mozzarella en rondelles de 3 mm (⅛ po).
❖ Diviser la roquette à parts égales dans 6 assiettes. Faire alterner les tomates, les rondelles de fromage et les feuilles de basilic sur la roquette.
❖ Napper chaque portion avec 1 c. à soupe de vinaigrette.

CONSEIL DU CHEF
N'importe quel mélange de laitues peut remplacer la roquette.

INFORMATION NUTRITIONNELLE PAR PORTION
Calories 105 | Densité énergétique 0,81 | Glucides 6 g | Matière grasse 7 g | Protéines 6 g | Fibres 1 g

Guacamole

Cette sauce mexicaine peut aussi servir comme garniture à sandwiches.

12 PORTIONS DE 2 C. À SOUPE CHACUNE

2 avocats mûrs, pelés et dénoyautés
2 c. à soupe de jus de citron vert
⅛ c. à café (⅛ c. à thé) de sel
7 g (¼ tasse) de coriandre fraîche, hachée
60 g (½ tasse) d'oignons hachés

180 g (1 tasse) de tomates évidées et hachés
¼ c. à café (¼ c. à thé) d'ail émincé
¼ c. à café (¼ c. à thé) de sauce au piment fort

❖ Dans un bol moyen, réduire les avocats en purée avec le jus de citron vert et le sel. Incorporer tous les autres ingrédients. Couvrir de pellicule plastique et laisser refroidir 1 h dans le réfrigérateur avant de servir.

INFORMATION NUTRITIONNELLE PAR PORTION
Calories 65 | Densité énergétique 0,83 | Glucides 6 g | Matière grasse 5 g | Protéines 1 g | Fibres 3 g

Salsa à la mangue

4 PORTIONS

240 g (2 tasses) de mangues en dés
3 c. à soupe de jus de citron vert
2 c. à soupe de coriandre fraîche, hachée

1 c. à soupe de piment jalapeño haché
   finement
¼ c. à café (¼ c. à thé) de sel

❖ Dans un petit bol, mélanger tous les ingrédients.

CONSEIL DU CHEF
Vous pouvez remplacer les mangues par des pêches fraîches.

INFORMATION NUTRITIONNELLE PAR PORTION

Calories 58	Densité énergétique 0,6	Glucides 15 g	Matière grasse 0 g	Protéines 0 g	Fibres 2 g

Fromage de yogourt

Voici de quoi remplacer joyeusement le traditionnel fromage à la crème. Utilisez-le pour tartiner des toasts ou pour napper des pommes de terre cuites au four. Ce fromage de yogourt ne contient pas de matière grasse.

16 PORTIONS DE 1 C. À SOUPE CHACUNE OU ENVIRON 250 G (1 TASSE)

750 g (3 tasses) de yogourt nature

❖ Placer un chinois ou une passoire à fines mailles au-dessus d'un bol. Tapisser le fond avec une double épaisseur d'étamine ou de mousseline à fromage. Verser le yogourt et couvrir le bol de pellicule plastique. Réfrigérer au moins 8 h ou toute la nuit. Transvider dans un contenant hermétique et jeter le liquide.

CONSEIL DU CHEF
Ce fromage de yogourt se conserve jusqu'à une semaine dans le réfrigérateur. Vous pouvez rehausser son goût en ajoutant des fines herbes fraîches hachées, de l'ail émincé ou du zeste de citron. Commencez par de petites quantités et rectifiez au goût.

INFORMATION NUTRITIONNELLE PAR PORTION

Calories 15	Densité énergétique 0,90	Glucides 2 g	Matière grasse 0 g	Protéines 2 g	Fibres 0 g

Rouleaux de printemps avec sauce soja au gingembre

Cette entrée vous permettra d'entamer votre prochain repas de fête de manière originale.

8 PORTIONS DE 1 ROULEAU ET DE 1 C. À SOUPE DE SAUCE CHACUNE

60 ml (¼ tasse) de jus de citron vert

60 ml (¼ tasse) de vinaigre de riz

1 c. à soupe d'huile de sésame

1 c. à soupe de sauce soja à teneur réduite en sodium

2 c. à café (2 c. à thé) de cassonade ou de sucre roux

2 c. à café (2 c. à thé) de gingembre frais, émincé

30 g (1 oz) de nouilles de riz à cuisson rapide

120 g (1 tasse) de carottes émincées

7 g (¼ tasse) de feuille de coriandre fraîches bien tassées

3 c. à soupe de basilic frais, émincé

60 g (1 tasse) de laitue émincée

1 c. à café (1 c. à thé) d'oignons verts, hachés

¼ c. à café (¼ c. à thé) de flocons de cayenne broyés

120 g (1 tasse) de poivrons rouges, épépinés et hachés

16 crevettes moyennes, décortiquées et déveinées (environ 300 g/10 oz)

8 feuilles de papier de riz de 20 cm (8 po) de diamètre

❖ Mettre le jus de citron vert, le vinaigre, l'huile, la sauce soja, la cassonade et le gingembre dans un bocal muni d'un couvercle. Secouer vigoureusement pour bien mélanger. Réserver.

❖ Porter 1 litre (4 tasses) d'eau à ébullition. Ajouter les nouilles de riz et cuire 3 min. Égoutter, rincer à l'eau froide et égoutter de nouveau.

❖ Dans un grand bol, mélanger les nouilles de riz, les carottes, la coriandre, le basilic, la laitue, l'ail, les oignons verts, les flocons de cayenne et les poivrons.

❖ Couper chaque crevette en deux sur la longueur.

❖ Mettre une feuille de papier de riz dans un moule ou un bol peu profond. Couvrir avec 2,5 cm (1 po) d'eau chaude et laisser reposer environ 30 sec pour les assouplir. Poser la feuille sur une surface de travail.

INFORMATION NUTRITIONNELLE PAR PORTION

Calories 130 | Densité énergétique 1,2 | Glucides 15 g | Matière grasse 1 g | Protéines 13 g | Fibres 1 g

- ❖ Mettre ½ tasse de garniture au centre de la feuille. Ranger 4 crevettes sur le dessus.
- ❖ Replier les côtés, puis la partie inférieure de la feuille sur la garniture. Rouler de bas en haut en enfermant bien la garniture. Presser doucement pour sceller. Mettre le rouleau dans une assiette et couvrir avec une serviette humide.
- ❖ Procéder de la même manière pour faire les autres rouleaux.
- ❖ Verser la sauce soja au gingembre dans un petit bol et servir avec les rouleaux.

CONSEIL DU CHEF

Les ingrédients requis pour cette recette sont vendus dans les épiceries orientales et les grands supermarchés. Pour faire un mets végétarien, remplacez les crevettes par des tranches de champignon ou de concombre.

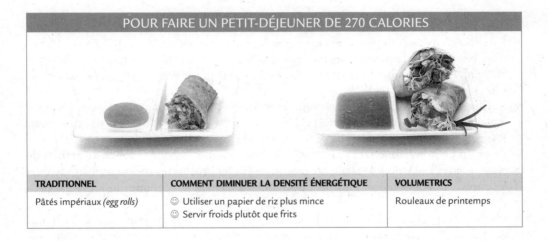

POUR FAIRE UN PETIT-DÉJEUNER DE 270 CALORIES

TRADITIONNEL	COMMENT DIMINUER LA DENSITÉ ÉNERGÉTIQUE	VOLUMETRICS
Pâtés impériaux *(egg rolls)*	☺ Utiliser un papier de riz plus mince ☺ Servir froids plutôt que frits	Rouleaux de printemps

INFORMATION NUTRITIONNELLE PAR PORTION DE SAUCE SEULEMENT

Calories 25 | Densité énergétique 1,2 | Glucides 2 g | Matière grasse 2 g | Protéines 0 g | Fibres 1 g

Kebabs de champignons au sésame

Essayez ces brochettes végétariennes d'inspiration orientale lorsque vous faites des grillades.

6 PORTIONS

360 g (12 oz) de champignons blancs

10 gros oignons verts

2 poivrons de n'importe quelle couleur, épépinés et coupés en carrés de 4 cm (1 ½ po)

60 ml (¼ tasse) de sauce soja à teneur réduite en sodium

2 c. à soupe de sucre

1 c. à soupe d'huile de sésame

4 c. à café (4 c. à thé) d'ail émincé

2 c. à soupe de graines de sésame grillées (voir Conseil du chef)

½ c. à café (½ c. à thé) de poivre noir du moulin

❖ Parer les pieds des champignons et couper les chapeaux en tranches de 1,25 cm (½ po) d'épaisseur. Parer la partie blanche des oignons verts et la couper en morceaux de 4 cm (1 ½ po). Parer et hacher finement suffisamment de la partie verte des oignons pour obtenir 25 g (¼ tasse). Réserver.

❖ Enfiler les tranches de champignon sur 6 brochettes de manière qu'elles puissent reposer à plat sur la grille en alternant avec du blanc d'oignon et des poivrons enfilés en travers. Ranger les brochettes bien serrées dans un plat de cuisson.

❖ Dans un petit bol, fouetter la sauce soja, le sucre, l'huile, l'ail, 1 c. à soupe de graines de sésame et le poivre noir. Verser cette marinade sur les brochettes en les enrobant de tous les côtés. Couvrir et laisser mariner de 30 min à 2 h en les retournant une seule fois pendant cette période.

❖ Préchauffer le gril à température élevée. Poser les kebabs sur la grille et cuire de 3 à 5 min de chaque côté, ou jusqu'à ce qu'elles brunissent. Badigeonner souvent de marinade pendant la cuisson.

❖ Retirer les kebabs du gril et saupoudrer avec 1 c. à soupe de graines de sésame et de vert d'oignon. Servir avec la marinade restante qui servira de sauce à tremper.

CONSEIL DU CHEF

Pour griller les graines ou les noix, faites-les dorer dans une poêle à feu moyen en remuant sans cesse afin qu'elles ne brûlent pas.

INFORMATION NUTRITIONNELLE PAR PORTION

Calories 90 | Densité énergétique 0,70 | Glucides 11 g | Matière grasse 4 g | Protéines 4 g | Fibres 2 g

Quesadillas au fromage et aux champignons avec salsa à la mangue

Servez une quesadilla en entrée ou deux en plat principal. Une excellente façon de s'initier à la cuisine mexicaine.

8 PORTIONS

½ c. à café (½ c. à thé) de sel
1 c. à café (1 c. à thé) d'huile végétale
600 g (5 tasses) de champignons variés (blancs, portobellos et shiitake), en tranches
60 g (½ tasse) d'oignons hachés finement
120 g (1 tasse) de poivrons rouges, épépinés et hachés

1 c. à café (1 c. à thé) d'ail émincé
⅛ c. à café (⅛ c. à thé) de poivre noir du moulin
8 tortillas de blé de 15 cm (6 po) de diamètre
60 g (½ tasse) de monterey jack ou de cheddar écrémé
Salsa à la mangue (p. 81)

❖ Vaporiser une grande poêle d'enduit végétal à feu moyen-vif et chauffer l'huile. Ajouter les champignons et cuire 2 min en remuant. Retirer 120 g (1 tasse) de champignons et réserver.

❖ Ajouter les oignons, les poivrons, l'ail, le sel et le poivre. Cuire de 3 à 4 min, en remuant, jusqu'à évaporation du liquide.

❖ Diviser en parts égales sur 4 tortillas. Garnir de fromage et couvrir avec les autres tortillas.

❖ Nettoyer la poêle avec du papier essuie-tout et chauffer à feu moyen-vif. Mettre une quesadilla dans la poêle et presser légèrement avec une spatule. Cuire environ 1 min, ou jusqu'à ce qu'elle soit légèrement dorée, en la retournant une seule fois. Réserver au chaud. Faire les autres quesadillas de la même manière.

❖ Couper chaque quesadilla en 4 pointes. Servir dans des assiettes et garnir avec les champignons réservés et la Salsa à la mangue.

INFORMATION NUTRITIONNELLE PAR PORTION

Calories 175 | Densité énergétique 1,4 | Glucides 26 g | Matière grasse 5 g | Protéines 6 g | Fibres 3 g

Champignons farcis à la florentine

Cette entrée contient peu de calories et de matière grasse même si elle est riche en saveur. Servez-la avec d'autres hors-d'œuvre tels que le Plateau de légumes des jours de fête (p. 75) la prochaine fois que vous recevrez à la maison.

4 PORTIONS DE 3 CHAPEAUX CHACUNE

12 gros champignons blancs d'environ 4 cm
   (1 ½ po) coupés en travers
1 c. à café (1 c. à thé) d'ail émincé
90 g (¾ tasse) d'oignons émincés
30 g (½ tasse) d'épinards hachés finement
60 g (½ tasse) de poivrons verts ou rouges,
   épépinés et hachés finement

1 c. à soupe de thym frais
¼ c. à café (¼ c. à thé) de sel
Une pincée de poivre noir du moulin
1 c. à soupe de parmesan râpé

❖ Parer les champignons. Séparer les pieds des chapeaux. Hacher finement les pieds et réserver.
❖ Porter une casserole d'eau moyenne à ébullition. Blanchir les chapeaux 2 min. Laisser égoutter sur du papier essuie-tout en plaçant les lamelles vers le bas.
❖ Vaporiser légèrement une poêle d'enduit végétal, ajouter l'huile et faire chauffer à feu moyen. Ajouter les pieds de champignons et les autres ingrédients, sauf le fromage. Cuire 6 min en remuant de temps à autre. Retirer la poêle du feu et laisser refroidir un peu.
❖ Préchauffer le gril.
❖ Farcir les chapeaux avec la garniture et les ranger au fur et à mesure sur une plaque à pâtisserie. Couvrir de parmesan. Griller environ 3 min, jusqu'à ce qu'ils commencent à dorer.

INFORMATION NUTRITIONNELLE PAR PORTION

Calories 45 | Densité énergétique 0,40 | Glucides 5 g | Matière grasse 2 g | Protéines 2 g | Fibres 2 g

On peut congeler ces hors-d'œuvre avant de les faire griller. Laissez-les décongeler avant de les mettre sur le gril.

POUR FAIRE UN HORS-D'ŒUVRE DE 45 CALORIES

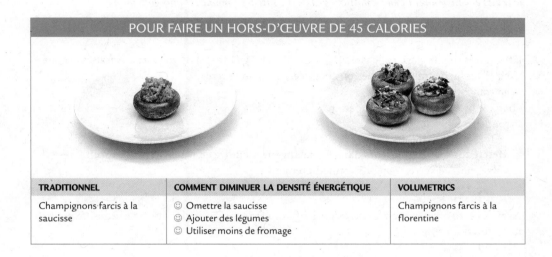

TRADITIONNEL	COMMENT DIMINUER LA DENSITÉ ÉNERGÉTIQUE	VOLUMETRICS
Champignons farcis à la saucisse	☺ Omettre la saucisse ☺ Ajouter des légumes ☺ Utiliser moins de fromage	Champignons farcis à la florentine

Mon yogourt fouetté préféré

Voici l'un de mes péchés mignons. Les yogourts fouettés que je vous propose dans ce livre regorgent de fruits et contiennent peu de matière grasse. Ils satisfont même les plus gourmands.

4 PORTIONS

450 g (3 tasses) de glace concassée
150 g (1 tasse) de fraises fraîches ou congelées, en tranches
1 banane moyenne, pelée et coupée en rondelles

250 g (1 tasse) de yogourt aux fraises écrémé non sucré

❖ Mettre tous les ingrédients dans le mélangeur. Réduire en purée environ 1 min.
❖ Verser dans 4 verres et servir immédiatement.

CONSEIL DU CHEF
Essayez cette recette avec d'autres petits fruits frais ou congelés et variez aussi le parfum du yogourt.

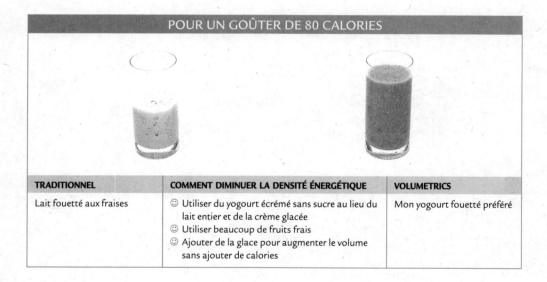

POUR UN GOÛTER DE 80 CALORIES		
TRADITIONNEL	**COMMENT DIMINUER LA DENSITÉ ÉNERGÉTIQUE**	**VOLUMETRICS**
Lait fouetté aux fraises	☺ Utiliser du yogourt écrémé sans sucre au lieu du lait entier et de la crème glacée ☺ Utiliser beaucoup de fruits frais ☺ Ajouter de la glace pour augmenter le volume sans ajouter de calories	Mon yogourt fouetté préféré

INFORMATION NUTRITIONNELLE PAR PORTION
Calories 80 | Densité énergétique 0,42 | Glucides 17 g | Matière grasse 0 g | Protéines 3 g | Fibres 2 g

Sorbet fouetté des tropiques

4 PORTIONS

150 g (1 tasse) de glace concassée
250 g (1 tasse) de sorbet à la noix de coco
400 g (2 tasses) d'ananas frais, en cubes

180 g (1 ½ tasse) de mangue fraîche, pelée,
dénoyautée et coupée en dés

❖ Mettre tous les ingrédients dans le mélangeur. Réduire en purée environ 1 min.
❖ Verser dans 4 verres et servir immédiatement.

CONSEIL DU CHEF

L'ananas en conserve peut remplacer l'ananas frais dans cette recette.

INFORMATION NUTRITIONNELLE PAR PORTION

Calories 165 | Densité énergétique 0,70 | Glucides 37 g | Matière grasse 2 g | Protéines 1 g | Fibres 2 g

Soupes

Nous en connaissons davantage sur les effets de satiété de la soupe que de n'importe quel autre aliment. Le contenu élevé en eau et la faible densité énergétique nous permettent d'être repus rapidement. De plus, d'autres ingrédients nourrissants et satisfaisants tels que les protéines maigres ainsi que les céréales et les légumes riches en fibres peuvent lui être ajoutées. Soyez prudent! Certaines soupes, dont celles à base de crème, peuvent contenir beaucoup de calories.

J'ai démontré dans plusieurs études que le fait de manger une soupe à base de bouillon avant un repas pouvait nous donner un effet de satiété suffisant pour que nous mangions moins du plat principal. Comme vous devez le faire avec toutes les entrées, assurez-vous que les soupes ne contiennent pas trop de calories – 150 calories ou moins suffisent. Si vous dépassez ce total, vous mangerez peut-être trop de calories au cours de votre repas. Gardez toujours le volume élevé en ajoutant de l'eau et des légumes faibles en calories. Non, je ne vous demande pas de manger des soupes sans intérêt qui goûtent l'eau. Grâce aux recettes de ce chapitre, vous découvrirez des soupes nourrissantes, savoureuses et satisfaisantes.

Vous vous demandez peut-être si le fait de manger moins après avoir consommé une grande quantité de soupe vous creusera l'appétit quelques heures plus tard. Nous n'avons pas observé un tel résultat dans notre laboratoire. Notre corps n'est pas si sensible que cela aux calories. Donc, si vous économisez 100 calories à l'heure du lunch en mangeant une soupe, vous n'aurez probablement pas une plus grande faim le soir venu. Nos études ont démontré que les personnes qui avaient absorbé moins de calories le midi ne mangeaient pas davantage au repas du soir. Ces calories en moins peuvent contribuer à votre perte de poids. Au cours d'une étude qui a duré un an, nous avons observé que lès personnes qui ajoutaient deux portions de soupe à leur menu quotidien perdaient plus de poids que celles qui prenaient plutôt des goûters à densité énergétique plus élevée.

Mettez la soupe à votre menu comme entrée, goûter ou repas principal. Il a été démontré que cela aidait à contrôler la faim et à surveiller son poids. Voici quelques trucs utiles.

❖ Commencez votre repas avec une soupe consistante à faible densité énergétique. Si vous augmentez son volume en ajoutant de l'eau ou des ingrédients qui renferment beaucoup d'eau, vous serez repu et vous mangerez moins du mets principal. Les recettes de Minestrone (p. 98) et de Gaspacho (p. 103) font partie des bons choix que vous pouvez faire.

- ❖ Faites des soupes-repas. Pour avoir une bonne variété de nutriments et ne pas souffrir de la faim, choisissez des recettes qui contiennent de la viande maigre ou des légumineuses ainsi que des légumes et du bouillon. Plusieurs soupes vous plairont en ce sens, dont la Soupe orientale aux haricots noirs (p. 99) et la Soupe-repas au poulet et aux légumes (p. 104).
- ❖ Mangez une soupe le midi, mais veillez à ce qu'elle soit pauvre en calories : 100 calories si vous avez une petite faim ou 200 si vous avez une faim de loup.
- ❖ Si vous faites vos propres soupes, vous pouvez utiliser des légumes congelés ou en conserve et du bouillon en boîte si vous êtes pressé. Le bouillon doit toujours être à teneur réduite en matière grasse et en sodium. Ajoutez des fines herbes et un peu de sel pour leur donner plus de goût.
- ❖ Préparez de grandes quantités et congelez-les en portions individuelles que vous réchaufferez au micro-ondes le moment venu.
- ❖ Il existe plusieurs soupes savoureuses et peu coûteuses sur le marché et elles peuvent vous être utiles pour un goûter ou pour commencer un repas. Lisez toujours les étiquettes, car certains emballages contiennent plus d'une portion, ce qui ajouterait des calories à votre repas.
- ❖ Ajoutez des légumes frais ou congelés à vos soupes. Cela réduira la densité énergétique, donnera de la consistance tout en augmentant la quantité de fibres et de nutriments.
- ❖ Surveillez les calories insoupçonnées. Avant de commander, demandez comment la soupe a été préparée. Si elle a été faite à base de crème ou si elle renferme une grande quantité de beurre ou d'huile, elle contiendra évidemment beaucoup de calories.

Chaudrée de maïs et de tomates

Cette soupe savoureuse est épaissie avec des pommes de terre au lieu de la crème.

8 PORTIONS DE 250 ML (1 TASSE) CHACUNE

1 c. à café (1 c. à thé) de beurre non salé
120 g (1 tasse) d'oignons hachés
120 g (1 tasse) de céleri haché
720 g (3 tasses) de pommes de terre pelées,
    coupées en dés et bouillies
1 feuille de laurier
500 ml (2 tasses) de bouillon de poulet
    à teneur réduite en matière grasse
    et en sodium

270 g (1 ½ tasse) de tomates en dés
    en conserve, avec leur liquide
300 g (1 ½ tasse) de maïs décongelé
375 ml (1 ½ tasse) de lait écrémé
Poivre noir du moulin
15 g (½ tasse) de persil plat frais, haché

❖ Vaporiser légèrement une casserole de 4 à 5 litres (16 à 20 tasses) d'enduit végétal. Ajouter le beurre et mettre à feu moyen. Ajouter les oignons et cuire 5 min en remuant. Ajouter le céleri et les pommes de terre et cuire 2 min en remuant de temps à autre.

❖ Ajouter la feuille de laurier et le bouillon. Quand le bouillon commence à mijoter, couvrir et cuire 20 min en remuant de temps à autre pour empêcher les légumes de coller.

❖ Retirer la feuille de laurier et réduire le tout en purée à l'aide du mélangeur ou du robot de cuisine. Transvider dans la casserole.

❖ Incorporer les tomates, le maïs et le lait. Laisser mijoter, remuer et cuire 5 min en remuant de temps à autre.

❖ Poivrer au goût et verser dans les bols. Garnir de persil et servir.

CONSEIL DU CHEF

Vous pouvez utiliser du maïs frais. Pour faire une chaudrée végétarienne, remplacez le bouillon de poulet par 250 ml (1 tasse) de bouillon de légumes et 250 ml (1 tasse) d'eau. Cette soupe se congèle bien.

INFORMATION NUTRITIONNELLE PAR PORTION

Calories 105 | Densité énergétique 0,40 | Glucides 19 g | Matière grasse 2 g | Protéines 5 g | Fibres 2 g

Soupe d'automne à la citrouille

Commencez votre repas avec cette belle soupe colorée à faible teneur en matière grasse que j'ai rehaussée avec un peu de cumin.

4 PORTIONS DE **160** ML (⅔ TASSE) CHACUNE

2 c. à café (2 c. à thé) de beurre non salé
240 g (2 tasses) d'oignons hachés
2 c. à café (2 c. à thé) de farine tout usage
1 litre (4 tasses) de bouillon de poulet à teneur réduite en matière grasse et en sodium
660 g (3 tasses) de purée de citrouille nature

½ c. à café (½ c. à thé) d'ail émincé
½ c. à café (½ c. à thé) de cumin moulu
¼ c. à café (¼ c. à thé) de sel
¼ c. à café (¼ c. à thé) de poivre blanc
4 c. à soupe de yogourt nature écrémé
Une pincée de muscade râpée

❖ Vaporiser légèrement une casserole antiadhésive de 4 à 5 litres (16 à 20 tasses) d'enduit végétal. Ajouter le beurre et mettre à feu moyen. Ajouter les oignons et cuire 5 min en remuant de temps à autre.
❖ Ajouter graduellement la farine et cuire environ 2 min, en remuant, jusqu'à léger épaississement. Verser le bouillon, fouetter, puis ajouter la citrouille, l'ail, le cumin, le sel et le poivre. Laisser mijoter en fouettant de temps à autre. Cuire 15 min en remuant souvent pour empêcher de roussir.
❖ Verser dans 4 bols et garnir de yogourt et de muscade.

CONSEIL DU CHEF
Vous pouvez remplacer le cumin par de la coriandre moulue. Un peu de gingembre frais râpé ajoute beaucoup de goût à cette soupe. Pour faire une recette végétarienne, remplacez le bouillon de poulet par 500 ml (2 tasses) de bouillon de légumes et 500 ml (2 tasses) d'eau.

POUR FAIRE UNE SOUPE DE 150 CALORIES

TRADITIONNEL	COMMENT DIMINUER LA DENSITÉ ÉNERGÉTIQUE	VOLUMETRICS
Soupe à la citrouille avec crème, beurre et crème sure ou aigre	☺ Remplacer la crème par du bouillon et la crème sure ou aigre par du yogourt ☺ Utiliser moins de beurre	Soupe d'automne à la citrouille

INFORMATION NUTRITIONNELLE PAR PORTION

Calories 150 | Densité énergétique 0,40 | Glucides 25 g | Matière grasse 3 g | Protéines 8 g | Fibres 7 g

Crème de brocoli

2 c. à soupe de beurre non salé
90 g (¾ tasse) d'oignons hachés
2 c. à soupe de farine tout usage
1 c. à café (1 c. à thé) de moutarde sèche
½ c. à café (½ c. à thé) d'estragon séché
Une pincée de poivre blanc

500 ml (2 tasses) de lait écrémé
500 ml (2 tasses) de bouillon de poulet à teneur réduite en matière grasse et en sodium
720 g (4 tasses) de bouquets de brocoli hachés

❖ Chauffer le beurre dans une casserole antiadhésive de 4 à 5 litres (16 à 20 tasses) à feu moyen. Ajouter les oignons et cuire 5 min en remuant de temps à autre.
❖ Monter le feu à moyen-vif et incorporer la farine, la moutarde, l'estragon et le poivre. Cuire 2 min, puis réduire le feu à température moyenne. Verser le lait et le bouillon et cuire 8 min en remuant souvent.
❖ Ajouter le brocoli et laisser mijoter 6 min en remuant souvent. Retirer du feu.
❖ Réduire 500 ml (2 tasses) de soupe en purée à l'aide du mélangeur ou du robot de cuisine. Verser le tout dans la casserole et réchauffer environ 2 min en remuant de temps à autre.

CONSEIL DU CHEF

Pour faire une crème de brocoli végétarienne, remplacez le bouillon de poulet par 250 ml (1 tasse) de bouillon de légumes et 250 ml (1 tasse) d'eau.

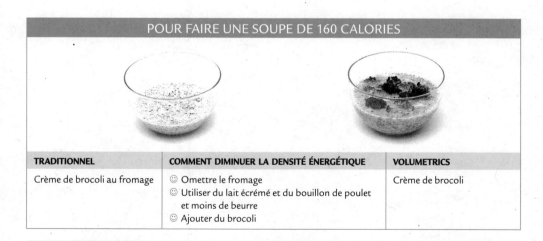

POUR FAIRE UNE SOUPE DE 160 CALORIES

TRADITIONNEL	COMMENT DIMINUER LA DENSITÉ ÉNERGÉTIQUE	VOLUMETRICS
Crème de brocoli au fromage	☺ Omettre le fromage ☺ Utiliser du lait écrémé et du bouillon de poulet et moins de beurre ☺ Ajouter du brocoli	Crème de brocoli

INFORMATION NUTRITIONNELLE PAR PORTION

Calories 160 ¦ Densité énergétique 0,60 ¦ Glucides 15 g ¦ Matière grasse 8 g ¦ Protéines 9 g ¦ Fibres 2 g

Crème de chou-fleur au cari

Cette soupe végétarienne épicée au cari ajoutera une touche d'originalité à vos repas. En plus d'être légère, elle met bien en valeur le goût du chou-fleur.

4 PORTIONS DE 375 ML (1 ½ TASSE) CHACUNE

1 c. à soupe d'huile d'olive extravierge
180 g (1 ½ tasse) d'oignons coupés en deux, puis en rondelles
1 c. à café (1 c. à thé) de cari
1 litre (4 tasses) de bouillon de légumes

720 g (4 tasses) de bouquets de chou-fleur hachés
½ c. à café (½ c. à thé) de sel
200 g (2 tasses) de courgettes émincées

❖ Chauffer l'huile dans une casserole antiadhésive de 4 à 5 litres (16 à 20 tasses) à feu moyen. Ajouter les oignons et le cari, couvrir et cuire 4 min en remuant de temps à autre.

❖ Ajouter le bouillon, le chou-fleur, le sel et 500 ml (2 tasses) d'eau. Laisser mijoter en remuant de temps à autre. Couvrir et laisser mijoter 15 min en remuant de temps à autre.

❖ Réduire la soupe en purée à l'aide du mélangeur ou du robot de cuisine, puis verser le tout dans la casserole.

❖ Réserver 2 c. à soupe de courgettes. Jeter le reste dans la soupe et réchauffer.

❖ Verser la crème de chou-fleur dans 4 bols et garnir avec les courgettes réservées.

INFORMATION NUTRITIONNELLE PAR PORTION

Calories 105 | Densité énergétique 0,30 | Glucides 15 g | Matière grasse 4 g | Protéines 5 g | Fibres 4 g

Soupe rustique aux tomates

Cette recette provient de la campagne toscane et permet d'utiliser efficacement le pain rassis.

4 PORTIONS DE 250 ML (1 TASSE) CHACUNE

1 c. à café (1 c. à thé) d'huile d'olive extravierge
60 g (½ tasse) d'oignons hachés
½ c. à café (½ c. à thé) d'ail haché
540 g (3 tasses) de tomates en dés
   en conserve, avec leur liquide
½ c. à café (½ c. à thé) d'origan séché
¼ c. à café (¼ c. à thé) de sel

375 ml (1 ½ tasse) de bouillon de poulet à
   teneur réduite en matière grasse et en
   sodium
Une pincée de poivre noir du moulin
4 tranches de baguette grillées de 6 mm (¼ po)
   d'épaisseur coupées en travers
Copeaux de parmesan

❖ Vaporiser légèrement une casserole de 4 à 5 litres (16 à 20 tasses) d'enduit végétal. Ajouter l'huile et mettre à feu moyen. Incorporer les oignons et l'ail et cuire 5 min en remuant souvent. Incorporer les tomates, l'origan, le sel et le bouillon. Quand la soupe commence à mijoter, cuire 20 min à découvert en remuant de temps à autre. Retirer du feu et poivrer.

❖ Mettre une tranche de pain dans 4 larges bols à soupe peu profonds. Verser la soupe et garnir avec quelques copeaux de parmesan.

CONSEIL DU CHEF

Le basilic frais est délicieux dans cette soupe. Ajoutez-en 15 g (½ tasse) en même temps que le poivre. Les Toscans utilisent traditionnellement des tomates en grappe bien mûres dans cette recette. Pour faire une crème de brocoli végétarienne, remplacez le bouillon de poulet par 250 ml (1 tasse) de bouillon de légumes et 125 ml (½ tasse) d'eau.

INFORMATION NUTRITIONNELLE PAR PORTION

Calories 125 | Densité énergétique 0,40 | Glucides 20 g | Matière grasse 3 g | Protéines 5 g | Fibres 3 g

Minestrone

Servez cette soupe avec un sandwich à l'heure du lunch.

8 PORTIONS DE 250 ML (1 TASSE) CHACUNE

2 c. à café (2 c. à thé) d'huile d'olive extravierge
120 g (1 tasse) d'oignons hachés
120 g (1 tasse) de carottes émincées
375 ml (1 ½ tasse) de jus de légumes à teneur
    réduite en sodium
750 ml (3 tasses) de bouillon de légumes
225 g (1 ¼ tasse) de tomates épépinées, en dés
¾ c. à café (¾ c. à thé) de thym séché

1 c. à café (1 c. à thé) d'origan séché
Poivre noir du moulin
90 g (3 oz) de petites coquilles de blé entier
    ou d'autres petites pâtes de blé entier
200 g (1 tasse) de haricots cannellinis, rincés
    et égouttés
180 g (3 tasses) d'épinards frais, émincés

❖ Chauffer l'huile dans une casserole de 4 à 5 litres (16 à 20 tasses) à feu moyen. Ajouter les oignons et les carottes et cuire 5 min en remuant de temps à autre.
❖ Ajouter 250 ml (1 tasse) d'eau, le jus de légumes, le bouillon, les tomates, le thym, l'origan et un peu de poivre. Porter à ébullition, baisser le feu, couvrir et laisser mijoter 30 min.
❖ Faire cuire les pâtes en suivant les indications inscrites sur l'emballage.
❖ Ajouter les pâtes, les haricots et les épinards à la soupe. Cuire 10 minutes à feu moyen-doux.

CONSEIL DU CHEF

Pour donner plus de consistance et de saveur à cette soupe, ajoutez 200 g (2 tasses) de chou émincé et 240 g (2 tasses) de champignons en tranches en même temps que les épinards. Si vous préférez, ajoutez plutôt des courgettes émincées.

POUR FAIRE UNE SOUPE DE 125 CALORIES		
TRADITIONNEL	COMMENT DIMINUER LA DENSITÉ ÉNERGÉTIQUE	VOLUMETRICS
Soupe aux légumes à base de crème	☺ Utiliser moins d'huile ☺ Omettre la crème ☺ Ajouter des légumes	Minestrone

INFORMATION NUTRITIONNELLE PAR PORTION

Calories 125 | Densité énergétique 0,50 | Glucides 23 g | Matière grasse 2 g | Protéines 6 g | Fibres 4,5 g

Soupe orientale aux haricots noirs

L'ail, la sauce soja et les flocons de cayenne broyés donnent une saveur typiquement orientale à cette soupe. Pour un lunch agréable, servez-la avec une salade.

4 PORTIONS DE 375 ML (1 ½ TASSE) CHACUNE

2 c. à café (2 c. à thé) d'huile végétale
120 g (1 tasse) d'oignons hachés
2 c. à café (2 c. à thé) d'ail haché
250 ml (1 tasse) de bouillon de poulet à teneur réduite en matière grasse et en sodium
600 g (3 tasses) de haricots noirs en conserve, rincés et égouttés
2 c. à soupe de sauce soja à teneur réduite en sodium

⅛ c. à café (⅛ c. à thé) de flocons de cayenne broyés
⅛ c. à café (⅛ c. à thé) de coriandre moulue
2 c. à soupe de jus d'orange
4 c. à soupe de crème sure ou de crème aigre à teneur réduite en matière grasse
2 c. à soupe d'oignons verts, hachés

❖ Chauffer l'huile dans une casserole de 4 à 5 litres (16 à 20 tasses) à feu moyen. Ajouter les oignons et l'ail et cuire 5 min en remuant de temps à autre. Ajouter le bouillon, les haricots, la sauce soja, les flocons de cayenne, la coriandre et 175 ml (¾ tasse) d'eau. Porter à ébullition, baisser le feu et laisser mijoter 20 min à découvert.

❖ Réduire environ les trois quarts de la soupe en purée lisse à l'aide du mélangeur ou du robot de cuisine. Verser dans la casserole et ajouter le jus d'orange. Laisser mijoter 5 min.

❖ Verser dans 4 bols et garnir de crème et d'oignons verts.

CONSEIL DU CHEF

Servez cette soupe sur 110 g (½ tasse) de riz brun cuit pour composer un repas consistant. Pour faire un plat végétarien, remplacez le bouillon de poulet par 125 ml (½ tasse) de bouillon de légumes et 125 ml (½ tasse) d'eau.

INFORMATION NUTRITIONNELLE PAR PORTION

Calories 240 | Densité énergétique 0,70 | Glucides 32 g | Matière grasse 6 g | Protéines 13 g | Fibres 11 g

Soupe aux cannellinis

Un plat tout indiqué pour augmenter votre apport en fibres. Cette soupe peut être servie comme plat principal.

4 PORTIONS DE 375 ML (1 ½ TASSE) CHACUNE

1 c. à café (1 c. à thé) d'huile d'olive extravierge
120 g (1 tasse) d'oignons hachés
1 ½ c. à café (1 ½ c. à thé) d'ail haché
360 g (2 tasses) de tomates épépinées, en dés
400 g (2 tasses) de cannellinis en conserve, rincés et égouttés
100 g (1 tasse) de courgettes en dés
60 g (½ tasse) de petits pois décongelés
120 g (1 tasse) de carottes en fines rondelles
1 c. à soupe de persil plat frais, haché
¾ c. à café (¾ c. à thé) de thym séché
Une pincée de poivre noir du moulin
500 ml (2 tasses) de bouillon de légumes
4 c. à soupe de parmesan râpé

❖ Vaporiser légèrement une casserole de 4 à 5 litres (16 à 20 tasses) d'enduit végétal et mettre à feu moyen. Ajouter l'huile, les oignons et l'ail et cuire 5 min en remuant de temps souvent.
❖ Ajouter 250 ml (1 tasse) d'eau et tous les autres ingrédients, sauf le parmesan. Quand la soupe commence à mijoter, laisser cuire 10 min en remuant de temps à autre.
❖ Verser dans 4 bols et garnir de parmesan.

CONSEIL DU CHEF

Vous pouvez choisir les haricots cannellinis que vous préférez pour cette recette. Cette soupe se congèle bien.

Soupe aux lentilles et aux tomates

Les lentilles sont une source de protéines bon marché. Faites un bon repas du midi ou du soir en servant cette soupe avec une salade ou un demi-sandwich.

4 PORTIONS DE 375 ML (1 ½ TASSE) CHACUNE

185 g (1 tasse) de lentilles sèches
½ c. à café (½ c. à thé) de sel
2 c. à café (2 c. à thé) d'ail haché
90 g (¾ tasse) d'oignons hachés
90 g (¾ tasse) de céleri haché
90 g (¾ tasse) de carottes hachées
¼ c. à café (¼ c. à thé) de thym séché

¼ c. à café (¼ c. à thé) d'origan séché
¼ c. à café (¼ c. à thé) de poivre noir du moulin
450 g (2 ½ tasses) de tomates en dés
   en conserve, avec leur liquide
1 c. à soupe de vinaigre de vin rouge
4 c. à soupe de crème sure ou de crème aigre
   à teneur réduite en matière grasse

❖ Mettre les lentilles, le sel et 750 ml (3 tasses) d'eau dans une casserole de 4 à 5 litres (16 à 20 tasses). Quand le liquide commence à mijoter, couvrir partiellement et cuire 20 min.

❖ Ajouter l'ail, les oignons, le céleri, les carottes, le thym, l'origan et le poivre. Couvrir partiellement et laisser mijoter 25 min.

❖ Ajouter les tomates, couvrir partiellement et laisser mijoter 15 min. Incorporer le vinaigre.

❖ Servir dans 4 bols et napper de crème.

INFORMATION NUTRITIONNELLE PAR PORTION

Calories 230 | Densité énergétique 0,60 | Glucides 41 g | Matière grasse 0 g | Protéines 16 g | Fibres 17 g

Soupe végétarienne à l'orge

L'orge donne une consistance intéressante à cette soupe. Il a un léger goût de noisette et il est très nourrissant.

4 PORTIONS DE **300** ML **(1 ¼ TASSE)** CHACUNE

60 g (½ tasse) d'oignons hachés
30 g (¼ tasse) de céleri haché
1 c. à soupe de persil plat frais, haché
½ c. à café (½ c. à thé) d'ail haché
875 ml (3 ½ tasses) de bouillon de légumes
270 g (1 ½ tasse) de tomates en dés
en conserve, avec leur liquide
60 g (½ tasse) de carottes en rondelles

50 g (¼ tasse) d'orge perlé
¼ c. à café (¼ c. à thé) de sel
Une pincée de poivre noir du moulin
¼ c. à café (¼ c. à thé) d'origan séché
¼ c. à café (¼ c. à thé) de thym séché
1 feuille de laurier
240 g (2 tasses) de champignons hachés

❖ Vaporiser le fond d'un grand faitout ou d'une grande casserole d'enduit végétal et chauffer à feu moyen-vif. Ajouter les oignons, le céleri, le persil et l'ail. Cuire 4 min en remuant souvent.
❖ Ajouter le bouillon, les tomates, les carottes, l'orge, le sel, le poivre, l'origan, le thym et la feuille de laurier. Quand la soupe commence à mijoter, couvrir et cuire 20 min en remuant de temps à autre.
❖ Incorporer les champignons et laisser mijoter 20 min à découvert en remuant de temps à autre.
❖ Retirer et jeter la feuille de laurier. Verser la soupe dans 4 bols.

CONSEIL DU CHEF
Essayez de varier le goût de ce plat en choisissant des champignons différents chaque fois.

INFORMATION NUTRITIONNELLE PAR PORTION

Calories 120 | Densité énergétique 0,40 | Glucides 19 g | Matière grasse 2 g | Protéines 8 g | Fibres 4 g

Gaspacho

Cette soupe d'origine espagnole permet de bien commencer un repas. Elle est à la fois consistante et offre un heureux mélange de saveurs.

4 PORTIONS DE **410** ML **(1 ⅔ TASSE)** CHACUNE

540 g (3 tasses) de tomates épépinées
    et hachées
120 g (1 tasse) de concombres pelés, épépinés
    et hachés
120 g (1 tasse) de poivrons verts, hachés
2 piments jalapeños, épépinés et hachés
    finement
120 g (1 tasse) d'oignons doux
60 g (½ tasse) de céleri haché

1 c. à café (1 c. à thé) d'ail émincé
500 ml (2 tasses) de jus de légumes à teneur
    réduite en sodium
2 c. à soupe de vinaigre de vin blanc
2 c. à café (2 c. à thé) d'huile d'olive extravierge
1 c. à café (1 c. à thé) de sauce au piment fort
¼ c. à café (¼ c. à thé) de sel
¼ c. à café (¼ c. à thé) de poivre noir
    du moulin

❖ Mettre tous les ingrédients dans un grand bol et bien remuer. Couvrir et laisser refroidir 2 h dans le réfrigérateur.

CONSEIL DU CHEF

Si vous utilisez votre robot de cuisine pour les légumes, hachez-les séparément pour éviter de les couper trop finement.

INFORMATION NUTRITIONNELLE PAR PORTION

Calories 120 | Densité énergétique 0,30 | Glucides 19 g | Matière grasse 3 g | Protéines 5 g | Fibres 5 g

Soupe-repas au poulet et aux légumes

Les pâtes de blé entier ajoutent des fibres à cette soupe qui peut être présentée comme plat principal.

4 PORTIONS DE 500 ML (2 TASSES) CHACUNE

2 c. à soupe de farine tout usage
½ c. à café (½ c. à thé) de sel
½ c. à café (½ c. à thé) d'estragon séché
3 poitrines (blancs) de poulet de 120 à 180 g
   (4 à 6 oz) chacune, coupées en morceaux
   de 1,25 cm (½ po)
2 c. à café (2 c. à thé) d'huile végétale
360 g (3 tasses) de carottes hachées

360 g (3 tasses) de petits champignons, en
   quartiers
1 litre (4 tasses) de bouillon de poulet à teneur
   réduite en matière grasse et en sodium
1 c. à café (1 c. à thé) de sauce au piment fort
120 g (4 oz) de chioccioles ou d'autres petites
   pâtes sèches de blé entier
7 g (¼ tasse) de persil plat frais, haché

❖ Dans un grand bol, mélanger la farine, le sel et l'estragon. Ajouter le poulet et remuer pour bien enrober.

❖ Vaporiser légèrement une casserole de 4 à 5 litres (16 à 20 tasses) d'enduit végétal. Ajouter l'huile et mettre à feu moyen. Ajouter le poulet et cuire environ 5 min, en remuant souvent, jusqu'à ce que la volaille soit légèrement dorée et que le centre ne soit plus rosé. Retirer le poulet et réserver.

❖ Ajouter les carottes, les champignons, le bouillon et la sauce au piment fort. Couvrir et laisser mijoter 15 min en remuant de temps à autre.

❖ Incorporer les pâtes et le poulet. Cuire 12 min. Verser dans 4 bols et garnir de persil.

INFORMATION NUTRITIONNELLE PAR PORTION

Calories 290 | Densité énergétique 0,60 | Glucides 37 g | Matière grasse 7 g | Protéines 24 g | Fibres 5 g

Remplacez les pâtes par du riz brun bouilli. Ajoutez-le avec le poulet à l'étape 4, faites cuire 5 min et servez tel qu'indiqué.

POUR FAIRE UNE SOUPE DE 290 CALORIES

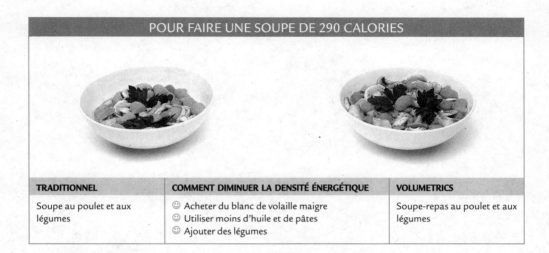

TRADITIONNEL	COMMENT DIMINUER LA DENSITÉ ÉNERGÉTIQUE	VOLUMETRICS
Soupe au poulet et aux légumes	☺ Acheter du blanc de volaille maigre ☺ Utiliser moins d'huile et de pâtes ☺ Ajouter des légumes	Soupe-repas au poulet et aux légumes

Sandwiches et roulés

Les sandwiches sont toujours très populaires à l'heure du lunch. Leur préparation a beaucoup évolué depuis que des chefs créatifs et des restaurants audacieux ont découvert que leurs clients étaient prêts à essayer de nouvelles combinaisons d'aliments. Peut-être êtes-vous de ceux qui aiment inventer de nouveaux sandwiches, mais avant de vous lancer dans cette aventure, il est important que vous appreniez l'art de les rendre convenables à votre nouveau régime.

L'une des premières décisions que vous devez prendre concerne la grosseur du sandwich. Des études faites dans mon laboratoire démontrent que si vous optez vous un gros sandwich à haute densité énergétique, vous aurez probablement envie de manger davantage. Les femmes ont mangé 31 p. cent plus de calories (160 calories) quand on leur a servi un sous-marin de 30 cm (12 po) que lorsqu'on leur a offert un sandwich de 15 cm (6 po). Les hommes ont eu des résultats encore plus élevés en mangeant 56 p. cent plus de calories (355 calories). À la maison ou au restaurant, ne mangez donc pas de sandwiches remplis de garniture à haute densité énergétique. Plus on en voit, plus on en veut ! Vous serez moins porté à manger si vous diminuez la densité énergétique en utilisant surtout des ingrédients faibles en calories tels que vos légumes favoris. N'oubliez pas que les calories s'additionneront rapidement si vous prenez des tranches de pain épaisses, des montagnes de fromage et de viande ou des produits à tartiner riches en matière grasse.

Apprenez dès maintenant à voir les sandwiches et les sandwiches roulés comme une façon pratique de rassembler plusieurs ingrédients nutritifs en un seul mets. Voici comment les rendre plus *volumétriques*.

❖ Vous savez déjà que les céréales entières peuvent augmenter votre consommation de fibres et de nutriments. Achetez des pains, brioches, bagels, pitas, muffins anglais et tortillas de céréales entières. Lisez les étiquettes pour vous assurer que les céréales entières figurent en tête de liste des ingrédients.

❖ Achetez du pain coupé en tranches minces. Vous pouvez aussi vous procurer un pain entier et le couper vous-même à l'aide d'un couteau à pain.

❖ Préférez les sandwiches ouverts. Cette manière traditionnelle de servir les sandwiches au rôti de bœuf, à la dinde et même au fromage grillé donnera aussi de bons résultats avec d'autres ingrédients. Vous aurez probablement besoin d'un couteau et d'une fourchette ! Faites un premier essai avec le Sandwich ouvert au rôti de bœuf (p. 114).

❖ On trouve dans le commerce des brioches, des bagels, des pitas et des tortillas de toutes les grosseurs. Choisissez toujours les plus petits et vous aurez ainsi une portion acceptable.

❖ Évitez les choix trop riches en matière grasse : croissants, pains au fromage, fougasses et pains badigeonnés d'huile.

Voici maintenant ce que vous pouvez mettre dans votre sandwich.

❖ Donnez la première place aux légumes. La laitue, les tomates et les oignons conviennent bien, mais laissez davantage de place à la créativité. Ajoutez des cœurs d'artichauts conservés dans l'eau, des poivrons rouges grillés, des poivrons crus de toutes les couleurs, des carottes râpées, du céleri, des concombres et un peu d'avocat.

❖ Remplacez la viande par des portobellos ou d'autres champignons à large chapeau. Faites-les cuire dans un peu d'huile et vous obtiendrez une garniture savoureuse à faible densité énergétique et pauvre en calories dont le goût vous rappellera celui de la viande. Essayez les Sandwiches grillés aux champignons (p. 115) pour constater combien cette idée est intéressante.

❖ Si vous êtes un amateur de fromage, essayez d'en manger moins ou achetez ceux qui contiennent le moins de matière grasse. Si vous achetez des fromages au goût prononcé comme le gruyère, l'emmental ou le cheddar fort, vous aurez moins tendance à ajouter d'autres ingrédients compromettants.

❖ Au moment de choisir une viande, vous savez qu'il faut éviter le poulet frit et les autres choix qui regorgent de matière grasse tels que le salami, la saucisse ou le pastrami. Il est facile de trouver des charcuteries qui ne contiennent presque pas de gras. Prenez une portion de 2 tranches, ce qui équivaut à 60 g (2 oz) environ. Dans certains restaurants, on sert de 120 à 240 g (4 à 8 oz) de charcuterie par portion, ce que vous devez éviter absolument ! Si vous aimez le salami, préparez-vous un succulent Sandwich aux viandes froides et au fromage (p. 112), ce qui vous permettra de voir comment vous pouvez intégrer à votre régime quelques choix un peu plus riches en matière grasse.

❖ Les garnitures à base de mayonnaise telles que les garnitures au thon, au poulet ou à la salade aux œufs figurent souvent parmi les plus élevées en calories. On croit souvent à tort que l'on fait un bon choix santé en ne réalisant pas que ces sandwiches peuvent contenir jusqu'à 800 calories. Faites un choix plus judicieux avec le Sandwich à la salade de poulet et aux amandes (p. 110) et le Pita savoureux à la salade de thon (p. 120). En utilisant peu de mayonnaise, on réduit le nombre de calories et de densité énergétique, ce qui permet de garnir généreusement son sandwich de légumes ou même de fruits.

❖ Le poisson frais grillé est délicieux et nourrissant. Mariez-le à vos légumes préférés pour faire un sandwich à la fois satisfaisant et équilibré.

❖ Les hamburgers végétariens congelés offrent de nombreuses saveurs. Ils contiennent peu de calories et cuisent rapidement, ce qui en fait un bon choix lorsqu'on a peu de temps pour cuisiner.

- Les produits à tartiner ont un énorme impact sur le nombre de calories. N'ajoutez aucun gras dont vous pouvez vous passer. Le beurre et les tartinades riches en matière grasse ne sont pas indispensables pour faire un bon sandwich. Si vous ne pouvez vous en passer, n'utilisez qu'une toute petite quantité.
- Achetez une version allégée de votre tartinade préférée. Il est souvent difficile de se rendre compte que l'on mange de la mayonnaise ou du fromage à la crème à faible teneur en matière grasse.
- Préparez vos propres produits à tartiner faibles en matière grasse en commençant par la Vinaigrette maison (p. 76).
- Le hoummos est idéal pour plusieurs sortes de sandwiches, surtout ceux qui renferment beaucoup de légumes. Le Hoummos au citron (p. 76) est particulièrement délicieux, sinon achetez-en dans le commerce.
- Rehaussez le goût de vos sandwiches en ajoutant des légumes au goût prononcé : oignons, poivrons, piments forts, relishes, raifort ou cornichons. Utilisez de la moutarde assaisonnée au lieu de la mayonnaise. Ajoutez des câpres ou des olives en tranches. Ces ingrédients camouflent la faible teneur en gras des autres ingrédients et ajoutent de la variété.
- Les fines herbes fraîches peuvent transformer un sandwich ordinaire en un régal des plus exotiques. La coriandre ajoute une touche asiatique tandis que le basilic a le pouvoir de raviver la mozzarella et les tomates.

Essayez les recettes que nous vous proposons dans ce chapitre, puis apprenez à créer vos propres sandwiches avec vos ingrédients préférés pauvres en calories. Prenez le temps de faire votre sandwich le matin, ce qui vous empêchera de vous précipiter sur un lunch à haute densité énergétique acheté à la hâte. Faites suivre votre sandwich par un fruit tel que la pomme ou la clémentine et vous obtiendrez un repas qui vous rassasiera jusqu'au repas du soir. Comme moi, apprenez à redevenir un enfant. J'aime apporter ma boîte à lunch au travail. En plus de votre sandwich, vous pouvez ajouter des collations à faible densité énergétique comme les bâtonnets de carotte ou de céleri et même du yogourt à faible teneur en matière grasse. Ces bonnes habitudes vous permettront de mieux résister à toutes les tentations que vos collègues vous offriront au cours de la journée.

Sandwiches à la salade de poulet et aux amandes

La garniture de ces sandwiches est un mélange de raisins frais et de poulet. Vous pouvez aussi la servir sur un lit de laitue si vous ne voulez pas manger de pain.

4 PORTIONS

300 g (1 ½ tasse) de poitrine (blanc) de poulet désossée et sans peau, cuite et coupée en dés

150 g (1 tasse) de raisins rouges sans pépins, coupés en deux

30 g (¼ tasse) de céleri en dés

60 g (¼ tasse) de mayonnaise à teneur réduite en matière grasse

1 c. à soupe d'amandes en julienne, grillées (p. 84)

½ c. à café (½ c. à thé) de poivre noir du moulin

8 tranches minces de pain multicéréales

120 g (2 tasses) de laitue verte émincée

❖ Dans un bol moyen, mélanger le poulet, les raisins, le céleri, la mayonnaise, les amandes et le poivre et bien remuer.

❖ Servir sur 4 tranches de pain. Couvrir chaque portion avec 30 g (½ tasse) de laitue et une autre tranche de pain.

INFORMATION NUTRITIONNELLE PAR PORTION
Calories 275 | Densité énergétique 1,4 | Glucides 35 g | Matière grasse 6 g | Protéines 18 g | Fibres 2 g

Si vous n'avez pas de blanc de volaille cuit, essayez cette méthode simple. Mettez les poitrines (blancs) de poulet désossées et sans peau dans une casserole. Ajoutez juste assez d'eau froide pour les couvrir. Faites cuire à feu doux jusqu'à ce que l'eau mijote. Retournez le poulet, couvrez et retirez la casserole du feu. Laissez reposer de 15 à 20 min, jusqu'à ce que le centre ne soit plus rosé. Retirez le poulet et conservez-le dans le réfrigérateur jusqu'au moment de l'utiliser.

POUR FAIRE UN SANDWICH DE 275 CALORIES

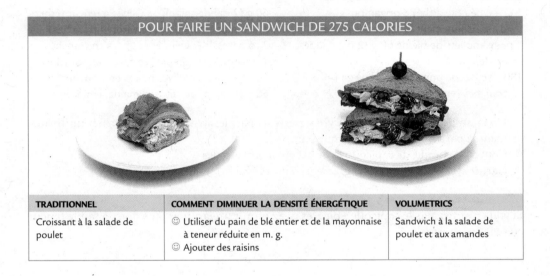

TRADITIONNEL	COMMENT DIMINUER LA DENSITÉ ÉNERGÉTIQUE	VOLUMETRICS
Croissant à la salade de poulet	☺ Utiliser du pain de blé entier et de la mayonnaise à teneur réduite en m. g. ☺ Ajouter des raisins	Sandwich à la salade de poulet et aux amandes

INFORMATION NUTRITIONNELLE PAR PORTION DE SALADE DE POULET

Calories 150 | Densité énergétique 1,1 | Glucides 12 g | Matière grasse 4 g | Protéines 17 g | Fibres 1 g

Sandwiches aux viandes froides et au fromage

Quand vous avez envie d'un bon sous-marin italien, essayez cette recette.

4 PORTIONS

3 c. à soupe de Vinaigrette italienne (p. 143)

2 c. à café (2 c. à thé) de parmesan râpé

1 c. à café (1 c. à thé) d'origan ou d'assaisonnement à l'italienne séché

4 pains mollets de blé de 60 g (2 oz) coupés en deux

180 g (6 oz) de poitrine de dinde en fines tranches (environ 8 tranches)

120 g (4 oz) de capicollo en fines tranches (environ 8 tranches)

60 g (2 oz) de salami de Gênes à teneur réduite en matières grasses (environ 4 tranches)

2 tomates épépinées et coupées en tranches

1 poivron vert, épépiné et coupé en tranches

30 g (¼ tasse) d'olives noires en tranches

60 g (1 tasse) de laitue romaine, émincée

❖ Dans un petit bol, mélanger la vinaigrette, le parmesan et l'origan. Tartiner uniformément la partie inférieure de chaque pain.

❖ Couvrir de dinde, de capicollo et de salami à parts égales.

❖ Garnir avec tous les autres ingrédients à parts égales.

CONSEIL DU CHEF

Si vous n'aimez pas le capicollo épicé, essayez plutôt un jambon plus doux à faible teneur en matière grasse.

INFORMATION NUTRITIONNELLE PAR PORTION

Calories 345 | Densité énergétique 1,2 | Glucides 36 g | Matière grasse 10 g | Protéines 27 g | Fibres 4 g

Sandwiches méditerranéens à la dinde

Les textures variées des tomates séchées, de l'avocat et du poivron rouge donnent beaucoup de caractère à ces sandwiches.

4 PORTIONS

3 c. à soupe de mayonnaise à teneur réduite en matière grasse

1 c. à soupe de purée de tomates séchées

8 tranches minces de pain multicéréales

180 g (6 oz) de poitrine de dinde rôtie au four ou fumée ou de charcuterie en fines tranches (environ 8 tranches)

½ avocat pelé et dénoyauté

½ gros concombre non pelé

60 g (½ tasse) de poivrons rouges grillés, en lanières

60 g (1 tasse) d'épinards miniatures

❖ Remuer la mayonnaise et la purée de tomates séchées dans un petit bol.

❖ Étendre 1 c. à soupe de mayonnaise sur 4 tranches de pain. Couvrir de dinde à parts égales.

❖ Couper l'avocat et le concombre en 8 tranches chacun. Couvrir chaque sandwich avec 2 tranches d'avocat et 2 tranches de concombre.

❖ Garnir de poivrons rouges et d'épinards à parts égales. Fermer les sandwiches avec les autres tranches de pain.

INFORMATION NUTRITIONNELLE PAR PORTION

Calories 300 | Densité énergétique 1,4 | Glucides 41 g | Matière grasse 7 g | Protéines 19 g | Fibres 7 g

Sandwiches ouverts au rôti de bœuf

Utilisez une seule tranche de pain de seigle et ajoutez une généreuse quantité de poivrons et d'oignons. Vous diminuerez ainsi considérablement la densité énergétique de ces sandwiches. Faites un mélange de poivrons de différentes couleurs : rouges, jaunes, verts, etc.

4 PORTIONS

180 g (1 ½ tasse) de poivrons en tranches
75 g (2/3 tasse) de champignons en tranches
90 g (¾ tasse) d'oignons rouges en tranches
2 c. à soupe de mayonnaise à teneur réduite
    en matière grasse
Environ 2 c. à café (2 c. à thé) ou de raifort
    préparé, égoutté

4 tranches minces de pain de seigle
240 g (8 oz) de rôti de bœuf de charcuterie
    maigre en fines tranches (environ
    10 tranches)
4 c. à soupe de fromage suisse

- ❖ Préchauffer le gril.
- ❖ Dans une poêle vaporisée d'enduit végétal, faire sauter les poivrons, les champignons et les oignons à feu moyen environ 5 min pour les attendrir un peu.
- ❖ Mélanger la mayonnaise et le raifort dans un petit bol, puis tartiner les tranches de pain.
- ❖ Couvrir de rôti de bœuf à parts égales.
- ❖ Garnir de légumes et couvrir avec 1 c. à soupe de fromage.
- ❖ Mettre les sandwiches sur une plaque à pâtisserie et griller au four jusqu'à ce que le fromage soit fondu.

CONSEIL DU CHEF
Vous pouvez acheter de la poitrine de poulet ou de dinde au lieu du rôti de bœuf.

INFORMATION NUTRITIONNELLE PAR PORTION

Calories 200 | Densité énergétique 1,1 | Glucides 19 g | Matière grasse 8 g | Protéines 15 g | Fibres 2 g

Sandwiches grillés aux champignons

Les champignons portobellos donnent beaucoup de consistance et de saveur à ces sandwiches. Ils remplacent agréablement la viande. Servez ce délice comme mets principal pour votre repas du midi ou du soir.

4 PORTIONS

125 ml (½ tasse) de jus de citron vert

2 c. à soupe d'huile d'olive extravierge

125 ml (½ tasse) de vinaigre de vin rouge

1 c. à soupe d'ail émincé

2 c. à café (2 c. à thé) de coriandre fraîche, hachée

2 c. à café (2 c. à thé) de sucre

½ c. à café (½ c. à thé) de sel

¼ c. à café (¼ c. à thé) de poivre noir du moulin

4 larges chapeaux de champignons (portobellos ou autres) de 10 cm (4 po) de diamètre, bien nettoyés

2 c. à café (2 c. à thé) de Guacamole (p. 80)

4 petits pains empereurs à l'oignon coupés en deux

30 g (½ tasse) d'épinards miniatures

60 g (½ tasse) de poivrons rouges rôtis, en tranches

60 g (½ tasse) de concombre non pelé, bien brossé et coupé en tranches

4 tranches de tomate

4 tranches de fromage monterey jack au poivre à faible teneur en matière grasse ou autre fromage semblable

❖ Dans un petit bol, mélanger 125 ml (½ tasse) d'eau, le jus de citron vert, l'huile, le vinaigre, l'ail, la coriandre, le sucre, le sel et le poivre. Verser dans un sac de plastique à fermeture hermétique, ajouter les chapeaux de champignons, fermer le sac et laisser mariner 1 h.

❖ Préchauffer le four à 200 °C (400 °F).

❖ Sortir les champignons de la marinade et les étendre sur une plaque à pâtisserie, lamelles vers le haut. Faire griller 15 min, jusqu'à ce qu'ils soient dorés et tendres.

❖ Étendre 1 c. à café (1 c. à thé) de guacamole sur la partie inférieure de chaque pain. Garnir d'épinards, de poivrons et de concombres à parts égales. Couvrir avec une tranche de tomate, un chapeau de champignon et une tranche de fromage. Fermer les sandwiches avec le pain restant.

CONSEIL DU CHEF

Si vous faites ce sandwich pour le lunch, enveloppez le chapeau de champignon séparément et ne le mettez qu'à la toute dernière minute.

INFORMATION NUTRITIONNELLE PAR PORTION

Calories 290 | Densité énergétique 1,2 | Glucides 40 g | Matière grasse 10 g | Protéines 11 g | Fibres 4 g

Sandwiches roulés Buffalo

Essayez ces sandwiches au lieu des ailes de poulet frites. Le poulet cuit au four rehaussé de sauce au piment fort et de sauce à salade au fromage bleu à faible teneur en matière grasse donne un caractère savoureux à ce plat.

4 PORTIONS

300 g (2 tasses) de poitrine (blanc)
    de poulet cuit et émincée (voir Conseil
    du chef, p. 111)
2 c. à soupe de sauce au piment fort
125 ml (½ tasse) de sauce à salade au fromage
    bleu à faible teneur en matière grasse

4 tortillas de blé de 25 cm (10 po) de diamètre
120 g (2 tasses) de laitue romaine émincée
120 g (1 tasse) de céleri en dés
120 g (1 tasse) de concombre pelé, épépiné
    et coupé en dés
120 g (1 tasse) de carottes émincées

❖ Dans un petit bol, mélanger le poulet et la sauce au piment fort.

❖ Étendre 2 c. à soupe de sauce à salade sur chaque tortilla. Mettre le quart de la laitue horizontalement au centre de chacune. Couvrir avec le quart du poulet, du céleri, des concombres et des carottes.

❖ Plier les côtés de chaque tortilla vers le centre. En commençant par le bas, rouler les tortillas vers le haut en emprisonnant bien leur contenu.

CONSEIL DU CHEF
Ajoutez de la couleur et du goût à ces sandwiches en utilisant des tortillas de différentes saveurs.

POUR FAIRE UN PETIT-DÉJEUNER DE 270 CALORIES

TRADITIONNEL	COMMENT DIMINUER LA DENSITÉ ÉNERGÉTIQUE	VOLUMETRICS
Sandwich roulé au poulet frit	☺ Utiliser du poulet cuit au four au lieu du poulet frit ☺ Prendre de la sauce à salade au fromage bleu à faible teneur en m. g. ☺ Ajouter des légumes	Sandwich roulé Buffalo

INFORMATION NUTRITIONNELLE PAR PORTION

Calories 350 | Densité énergétique 1,2 | Glucides 45 g | Matière grasse 7 g | Protéines 28 g | Fibres 4 g

Sandwiches roulés à l'orientale

Dans cette recette fort simple, les traditionnelles crêpes mu shu sont remplacées par des tortillas de farine de blé.

4 PORTIONS

2 c. à soupe de sauce hoisin
1 c. à soupe d'huile végétale
200 g (2 tasses) de chou chinois ou nappa émincé
150 g (2 tasses) de germes de haricot
480 g (4 tasses) de champignons en tranches

200 g (1 tasse) de poitrine (blanc) de poulet cuite et coupée en dés (voir Conseil du chef, p. 111)
4 tortillas de blé

❖ Dans un petit bol, mélanger la sauce hoisin et 1 c. à soupe d'eau. Réserver.
❖ Chauffer l'huile dans une grande poêle vaporisée d'enduit végétal. Ajouter le chou, les germes de haricot et les champignons. Faire sauter à feu vif en remuant de 5 à 7 min, jusqu'à ce qu'ils soient tendres.
❖ Ajouter la sauce hoisin et cuire de 1 à 2 min pour bien la réchauffer. Garnir les tortillas à parts égales.
❖ Plier les côtés de chaque tortilla vers le centre. En commençant par le bas, rouler les tortillas vers le haut en emprisonnant bien leur contenu.

INFORMATION NUTRITIONNELLE PAR PORTION

Calories 310 | Densité énergétique 1,1 | Glucides 42 g | Matière grasse 8 g | Protéines 20 g | Fibres 4 g

Pochettes au poulet et à l'avocat

Pour varier votre repas du midi, remplissez des pains pitas de légumes et de blanc de volaille et vous obtiendrez un sandwich des plus satisfaisants.

4 PORTIONS DE 2 MOITIÉS CHACUNE

480 g (1 lb) de poitrine (blanc) de poulet cuite
   et coupée en morceaux de 1,25 cm
   (½ po) (voir Conseil du chef, p. 111)
30 g (¼ tasse) de cheddar à faible teneur en
   matière grasse, émincé
90 g (¾ tasse) d'avocat en dés
60 g (½ tasse) de poivrons (couleur au goût)
   épépinés et hachés
60 g (½ tasse) de céleri haché

60 g (½ tasse) de concombre non pelé et haché
60 g (½ tasse) de carottes émincées
90 g (½ tasse) de bouquets de chou-fleur
   hachés finement
30 g (¼ tasse) d'oignons rouges, hachés
6 c. à soupe de Vinaigrette balsamique (p. 142)
4 pitas de blé entier de 15 cm (6 po) coupés
   en deux en travers

❖ Mélanger le poulet, le fromage et tous les légumes avec la vinaigrette. Remplir chaque moitié de pita avec environ ¾ tasse de cette garniture.

INFORMATION NUTRITIONNELLE PAR PORTION

Calories 375 | Densité énergétique 1,3 | Glucides 47 g | Matière grasse 10 g | Protéines 27 g | Fibres 8 g

Hamburgers à l'américaine

Même en utilisant du bœuf haché maigre, on peut préparer un hamburger absolument délicieux. Les assaisonnements et les condiments lui donnent beaucoup de goût et préservent la tendreté de la viande.

6 PORTIONS

480 g (1 lb) de bœuf haché 95 % maigre
40 g (⅓ tasse) d'oignons hachés
2 c. à soupe de ketchup
2 c. à soupe de sauce Worcestershire
1 c. à café (1 c. à thé) de sauce au piment fort

6 petits pains de blé de 60 g (2 oz) coupés
   en deux
90 g (1 ½ tasse) de laitue romaine émincée
2 tomates épépinées et coupées en tranches
60 g (½ tasse) d'oignons rouges en rondelles

❖ Mélanger le bœuf, les oignons, le ketchup, la sauce Worcestershire et la sauce au piment fort. Former 6 boulettes de même grosseur.

❖ Vaporiser une grande poêle d'enduit végétal. Cuire les boulettes à feu moyen-vif de 8 à 10 minutes, jusqu'à ce que la viande ne soit plus rosée.

❖ Mettre une boulette sur la partie inférieure de chacun des pains. Garnir de laitue, de tomates et d'oignons à parts égales. Couvrir avec le pain restant.

INFORMATION NUTRITIONNELLE PAR PORTION

Calories 310 | Densité énergétique 1,5 | Glucides 34 g | Matière grasse 7 g | Protéines 28 g | Fibres 3 g

Pitas savoureux à la salade de thon

La moutarde de Dijon illumine le goût de cette recette tandis que les légumes lui donnent une texture croquante fort agréable.

4 PORTIONS

2 c. à soupe de moutarde de Dijon

2 c. à soupe de mayonnaise à faible teneur en matière grasse

60 g (½ tasse) d'oignons rouges, hachés

60 g (½ tasse) de poivrons rouges, épépinés et hachés

60 g (½ tasse) de poivrons jaunes, épépinés et hachés

60 g (½ tasse) de céleri haché

1 boîte de 360 g (12 oz) de thon blanc dans l'eau, égoutté et déchiqueté

Une pincée de poivre noir du moulin

4 pitas de blé entier de 15 cm (6 po)

30 g (½ tasse) de roquette ou d'épinards émincés

60 g (½ tasse) de champignons en tranches

❖ Dans un bol moyen, fouetter la moutarde et la mayonnaise.

❖ Ajouter les oignons, les poivrons, le céleri, le thon et le poivron. Bien remuer et réserver.

❖ Couper les pitas en deux en travers.

❖ Remplir les pochettes à parts égales avec la roquette, les champignons et la salade de thon.

INFORMATION NUTRITIONNELLE PAR PORTION

Calories 285 | Densité énergétique 1,2 | Glucides 32 g | Matière grasse 6 g | Protéines 27 g | Fibres 6 g

Cette préparation peut être servie sur un lit de laitue ou du pain de blé entier au lieu du pain pita.

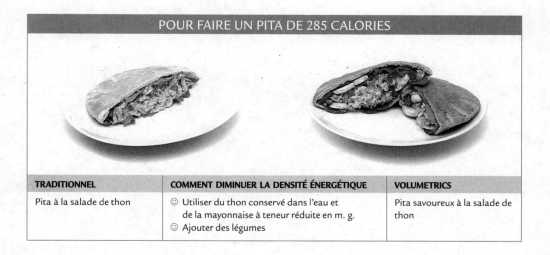

POUR FAIRE UN PITA DE 285 CALORIES

TRADITIONNEL	COMMENT DIMINUER LA DENSITÉ ÉNERGÉTIQUE	VOLUMETRICS
Pita à la salade de thon	☺ Utiliser du thon conservé dans l'eau et de la mayonnaise à teneur réduite en m. g. ☺ Ajouter des légumes	Pita savoureux à la salade de thon

INFORMATION NUTRITIONNELLE PAR PORTION DE SALADE DE THON

Calories 155 ǀ Densité énergétique 0,9 ǀ Glucides 6 g ǀ Matière grasse 21 g ǀ Protéines 1 g ǀ Fibres 6 g

Salades et sauces à salade

Il est facile de s'imaginer qu'une salade contient nécessairement peu de calories. Même s'il est vrai que la laitue et les autres légumes en contiennent peu, n'oublions pas que la vinaigrette ou la sauce peut contenir beaucoup de matière grasse.

Salade et satiété : commencer un repas par une salade peut nous aider à manger moins

En 2003, à la rencontre annuelle de la North American Association for the Study of Obesity, j'ai présenté une nouvelle étude intitulée *Salade et satiété*. À ma grande surprise, le *Wall Street Journal*, le *Washington Post* et le *USA Today* en ont parlé, de même que l'émission *World News Tonight* au réseau ABC. Pourquoi la salade revêtait-elle soudain une telle importance ? Parce que nous avions fait la preuve que le fait de commencer un repas avec une salade pouvait aider à réduire le nombre de calories d'un repas. Il s'agissait donc de manger davantage afin de réduire ses calories ! Commencer le repas avec une grosse portion de salade à faible densité énergétique est une stratégie efficace pour réduire le nombre de calories que vous prendrez au cours de ce même repas à condition que la salade soit grosse et faible en calories.

Dans notre étude, les personnes ont mangé moins de calories avec le plat de pâtes qui leur a ensuite été servi si elles avaient d'abord mangé 3 tasses de salade à faible densité énergétique de 100 calories. Même si elles ont mangé 100 calories de moins le midi alors que la salade était incluse, elles ne se sentaient pas affamées. Une portion de salade plus petite de 1 ½ tasse réduit aussi le nombre de calories prises pendant le lunch. Mais une grosse salade peut donner de meilleurs résultats pour contrôler votre poids si vous vous assurez que sa densité énergétique est peu élevée.

Vous vous demandez sûrement comment nous avons réduit la densité énergétique de la salade et quel était son goût. La réponse réside dans les vinaigrettes, les sauces et les garnitures. Nous avons utilisé de la vinaigrette italienne sans gras et du fromage à teneur réduite en matière grasse. Selon les participants, la salade était bonne. Cette salade a eu un tel succès que je vous en donne la recette à la p. 129. Si vous n'aimez pas les produits écrémés ou à teneur réduite en matière grasse, essayez d'observer quelle quantité d'huile ou de vinaigrette vous avez besoin pour apprécier votre salade. Pour vous aider, nous vous offrons nos vinaigrettes Volumetrics préférées (p. 142 et 143). Le gras aide votre corps à absorber les nutriments contenus dans les légumes. Si vous ne mangez que de la salade, n'éliminez donc pas tout le gras.

Salades-repas

Les salades composées principalement de légumes sont une façon sûre de consommer une quantité qui vous satisfera suffisamment, mais toutes les sortes de salades peuvent convenir au Plan alimentaire Volumetrics et être incluses dans votre programme. Par exemple, nous avons démontré qu'en réduisant la densité énergétique d'une salade de pâtes, nous avions un plat satisfaisant contenant moins de calories. Dans une étude, nous avons diminué la densité énergétique d'une salade-repas en ajoutant des légumes et en mettant moins de pâtes. Les participants ont autant aimé cette salade que celle contenant plus de pâtes. Même s'ils pouvaient en manger à volonté, ils finissaient par manger la même quantité de salade à faible densité énergétique et environ 30 p. cent moins de calories qu'avec la salade plus élevée en densité énergétique. Pour vous prouver combien il est facile de réduire la densité énergétique d'une salade servie comme plat principal, nous vous offrons la fameuse recette qui a servi à cette étude, la Salade de pâtes à la façon de Liz (p. 137).

Vos meilleurs choix pour les salades-repas sont semblables à ceux qui concernent les salades servies comme mets d'accompagnement, mais elles devraient être plus volumineuses et contenir plus de calories. La proportion de légumes doit toujours être élevée et la quantité de matière grasse doit être réduite en sélectionnant minutieusement le type de vinaigrette ainsi que la quantité de fromage, de croûtons et de vinaigrette ou de sauce. Pour être bien rassasié, ajoutez des protéines maigres que vous trouverez dans le blanc de volaille grillé, les pois chiches ou les haricots rouges. Essayez la Salade californienne avec vinaigrette aux tomates et aux fines herbes sans matière grasse (p. 136) ou la Salade de bifteck Santa Fe avec vinaigrette à la coriandre et au citron vert (p. 138) pour être convaincu qu'une bonne salade peut satisfaire pleinement votre appétit.

Voici quelques conseils pour faire des choix judicieux.

❖ Plus la salade est grosse, meilleurs seront les résultats à condition que sa densité énergétique soit peu élevée et qu'elle soit composée principalement de vos légumes préférées.

❖ Ajoutez une tasse de laitue ou d'autres légumes à votre salade préférée sans ajouter plus de vinaigrette. Choisissez des légumes remplis de saveurs comme les poivrons rouges ou jaunes, les tomates bien mûres et les oignons qui feront en sorte que vous n'aurez pas l'impression de manquer de vinaigrette.

❖ Ajoutez des fruits pour réduire la densité énergétique et ajouter du goût à vos salades : poires fraîches en tranches, fraises, raisins, quartiers d'orange ou mandarines en conserve. Essayez la délicieuse Salade d'épinards et de fruits frais avec vinaigrette à l'orange et aux graines de pavot (p. 132).

❖ Utilisez juste assez de vinaigrette, de fromage ou de croûtons pour que le goût de la salade vous plaise. Surveillez de près tout ajout de matière grasse inutile.

❖ Vous ne voulez pas vous priver d'huile ? Utilisez-en moins, mais achetez celles qui ont beaucoup de saveur comme l'huile d'olive extravierge, l'huile de noix ou l'huile de sésame.

- ❖ Ajoutez plus de jus de citron ou de vinaigre dans vos vinaigrettes et vos sauces à salade.
- ❖ Faites des essais avec des ingrédients qui ne contiennent pas de matière grasse : moutarde, sauce Worcestershire, fines herbes fraîches, zeste d'agrume ou ail émincé.
- ❖ Au lieu de garnir votre salade de fromage riche en matière grasse, essayez plutôt ceci :
  - — un peu de fromage relevé tel que le parmesan ;
  - — du fromage écrémé ou à faible teneur en matière grasse mélangé avec du fromage régulier. Ceux qui ont participé à nos études n'ont pas vu la différence ;
  - — du fromage cottage à faible teneur en matière grasse.
- ❖ Vous pouvez mettre un peu d'avocat, de noix ou d'olives dans vos salades même s'ils ont une densité énergétique élevée. Ils ont toutefois l'avantage de contenir des gras qui sont bons pour la santé.
- ❖ Essayez différentes laitues : Boston, à feuille rouge, à feuille verte, roquette, romaine, radicchio, etc. Leurs couleurs, leurs textures et leurs saveurs rendront vos salades encore plus attrayantes.
- ❖ Ajoutez des protéines maigres : blanc de volaille, pois chiches, lentilles ou haricots cannellinis pour vous assurer un bon effet de satiété, surtout si la salade est servie comme plat de résistance.
- ❖ Au restaurant, commandez la vinaigrette à part et surveillez la quantité que vous utilisez !
- ❖ À un buffet, remplissez votre assiette de salades à faible densité énergétique pour éviter les autres choix à densité énergétique plus élevée.
- ❖ Si la salade est votre premier choix lorsque vous être pressé, assurez-vous de savoir exactement ce qu'il y a dans votre assiette. La plupart des restaurants-minute fournissent l'information nutritionnelle en ligne et d'autres offrent ces renseignements au restaurant même.

Salade grecque de Charlie

Cette salade rustique est inspirée d'un plat que Charlie a dégusté lors d'un voyage à Athènes. Le fromage feta lui ajoute beaucoup de saveur.

4 PORTIONS DE ¾ TASSE CHACUNE

½ c. à café (½ c. à thé) de sel
Poivre noir du moulin
1 c. à soupe de jus de citron fraîchement
    pressé
1 c. à soupe d'huile d'olive extravierge
240 g (2 tasses) de concombres non pelés,
    bien brossés, coupés en quatre sur
    la longueur, puis en travers en morceaux
    de 1,25 cm (½ po)

360 g (2 tasses) de tomates épépinées
    et coupées en cubes de 1,25 cm (½ po)
7 g (¼ tasse) d'origan frais, haché
25 g (¼ tasse) de feta émietté

❖ Dans un grand bol, fouetter le sel, le poivre, le jus de citron et l'huile. Ajouter les concombres, les tomates, l'origan et le feta. Bien remuer.

CONSEIL DU CHEF
Choisissez des tomates et des concombres de fraîcheur absolue pour obtenir une salade vraiment remarquable.

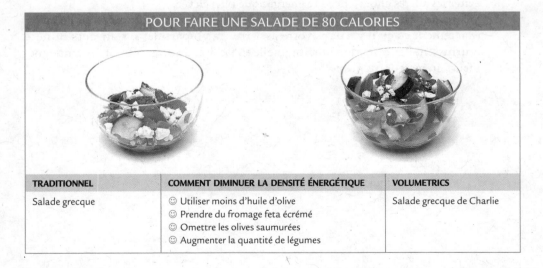

POUR FAIRE UNE SALADE DE 80 CALORIES

TRADITIONNEL	COMMENT DIMINUER LA DENSITÉ ÉNERGÉTIQUE	VOLUMETRICS
Salade grecque	☺ Utiliser moins d'huile d'olive ☺ Prendre du fromage feta écrémé ☺ Omettre les olives saumurées ☺ Augmenter la quantité de légumes	Salade grecque de Charlie

INFORMATION NUTRITIONNELLE PAR PORTION

Calories 80 | Densité énergétique 0,50 | Glucides 6 g | Matière grasse 6 g | Protéines 2 g | Fibres 1 g

Salade crémeuse de concombres à l'aneth

Ce mets d'accompagnement rafraîchissant accompagne bien le poisson et les fruits de mer.

4 PORTIONS DE ¾ TASSE CHACUNE

480 g (4 tasses) de concombres en fines
   tranches
1 c. à café (1 c. à thé) de sel
80 g (⅓ tasse) de fromage de yogourt (p. 81)
2 c. à soupe de vinaigre de riz

2 c. à soupe d'aneth frais, émincé
Une pincée de poivre noir du moulin
120 g (1 tasse) d'oignons rouges en fines
   rondelles

❖ Placer une passoire dans un grand bol. Mélanger les concombres et ½ c. à café (½ c. à thé) de sel et laisser égoutter 30 min en remuant de temps à autre. Rincer et éponger les concombres. Jeter le liquide.

❖ Dans un grand bol, fouetter le fromage de yogourt, le vinaigre, ½ c. à café (½ c. à thé) de sel, l'aneth et le poivre jusqu'à consistance lisse.

❖ Ajouter les concombres et les oignons et bien remuer.

❖ Couvrir le bol et mettre 1 h dans le réfrigérateur.

CONSEIL DU CHEF

Ajoutez 75 g (½ tasse) de fines rondelles de radis rouges à cette salade pour lui ajouter de la couleur ainsi qu'un goût plus prononcé.

INFORMATION NUTRITIONNELLE PAR PORTION

Calories 50 | Densité énergétique 0,28 | Glucides 9 g | Matière grasse 1 g | Protéines 3 g | Fibres 1 g

Salade de roquette et d'oranges au fenouil

Les oranges se marient bien au côté croquant du fenouil et au goût particulier de la roquette dans ce plat d'accompagnement rafraîchissant et coloré.

4 PORTIONS DE 1 TASSE CHACUNE

2 grosses oranges navels
1 c. à soupe de jus d'orange
1 c. à soupe d'huile d'olive extravierge
¼ c. à café (¼ c. à thé) de sel

Une pincée de poivre noir du moulin
1 bulbe de fenouil de 600 g (1 ¼ lb) environ
240 g (4 tasses) de roquette émincée

❖ Râper 2 c. à café (2 c. à thé) de zeste d'orange. Peler les oranges en enlevant toute la peau blanche qui les recouvre. Couper la chair en tranches épaisses de 1,25 cm (½ po), puis en travers pour obtenir des cubes.
❖ Dans un grand bol, fouetter le zeste, le jus d'orange, l'huile, le sel et le poivre.
❖ Retirer la tige du bulbe de fenouil et hacher 1 c. à soupe de feuilles. Couper le bulbe en quartiers sur la longueur. Couper et jeter le cœur. Couper chaque quartier en travers pour obtenir des tranches minces.
❖ Mélanger les oranges, le fenouil, les feuilles de fenouil et la roquette avec la vinaigrette.

INFORMATION NUTRITIONNELLE PAR PORTION

Calories 80 | Densité énergétique 0,58 | Glucides 13 g | Matière grasse 3 g | Protéines 2 g | Fibres 4 g

Salade Volumetrics

Cette salade a fait l'objet de recherches dans mon laboratoire. Servez-la comme entrée et vous serez rassasié de telle manière que vous mangerez moins pendant le reste du repas.

4 PORTIONS DE 3 TASSES CHACUNE

480 g (8 tasses) de laitues variées
120 g (1 tasse) de carottes émincées
120 g (1 tasse) de céleri en dés
180 g (1 tasse) de tomates épépinées
   et coupées en dés

120 g (1 tasse) de concombre non pelé,
   bien brossé et coupés en dés
6 c. à soupe de mozzarella écrémée, émincée
175 ml (¾ tasse) de Vinaigrette italienne
   (p. 143)

❖ Mélanger tous les légumes dans un grand bol.
❖ Ajouter la mozzarella et la vinaigrette. Bien remuer.
❖ Servir à parts égales dans 4 bols ou assiettes.

CONSEIL DU CHEF

Cette recette contient la Vinaigrette italienne à faible teneur en matière grasse (p. 143) plutôt que la Vinaigrette sans matière grasse dont il est fait mention dans l'introduction de ce chapitre. Si vous préférez la vinaigrette sans matière grasse, essayez l'une de celles que vous trouverez dans le commerce.

POUR FAIRE UNE SALADE DE 100 CALORIES

TRADITIONNEL	COMMENT DIMINUER LA DENSITÉ ÉNERGÉTIQUE	VOLUMETRICS
Salade assaisonnée	☺ Utiliser de la vinaigrette italienne et du fromage à faible teneur en m. g. ☺ Augmenter la quantité de légumes	Salade Volumetrics

INFORMATION NUTRITIONNELLE PAR PORTION

Calories 100 | Densité énergétique 0,38 | Glucides 11 g | Matière grasse 4 g | Protéines 6 g | Fibres 4 g

Salade de fenouil au citron

Le fenouil frais offre un léger goût de réglisse que le citron parvient à équilibrer de façon harmonieuse. Cette belle salade est idéale pour les pique-niques. La densité énergétique est si peu élevée que vous pourrez en déguster une grosse portion sans le moindre remords.

4 PORTIONS DE ½ TASSE CHACUNE

½ c. à café (½ c. à thé) de zeste de citron
2 c. à soupe de jus de citron
2 c. à soupe d'huile d'olive extravierge

¼ c. à café (¼ c. à thé) de sel
1 bulbe de fenouil de 600 g (1 ¼ lb) environ
1 ½ c. à café (1 ½ c. à thé) de parmesan râpé

❖ Dans un grand bol, fouetter le zeste, le jus de citron, l'huile, le sel et 1 c. à soupe d'eau.

❖ Retirer la tige du bulbe de fenouil et hacher 2 c. à soupe de feuilles. Couper le bulbe en quartiers sur la longueur. Couper et jeter le cœur. Couper chaque quartier en travers pour obtenir des tranches minces.

❖ Ajouter les tranches et les feuilles de fenouil dans le bol et bien remuer. Garnir de parmesan et remuer avant de servir.

INFORMATION NUTRITIONNELLE PAR PORTION

Calories 55 | Densité énergétique 0,36 | Glucides 8 g | Matière grasse 2 g | Protéines 1 g | Fibres 3 g

Insalata mista

Le radicchio ajoute une couleur vive et un goût poivré à cette salade d'accompagnement.

4 PORTIONS DE 1 ¾ TASSE CHACUNE

1 bulbe de fenouil de 600 g (1 ¼ lb) environ
240 g (4 tasses) de laitue Boston déchiquetée
210 g (3 tasses) de radicchio déchiqueté
1 c. à soupe d'huile d'olive extravierge

¼ c. à café (¼ c. à thé) de sel
Une pincée de poivre noir du moulin
3 à 4 c. à soupe de jus de citron fraîchement
    pressé

❖ Retirer la tige du bulbe de fenouil et hacher 2 c. à soupe de feuilles. Couper le bulbe en quartiers sur la longueur. Couper et jeter le cœur. Couper chaque quartier en travers pour obtenir des tranches minces.

❖ Dans un grand bol, mélanger le fenouil, les feuilles de fenouil, la laitue, le radicchio, l'huile, le sel et le poivre. Ajouter 3 c. à soupe de jus de citron et remuer. Rectifier l'assaisonnement en jus de citron au besoin.

❖ Servir à parts égales dans 4 bols ou assiettes.

INFORMATION NUTRITIONNELLE PAR PORTION

Calories 60 | Densité énergétique 0,39 | Glucides 7 g | Matière grasse 4 g | Protéines 1 g | Fibres 3 g

Salade d'épinards et de fruits frais avec vinaigrette à l'orange et aux graines de pavot

Cette salade est l'une des préférées de mon équipe du laboratoire lorsque nous organisons une fête. Voici une façon fort agréable d'inclure les épinards dans son alimentation.

4 PORTIONS DE 2 ½ TASSES CHACUNE

125 g (½ tasse) de yogourt nature à faible teneur en matière grasse
60 ml (¼ tasse) de lait écrémé
60 g (¼ tasse) de sucre
2 c. à soupe de vinaigre blanc distillé
2 c. à soupe de jus d'orange
1 c. à soupe de graines de pavot
150 g (1 tasse) de fraises fraîches en tranches

1 orange, pelée et défaite en quartiers
75 g (½ tasse) de bleuets frais
100 g (½ tasse) d'ananas frais en dés
1 c. à soupe d'amandes tranchées, grillées (p. 84)
480 g (8 tasses) d'épinards miniatures

❖ Dans un bocal muni d'un couvercle, mettre le yogourt, le lait, le sucre, le vinaigre, le jus d'orange et les graines de pavot. Remuer vigoureusement et réserver.
❖ Dans un bol moyen, mélanger les fruits et les amandes. Bien remuer.
❖ Diviser les épinards à parts égales dans 4 bols ou assiettes. Garnir avec le quart des fruits (un peu plus de ½ tasse par portion).
❖ Napper chaque portion avec 2 c. à soupe de vinaigrette.

CONSEIL DU CHEF
Vous pouvez opter pour des ananas et des mandarines en conserve au lieu des fruits frais.

INFORMATION NUTRITIONNELLE PAR PORTION

| Calories 150 | Densité énergétique 0,64 | Glucides 30 g | Matière grasse 2 g | Protéines 4 g | Fibres 8 g |

INFORMATION NUTRITIONNELLE PAR PORTION DE VINAIGRETTE

| Calories 45 | Densité énergétique 1,2 | Glucides 8 g | Matière grasse 1 g | Protéines 1 g | Fibres 0 g |

Salade de chou piquante

Cette salade de chou parfumée au cornichon à l'aneth me rappelle celle que faisait ma mère.

4 PORTIONS DE 1 TASSE CHACUNE

80 g (⅓ tasse) de mayonnaise à faible teneur
   en matière grasse
120 g (1 tasse) de cornichons à l'aneth en dés
3 c. à soupe de liquide de cornichons à l'aneth

1 c. à café (1 c. à thé) de graines de céleri
350 g (3 ½ tasses) de chou vert, émincé
60 g (½ tasse) de carottes émincées
60 g (½ tasse) de céleri en dés

❖ Dans un grand bol, fouetter la mayonnaise, les cornichons, le jus et les graines de céleri.
❖ Ajouter les légumes et bien remuer. Laisser refroidir 1 h dans le réfrigérateur avant de servir.

CONSEIL DU CHEF

Il est préférable de déguster cette salade le jour même de sa préparation. Pour gagner du temps, vous pouvez acheter un sac de mélange pour salade de chou.

INFORMATION NUTRITIONNELLE PAR PORTION

Calories 65 | Densité énergétique 0,43 | Glucides 12 g | Matière grasse 2 g | Protéines 2 g | Fibres 3 g

Salade de chou au poivre

Voici un mets d'accompagnement léger et coloré dont le goût est bien relevé.

4 PORTIONS DE ¾ TASSE CHACUNE

275 g (2 ¾ tasses) de chou vert, émincé
100 g (1 tasse) de chou rouge émincé
60 g (½ tasse) de poivrons verts, épépinés
et coupés en dés
30 g (¼ tasse) de carottes émincées

2 c. à soupe de sucre
60 ml (¼ tasse) de vinaigre de cidre
½ c. à soupe d'huile végétale
½ c. à café (½ c. à thé) de poivre noir
du moulin

❖ Dans un grand bol, mélanger les choux, les poivrons et les carottes.
❖ Dans un autre bol, fouetter le sucre, le vinaigre, l'huile et le poivre.
❖ Verser sur les légumes et bien remuer. Laisser refroidir 2 h dans le réfrigérateur avant de servir.

CONSEIL DU CHEF

Il est préférable de déguster cette salade le jour même de sa préparation. Pour gagner du temps, vous pouvez acheter un sac de mélange pour salade de chou. Il vous suffira de 3 tasses de ce mélange pour remplacer le chou vert et les carottes dans cette recette.

POUR FAIRE UN METS D'ACCOMPAGNEMENT DE 65 CALORIES

TRADITIONNEL	COMMENT DIMINUER LA DENSITÉ ÉNERGÉTIQUE	VOLUMETRICS
Salade de chou	☺ Utiliser du vinaigre et un peu de sucre au lieu de la mayonnaise	Salade de chou au poivre

INFORMATION NUTRITIONNELLE PAR PORTION

Calories 65 | Densité énergétique 0,60 | Glucides 12 g | Matière grasse 2 g | Protéines 1 g | Fibres 2 g

Salade de poulet thaï

Les arachides et l'huile d'arachide donnent un goût typiquement thaï à cette salade rafraîchissante que vous aimerez servir comme plat principal.

4 PORTIONS DE 3 TASSES CHACUNE

60 g (½ tasse) d'oignons verts en tranches
1 c. à soupe d'ail émincé
1 piment jalapeño épépiné et émincé
3 c. à soupe de jus de citron vert
3 c. à soupe de sauce soja à teneur réduite en sodium
2 c. à soupe de miel
1 c. à soupe d'huile d'arachide
1 c. à soupe de vinaigre de riz ou de vinaigre blanc distillé
420 g (7 tasses) de laitue romaine déchiquetée

100 g (1 tasse) de chou rouge émincé
120 g (1 tasse) de carottes râpées
120 g (1 tasse) de poivrons rouges, épépinés et coupés en dés
120 g (1 tasse) de concombres épépinés et hachés
120 g (1 tasse) de petits pois mange-tout
400 g (2 tasses) de poitrines (blancs) de poulet cuites et coupées en dés (p. 111)
4 c. à café (4 c. à thé) d'arachides non salées, grillées à sec

❖ Dans un grand bol, fouetter les oignons verts, l'ail, les piments, le jus de citron vert, la sauce soja, le miel, l'huile d'arachide, le vinaigre et 2 c. à soupe d'eau. Laisser reposer 30 min.
❖ Fouetter la vinaigrette et ajouter tous les légumes. Bien remuer.
❖ Servir la salade à parts égales dans 4 assiettes. Garnir de poulet et d'arachides.

CONSEIL DU CHEF

Si vous souhaitez donner un goût thaï encore plus authentique à ce plat, remplacez la sauce soja par la même quantité de sauce de poisson.

INFORMATION NUTRITIONNELLE PAR PORTION

Calories 255 | Densité énergétique 0,71 | Glucides 22 g | Matière grasse 8 g | Protéines 26 g | Fibres 5 g

Salade californienne avec vinaigrette aux tomates et aux fines herbes sans matière grasse

Ce mets principal très attrayant vous permet de savourer une grosse portion contenant peu de calories.

4 PORTIONS DE 3 ½ TASSES CHACUNE

480 g (8 tasses) de laitues variées

400 g (2 tasses) de poitrines (blancs) de poulet cuites et coupées en dés (p. 111)

360 g (2 tasses) de tomates cerises coupées en deux

120 g (1 tasse) de concombres non pelés, bien brossés et hachés

4 tranches de bacon de dinde cuit et haché

2 œufs durs, hachés

90 g (¾ tasse) d'avocat haché

2 c. à soupe de ciboulette fraîche, hachée

4 c. à soupe de fromage bleu, émietté

80 ml (⅓ tasse) de jus de légumes à faible teneur en sodium

2 c. à soupe de jus de citron

1 c. à soupe de persil plat frais, haché

½ c. à café (½ c. à thé) d'ail émincé

¼ c. à café (¼ c. à thé) de sel

Une pincée de thym séché

Une pincée de sucre

Une pincée de cayenne

Une pincée de poivre noir du moulin

❖ Séparer la laitue à parts égales dans 4 assiettes. Diviser ensuite le poulet, les tomates, les concombres, le bacon, les œufs et l'avocat en les disposant en rangs séparés sur la laitue. Garnir de ciboulette et de fromage bleu.

❖ Mettre les autres ingrédients dans un bocal muni d'un couvercle. Remuer vigoureusement et réserver.

❖ Servir chaque portion accompagnée d'un bol de vinaigrette.

CONSEIL DU CHEF

Pour faire une salade végétarienne, ne mettez pas de bacon ni de poulet.

INFORMATION NUTRITIONNELLE PAR PORTION

Calories 280 | Densité énergétique 0,82 | Glucides 12 g | Matière grasse 13 g | Protéines 31 g | Fibres 5 g

INFORMATION NUTRITIONNELLE POUR 2 C. À SOUPE DE VINAIGRETTE

Calories 10 | Densité énergétique 0,27 | Glucides 2 g | Matière grasse 0 g | Protéines 0 g | Fibres 0 g

Salade de pâtes à la façon de Liz

Liz Bell est l'une de mes étudiantes au doctorat. Elle a créé cette recette que nous utilisons dans l'une de nos études. Les participants à cette étude ont beaucoup apprécié ce plat savoureux qui contient moins de calories que les salades de pâtes traditionnelles.

4 PORTIONS DE 3 TASSES CHACUNE

360 g (4 tasses) de petites bagues *(ditalini)* ou de petites coquilles, cuites et égouttées

240 g (2 tasses) de carottes émincées

360 g (2 tasses) de tomates épépinées et coupées en dés

200 g (2 tasses) de courgettes en dés

240 g (2 tasses) de petits pois miniatures congelés, cuits et égouttés

8 c. à soupe de jambon en dés de 6 mm (¼ po) d'épaisseur (environ 120 g/4 oz)

120 g (1 tasse) de mozzarella partiellement écrémé, émincée

125 ml (½ tasse) de Vinaigrette italienne (p. 143)

❖ Mélanger tous les ingrédients dans un bol moyen en prenant soin de bien les enrober de vinaigrette. Servir cette salade froide ou à température ambiante dans 4 assiettes.

CONSEIL DU CHEF

Pour ajouter des fibres à ce plat, achetez des pâtes de blé entier.

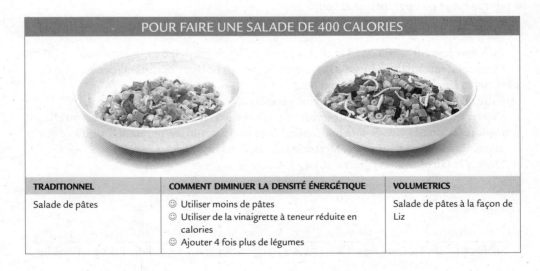

POUR FAIRE UNE SALADE DE 400 CALORIES		
TRADITIONNEL	**COMMENT DIMINUER LA DENSITÉ ÉNERGÉTIQUE**	**VOLUMETRICS**
Salade de pâtes	☺ Utiliser moins de pâtes ☺ Utiliser de la vinaigrette à teneur réduite en calories ☺ Ajouter 4 fois plus de légumes	Salade de pâtes à la façon de Liz

INFORMATION NUTRITIONNELLE PAR PORTION

Calories 400 | Densité énergétique 0,80 | Glucides 52 g | Matière grasse 11 g | Protéines 23 g | Fibres 9 g

Salade de bifteck Santa Fe avec vinaigrette à la coriandre et au citron vert

Vous pouvez manger du bifteck en suivant la méthode Volumetrics, mais il faut surveiller la quantité. Les nombreux légumes permettent de réduire la densité énergétique de cette recette. Servez cette salade comme plat principal au repas du midi ou du soir.

4 PORTIONS DE 3 ½ TASSES CHACUNE

125 ml (½ tasse) de jus de citron vert
3 c. à soupe d'huile d'olive extravierge
15 g (½ tasse) de coriandre fraîche, hachée
1 c. à soupe d'ail émincé
2 c. à café (2 c. à thé) de sucre
1 c. à café (1 c. à thé) de cumin
⅛ c. à café (⅛ c. à thé) de cayenne
480 g (1 lb) de bavette de flanchet coupée diagonalement contre le grain en morceaux de 6 mm (¼ po) d'épaisseur
480 g (8 tasses) de laitues variées
225 g (1 tasse) de jicama (dolique bulbeux) pelé et coupé en dés
1 poivron rouge ou vert, épépiné et coupé en tranches

60 g (½ tasse) d'oignons rouges, hachés
30 g (¼ tasse) d'olives vertes, hachées
180 g (1 tasse) de tomates cerises coupées en deux
100 g (½ tasse) de haricots rouge foncé en conserve, rincés et égouttés
100 g (½ tasse) de maïs en conserve égoutté
90 g (¾ tasse) d'avocat en dés
60 g (½ tasse) de fromage mexicain à faible teneur en matière grasse, émincé
250 ml (1 tasse) de salsa aux tomates du commerce

❖ Mélanger le jus de citron vert, l'huile, la coriandre, l'ail, le sucre, le cumin, le cayenne et 125 ml (½ tasse) d'eau à haute vitesse à l'aide du mélangeur. Lorsque la consistance est bien lisse, verser la vinaigrette dans un grand bol.

❖ Faire mariner la viande 1 h dans la vinaigrette.

❖ Vaporiser une grande poêle d'enduit végétal et mettre à feu moyen-vif. Lorsqu'elle est chaude, ajouter la viande et la marinade. Cuire de 3 à 4 min, en remuant, jusqu'à ce que la viande perde sa couleur rosée. Mettre le bifteck dans une assiette et couvrir.

❖ Diviser la laitue à parts égales dans 4 assiettes.

INFORMATION NUTRITIONNELLE POUR 1 ½ C. À SOUPE DE VINAIGRETTE

| Calories 40 | Densité énergétique 1,6 | Glucides 2 g | Matière grasse 4 g | Protéines 0 g | Fibres 0 g |

INFORMATION NUTRITIONNELLE PAR PORTION

| Calories 400 | Densité énergétique 0,79 | Glucides 29 g | Matière grasse 18 g | Protéines 33 g | Fibres 10 g |

- Dans un bol, mélanger le jicama, les poivrons, les oignons, les olives, les tomates, les haricots, le maïs et l'avocat.
- Servir cette préparation sur la laitue et garnir à parts égales de fromage, de salsa et de viande.

CONSEIL DU CHEF
Vous trouverez le jicama dans plusieurs épiceries mexicaines, antillaises ou sud-américaines ainsi que dans les grands marchés de fruits et de légumes. Il s'agit d'un tubercule ressemblant à un navet aplati. Il ajoute une belle consistance aux salades. (Utilisée pour la salade, la Vinaigrette à la coriandre et au citron vert donne 12 portions de 1 ½ c. à soupe chacune.)

Tabboulé

Le fenouil ressuscite de manière originale cette salade légère d'origine libanaise à base de boulghour.

8 PORTIONS DE ½ TASSE CHACUNE

125 g (⅔ tasse) de boulghour
4 petits oignons verts en tranches
60 g (2 tasses) de persil plat frais, haché
7 g (¼ tasse) de menthe fraîche, émincée
90 g (½ tasse) de tomates épépinées et hachées
60 g (½ tasse) de céleri haché

100 g (½ tasse) bulbe de fenouil haché (environ ¼ bulbe)
3 c. à soupe d'huile d'olive extravierge
60 ml (¼ tasse) de jus de citron
¼ c. à café (¼ c. à thé) de sel
¼ c. à café (¼ c. à thé) de poivre noir du moulin

- Mettre le boulghour dans un petit bol et couvrir d'eau. Laisser tremper environ 30 min.
- Égoutter le boulgour dans une passoire tapissée d'une étamine ou d'une mousseline à fromage. Extraire le plus de liquide possible en pressant sur l'étamine. Transvider le boulghour dans un bol moyen et détacher les grains à l'aide d'une fourchette.
- Mélanger les oignons verts, le persil, la menthe, les tomates, le céleri et le fenouil avec le boulghour.
- Dans un petit bol, fouetter l'huile, le jus de citron, le sel et le poivre. Verser sur la salade et remuer doucement. Couvrir et laisser refroidir 30 min dans le réfrigérateur.

CONSEIL DU CHEF
Pour ajouter des fibres à ce plat, achetez des pâtes de blé entier.

INFORMATION NUTRITIONNELLE PAR PORTION
Calories 100 | Densité énergétique 1,0 | Glucides 13 g | Matière grasse 5 g | Protéines 2 g | Fibres 3 g

Salade de pommes de terre et de haricots à l'estragon

Ce mets d'accompagnement au goût relevé est meilleur lorsqu'il est servi chaud ou à température ambiante.

4 PORTIONS DE ¾ TASSE CHACUNE

4 pommes de terre à bouillir moyennes, non pelées, coupées en 8 morceaux (environ 480 g/1 lb)
240 g (½ lb) de haricots verts frais, équeutés
1 c. à soupe de vinaigre de vin blanc
20 g (¼ tasse) d'oignons verts, hachés

2 c. à soupe d'estragon frais, haché
1 c. à soupe de moutarde de Dijon
1 c. à soupe d'huile d'olive extravierge
1 c. à café (1 c. à thé) de sel
¼ c. à café (¼ c. à thé) de poivre noir du moulin

❖ Mettre les pommes de terre dans une casserole de 4 à 5 litres (16 à 20 tasses) et couvrir avec 5 cm (2 po) d'eau. Laisser mijoter 15 min. Ajouter les haricots et laisser mijoter 7 min, jusqu'à ce que les pommes de terre et les haricots soient tendres. Bien égoutter.
❖ Fouetter le reste des ingrédients dans un grand bol. Ajouter les pommes de terre et les haricots et remuer doucement.

CONSEIL DU CHEF

N'importe quelle pomme de terre à bouillir à pelure blanche ou rouge peut être utilisée dans cette recette.

INFORMATION NUTRITIONNELLE PAR PORTION

Calories 155 | Densité énergétique 0,80 | Glucides 27 g | Matière grasse 4 g | Protéines 3 g | Fibres 4 g

Salade de thon aux haricots cannellinis

Servez ce plat léger au goût légèrement astringent avec une soupe pour composer un repas du midi vraiment savoureux.

4 PORTIONS DE 1 ¾ TASSE CHACUNE

3 c. à soupe de jus de citron
1 c. à soupe d'huile d'olive extravierge
1 c. à café (1 c. à thé) d'ail émincé
1 c. à café (1 c. à thé) de moutarde de Dijon
½ c. à café (½ c. à thé) de sel
Poivre noir du moulin
200 g (1 tasse) de haricots cannellinis
en conserve, rincés et égouttés

60 g (½ tasse) d'oignons rouges, hachés
30 g (¼ tasse) d'olives niçoises, dénoyautées
et hachées
360 g (2 tasses) de tomates épépinées
et coupées en dés
180 g (3 tasses) d'épinards miniatures
1 boîte de 360 g (12 oz) de thon blanc entier,
conservé dans l'eau, égoutté et déchiqueté

❖ Dans un grand bol, fouetter le jus de citron, l'huile, l'ail, la moutarde, le sel, le poivre et 2 c. à soupe d'eau.
❖ Mettre les autres ingrédients dans le bol et bien remuer avec la vinaigrette.

CONSEIL DU CHEF

Vous pouvez substituer les cannellinis par n'importe quel haricot blanc dans cette recette. Les olives kalamata peuvent aussi remplacer les olives niçoises.

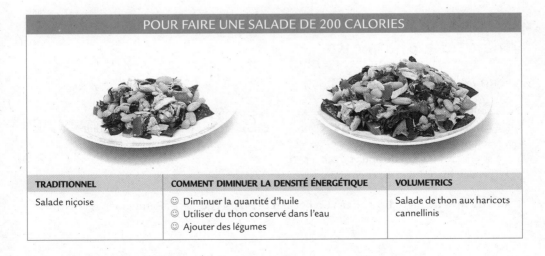

POUR FAIRE UNE SALADE DE 200 CALORIES

TRADITIONNEL	COMMENT DIMINUER LA DENSITÉ ÉNERGÉTIQUE	VOLUMETRICS
Salade niçoise	☺ Diminuer la quantité d'huile ☺ Utiliser du thon conservé dans l'eau ☺ Ajouter des légumes	Salade de thon aux haricots cannellinis

INFORMATION NUTRITIONNELLE PAR PORTION

Calories 200 | Densité énergétique 0,66 | Glucides 15 g | Matière grasse 6 g | Protéines 24 g | Fibres 6 g

Vinaigrette balsamique

4 PORTIONS DE 1 ½ C. À SOUPE CHACUNE

3 c. à soupe de vinaigre balsamique
1 c. à soupe d'huile d'olive extravierge

¼ c. à café (¼ c. à thé) de sel
Une pincée de poivre noir du moulin

❖ Mettre tous les ingrédients et 2 c. à soupe d'eau dans un bocal muni d'un couvercle. Remuer vigoureusement.

CONSEIL DU CHEF

Le vinaigre balsamique de Modène, en Italie, est vieilli en fût pendant de nombreuses années et son goût est très intense. Si vous utilisez un vinaigre balsamique de cette qualité, vous pouvez réduire la quantité à 2 c. à soupe ou moins selon sa concentration.

INFORMATION NUTRITIONNELLE PAR PORTION

Calories 45 | Densité énergétique 2,0 | Glucides 3 g | Matière grasse 4 g | Protéines 0 g | Fibres 0 g

Vinaigrette dijonnaise

4 PORTIONS DE 2 C. À SOUPE CHACUNE

3 c. à soupe de vinaigre de vin blanc
1 c. à café (1 c. à thé) de moutarde de Dijon
1 c. à soupe d'huile d'olive extravierge
3 c. à soupe de bouillon de poulet à teneur
   réduite en matière grasse et en sodium

½ c. à café (½ c. à thé) de sel
Une pincée de poivre noir du moulin

❖ Mettre tous les ingrédients dans un bocal muni d'un couvercle. Remuer vigoureusement.

INFORMATION NUTRITIONNELLE PAR PORTION

Calories 35 | Densité énergétique 1,2 | Glucides 0 g | Matière grasse 4 g | Protéines 0 g | Fibres 0 g

Vinaigrette au citron vert et au gingembre

4 PORTIONS DE 1 ½ C. À SOUPE CHACUNE

3 c. à soupe de jus de citron vert
2 c. à soupe d'huile d'olive extravierge
½ c. à café (½ c. à thé) de sucre
1 c. à soupe de ciboulette fraîche, émincée

1 c. à café (1 c. à thé) de gingembre frais, émincé
¼ c. à café (¼ c. à thé) de sel
Une pincée de poivre noir du moulin

❖ Mettre tous les ingrédients et 2 c. à soupe d'eau dans un bocal muni d'un couvercle. Remuer vigoureusement.

INFORMATION NUTRITIONNELLE PAR PORTION					
Calories 65	Densité énergétique 3,1	Glucides 2 g	Matière grasse 7 g	Protéines 0 g	Fibres 0 g

Vinaigrette italienne

4 PORTIONS DE 1 ½ C. À SOUPE CHACUNE

3 c. à soupe de vinaigre de vin blanc
1 c. à soupe d'huile d'olive extravierge

¼ c. à café (¼ c. à thé) de sel
Une pincée de poivre noir du moulin

❖ Mettre tous les ingrédients et 2 c. à soupe d'eau dans un bocal muni d'un couvercle. Remuer vigoureusement.

INFORMATION NUTRITIONNELLE PAR PORTION					
Calories 45	Densité énergétique 2,0	Glucides 3 g	Matière grasse 4 g	Protéines 0 g	Fibres 0 g

Légumes et mets végétariens

Les légumes sont la clé du contrôle du poids et de la bonne santé. Plusieurs n'en mangent toutefois pas assez. La plupart des légumes sont riches en eau et en fibres et ils ont une faible densité énergétique, ce qui augmente l'impression de satiété. Les études faites dans mon laboratoire ont confirmé cet effet de grande satiété quand les repas abondaient en légumes dans le but de réduire la densité énergétique. Au cours d'un grand repas de famille, les gens ont tendance à se servir la même quantité d'aliments. Cela signifie que lorsqu'on ajoute des légumes pour diminuer la densité énergétique, on consomme naturellement moins de calories ! Aussi, il est important de remarquer qu'ils étaient aussi repus et qu'ils n'ont pas mangé davantage pendant le reste de la journée. À long terme, ces calories qui n'ont pas été ingérées permettent de perdre du poids. Les études démontrent que les personnes qui étaient encouragées à consommer plus de légumes (je ne veux pas dire des frites !) et des fruits lors de leurs essais pour perdre du poids ont perdu plus de poids que celles qui n'avaient coupé que dans les matières grasses et le sucre.

Vous pensez peut-être que cela ne fonctionnera jamais pour vous puisque vous n'aimez pas tellement les légumes. Peut-être que l'on ne vous en servait pas beaucoup lorsque vous étiez enfant, ce qui vous a empêché de bien les connaître. Ne vous en faites pas puisque nous avons plusieurs tours dans notre sac pour vous aider, vous et votre famille, à manger plus de légumes. Si vous avez des enfants, donnez-leur la chance d'en découvrir une grande variété. N'abandonnez surtout pas s'ils les rejettent ou disent qu'ils ne les aiment pas les premières fois qu'ils les goûtent. Les recherches démontrent que les jeunes enfants ont parfois besoin de dix tentatives avant d'apprendre à vraiment les aimer.

Que pouvez-vous faire si vous n'aimez pas les légumes ? Peut-être êtes-vous particulièrement réfractaire à l'amertume de certains légumes tels que le chou ou le chou de Bruxelles ? Dans ce cas, voici quelques trucs simples pour essayer de contrer cette aversion.

❖ Ajoutez des légumes à plusieurs plats comme les pâtes, les ragoûts, les pot-au-feu et les soupes.
❖ Choisissez des légumes jeunes comme les carottes miniatures. Ils sont souvent moins amers et vous pouvez vous les procurer à longueur d'année, qu'ils soient frais ou congelés.
❖ Ajoutez un peu de beurre, d'huile ou de fromage. Si le simple fait d'ajouter un peu de matière grasse peut vous encourager à manger vos légumes, n'hésitez pas !
❖ Certains trouvent qu'une pincée de sucre peut masquer l'amertume des légumes.

Si vous voulez perdre du poids, il faut manger plus de légumes. Voilà pourquoi il n'y a aucune limite aux portions de légumes dans la première catégorie de la densité énergétique. Mangez tous les légumes que vous voulez, crus ou cuits, avec un peu ou pas du tout de matière grasse. Tous les légumes, sauf ceux qui sont féculent tels que le maïs, les petits pois, les pommes de terre, les courges et les patates douces ainsi que les légumes qui contiennent de l'huile tels que les olives et les avocats. Ces légumes, qui font partie de la deuxième catégorie, doivent aussi faire partie de votre menu, mais vous devez surveiller le nombre de portions. Vous ne devez pas laisser de côté les légumes féculents parce qu'ils sont riches en nutriments et en fibres.

Rappelez-vous que les légumes que vous avez le droit de manger sans calculer les portions ne doivent être additionnés de matière grasse. En cours de cuisson, les légumes agissent comme une éponge avec les gras. Apprenez à faire cuire les champignons, les oignons, l'ail, le céleri et les autres légumes dans du bouillon de poulet à teneur réduite en matière grasse et en sodium. Vous pouvez aussi remplacer la margarine, le beurre et l'huile par une petite quantité de vin. Faites cuire les légumes séparément de la viande afin qu'ils n'absorbent pas son gras. Apprenez à utiliser les fines herbes et les assaisonnements pour donner du goût à vos plats de légumes.

Partez à la découverte des nombreuses variétés de légumes. Ils contiennent des nutriments différents et chaque jour des chercheurs découvrent de nouveaux bienfaits chez plusieurs fruits et légumes. Pour faire de bons choix, variez les couleurs et optez souvent pour ceux qui offrent une belle couleur foncée. Ils contiennent une large variété de vitamines, de sels minéraux, de fibres, d'antioxydants et de photonutriments dont votre corps a besoin pour maintenir une santé optimale, prévenir les effets du vieillissement et réduire les risques de cancer et de cardiopathie.

Quand vous êtes pressé, n'en profitez pas pour oublier les légumes. Il existe plusieurs façons de les intégrer à votre alimentation quotidienne. Nous avons créé de nombreux mets d'accompagnement et des plats de résistance végétariens qui vous permettront de ne pas souffrir de la faim.

Voici quelques manières d'ajouter quelques légumes à votre menu.

❖ Apprenez à aimer votre four à micro-ondes. Vous pourrez ainsi faire cuire de nombreux légumes en quelques minutes seulement. Par exemple, des asperges fraîches auxquelles vous ajouterez un peu d'eau et un jet de jus de citron prendront de 2 à 3 minutes de cuisson dans un plat couvert placé à allure maximale.

❖ À l'heure du goûter, optez pour les carottes miniatures, les bâtonnets de céleri et les petites tomates.

❖ Ajoutez des tomates, des radis, du céleri et des poivrons aux salades de thon ou de poulet.

❖ Si vous aimez la cuisson au barbecue, faites griller des légumes tels que les courgettes, les courges d'été, les oignons, les tomates cerises ou les champignons que vous enfilerez sur des brochettes. Un tout petit peu d'huile leur donnera encore plus de goût et les empêchera de brûler.

❖ Nappez le poisson ou le poulet grillé de Salsa tex-mex (p. 77).

❖ Achetez des mescluns et des laitues variées déjà lavés ou allez acheter des légumes à un buffet à salades pour votre repas du soir.

❖ Gardez toujours une bonne provision de légumes qui se conservent bien : oignons, oignons verts, ail, pommes de terre, courges et carottes. Achetez les légumes plus périssables au fur et à mesure.

❖ Ayez toujours à portée de la main des légumes crus et une vinaigrette, une salsa ou un hoummos à faible teneur en matière grasse. Dégustez-les pendant que vous préparez le repas du soir au lieu de dévorer des croustilles ou du fromage. Les enfants et les adultes ont tendance à manger plus de légumes lorsqu'ils sont déjà coupés et préparés.

❖ Ajoutez des légumes frais, congelés ou en conserve aux plats que vous préférez (pâtes, pizzas, etc.) ; ajoutez des tomates, des oignons, des concombres, des poivrons, des carottes râpées et des laitues vert foncé (romaine, etc.) à vos sandwiches.

❖ Ajoutez des champignons pour transformer un plat ordinaire en un pur délice. Une tasse de champignons crus n'ajoute que 20 calories.

Brocoli à la menthe

La menthe et le jus de citron s'allient facilement avec le brocoli, si bien qu'il n'est pas nécessaire d'ajouter la moindre matière grasse. La densité énergétique est si faible que vous pouvez déguster ce mets à volonté.

4 PORTIONS DE ¾ TASSE CHACUNE

480 g (1 lb) de brocoli
¾ c. à café (¾ c. à thé) de sel
2 c. à soupe de jus de citron

Poivre noir du moulin
1 c. à soupe de menthe fraîche, hachée

❖ Retirer les tiges trop dures du brocoli, peler les bonnes tiges et couper en morceaux de 1,25 cm (½ po) d'épaisseur.
❖ Porter 2,5 cm (1 po) d'eau à ébullition dans une grande casserole. Ajouter ½ c. à café (½ c. à thé) de sel et le brocoli. Couvrir et laisser mijoter 5 min. Égoutter et remettre dans la casserole.
❖ Mettre la casserole à feu très doux. Assaisonner avec les autres ingrédients et remuer doucement.

CONSEIL DU CHEF
Pour varier cette recette, choisissez les fines herbes ou le mélange de fines herbes que vous préférez.

POUR FAIRE UN PLAT DE 35 CALORIES

TRADITIONNEL	COMMENT DIMINUER LA DENSITÉ ÉNERGÉTIQUE	VOLUMETRICS
Brocoli à la sauce au fromage	☺ Ne pas mettre de sauce au fromage ☺ Assaisonner avec des fines herbes fraîches	Brocoli à la menthe

INFORMATION NUTRITIONNELLE PAR PORTION

Calories 35 | Densité énergétique 0,28 | Glucides 7 g | Matière grasse 1 g | Protéines 3 g | Fibres 1 g

Légumes grillés à l'ail

Le rôtissage des légumes les fait légèrement caraméliser, ce qui fait ressortir leur pleine saveur.

4 PORTIONS DE 1 ¾ TASSE CHACUNE

180 g (1 tasse) de bouquets de chou-fleur
180 g (1 tasse) de bouquets de brocoli
200 g (2 tasses) de courgettes en tranches
   de 2,5 cm (1 po) d'épaisseur
180 g (1 ½ tasse) de bâtonnets de carotte
   de 2,5 cm (1 po) de longueur
360 g (1 ½ tasse) de pommes de terre à bouillir
   non pelées, en cubes de 2,5 cm (1 po)

1 c. à café (1 c. à thé) d'ail émincé
1 c. à café (1 c. à thé) de thym séché
½ c. à café (½ c. à thé) de sel
¼ c. à café (¼ c. à thé) de poivre noir
   du moulin
7 g (¼ tasse) de persil plat frais, haché

❖ Préchauffer le four à 200 °C (400 °F).
❖ Vaporiser légèrement un plat de cuisson de 13 x 33 cm (9 x 13 po) d'enduit végétal.
❖ Mettre tous les ingrédients dans le plat de cuisson, sauf le persil, et bien remuer. Disposer les ingrédients sur une seule couche et badigeonner légèrement d'enduit végétal. Cuire au four de 40 à 45 min, jusqu'à ce que les pommes de terre soient tendres. Garnir de persil.

CONSEIL DU CHEF

Essayez cette recette avec d'autres légumes : poivrons, courges jaunes, aubergines, etc. Choisissez vos légumes préférés.

POUR FAIRE UN PLAT D'ACCOMPAGNEMENT DE 90

TRADITIONNEL	COMMENT DIMINUER LA DENSITÉ ÉNERGÉTIQUE	VOLUMETRICS
Légumes panés frits	☺ Ne pas paner les légumes ☺ Griller les légumes au four au lieu de les frire ☺ Utiliser de l'ail pour rehausser le goût	Légumes grillés à l'ail :

INFORMATION NUTRITIONNELLE PAR PORTION

Calories 90 | Densité énergétique 0,40 | Glucides 19 g | Matière grasse 1 g | Protéines 3 g | Fibres 4 g

Ratatouille

Voici une variante de la recette traditionnelle française qui requiert beaucoup moins de prépara-tion. Servez la ratatouille chaude ou à température ambiante. Essayez-la comme sauce à tremper ou comme garniture pour les pâtes, les omelettes et les pommes de terre cuites au four.

4 PORTIONS DE ¾ TASSE CHACUNE

1 c. à soupe d'huile d'olive extravierge
100 g (1 tasse) de courgettes en dés
100 g (1 tasse) d'aubergines non pelées, coupées en dés
60 g (½ tasse) d'oignons coupés en deux, puis en rondelles
1 c. à café (1 c. à thé) d'ail haché

270 g (1 ½ tasse) de tomates en dés en conserve, avec leur liquide
125 ml (½ tasse) de bouillon de légumes
2 c. à soupe de pâte de tomates
¼ c. à café (¼ c. à thé) de sel
¼ c. à café (¼ c. à thé) de poivre noir du moulin
2 c. à soupe de basilic frais, haché

❖ Chauffer l'huile à feu moyen-vif dans une poêle de 30 cm (12 po). Ajouter les courgettes, les aubergines, les oignons et l'ail. Cuire 5 min en remuant de temps à autre.

❖ Ajouter les autres ingrédients, sauf le basilic, et laisser mijoter 10 min en remuant de temps à autre. Incorporer le basilic et servir.

INFORMATION NUTRITIONNELLE PAR PORTION

Calories 75 | Densité énergétique 0,50 | Glucides 9 g | Matière grasse 4 g | Protéines 2 g | Fibres 2 g

Asperges grillées

Grillées au four, les asperges deviennent moelleuses et livrent pleinement leur saveur.

4 PORTIONS DE ¾ TASSE CHACUNE

720 g (1 ½ lb) de pointes d'asperge
Sel

Poivre noir du moulin
2 c. à soupe de parmesan râpé

❖ Préchauffer le four à 200 °C (400 °F).
❖ Vaporiser légèrement une plaque à pâtisserie d'enduit végétal.
❖ Casser les asperges et peler les turions avec un couteau d'office. Ranger les légumes sur la plaque sur une seule couche. Vaporiser légèrement d'enduit végétal. Saler et poivrer un peu. Couvrir uniformément de parmesan et cuir au four 15 min, jusqu'à ce qu'elles soient tendres lorsqu'on les perce avec la pointe d'un couteau.

CONSEIL DU CHEF
Prenez des asperges plutôt épaisses et vous obtiendrez de meilleurs résultats. Si les pointes sont trop fines, faites-les cuire 10 minutes de moins. Il n'est pas essentiel d'utiliser du fromage dans cette recette.

INFORMATION NUTRITIONNELLE PAR PORTION

Calories 50 | Densité énergétique 0,40 | Glucides 8 g | Matière grasse 1 g | Protéines 5 g | Fibres 4 g

Haricots verts sautés

Le fait de faire sauter les légumes à feu vif permet de préparer des mets croustillants sans utiliser une trop grande quantité de matière grasse. Remarquez la faible densité énergétique de ces haricots !

4 PORTIONS DE 1 ¼ TASSE CHACUNE

1 ½ c. à café (1 ½ c. à thé) d'huile de sésame
720 g (1 ½ lb) de haricots verts, équeutés et coupés en morceaux de 2,5 cm (1 po)

1 ½ c. à café (1 ½ c. à thé) de sauce soja à teneur réduite en sodium
1 c. à café (1 c. à thé) de sucre

❖ Chauffer l'huile à feu moyen-vif dans une grande poêle ou un wok antiadhésif. Ajouter les haricots verts et faire sauter à feu vif 3 min en remuant. Ajouter la sauce soja et faire sauter les haricots 1 min de plus. Ajouter le sucre et cuire 30 sec.

CONSEIL DU CHEF
Vous pouvez prendre des asperges fines au lieu des haricots verts. Garnissez votre plat avec des pousses de bambou.

POUR FAIRE UN PLAT D'ACCOMPAGNEMENT DE 65 CALORIES

TRADITIONNEL	COMMENT DIMINUER LA DENSITÉ ÉNERGÉTIQUE	VOLUMETRICS
Casserole de haricots verts	☺ Ne pas utiliser de soupe en crème ☺ Ne pas mettre d'oignons frits ☺ Rehausser le goût avec un peu d'huile de sésame	Haricots verts sautés

INFORMATION NUTRITIONNELLE PAR PORTION

Calories 65 | Densité énergétique 0,40 | Glucides 11 g | Matière grasse 2 g | Protéines 3 g | Fibres 5 g

Légumes sautés croquants

Ce mode de cuisson permet de préserver la saveur des légumes sans utiliser une grande quantité de matière grasse.

4 PORTIONS DE ¾ TASSE DE RIZ ET DE 2 TASSES DE LÉGUMES CHACUNE

80 ml (⅓ tasse) de sauce soja à teneur réduite en sodium

2 c. à soupe de vinaigre de riz

2 c. à café (2 c. à thé) d'huile de sésame

4 c. à café (4 c. à thé) de fécule de maïs

1 c. à soupe d'huile végétale

1 c. à soupe de gingembre frais, émincé

1 c. à soupe d'ail frais émincé

360 g (2 tasses) de bouquets de brocoli

240 g (2 tasses) de pois mange-tout

120 g (1 tasse) de poivrons verts ou rouges, épépinés et coupés en fines tranches

240 g (2 tasses) de champignons en tranches

150 g (2 tasses) de germes de haricot frais

120 g (1 tasse) de carottes râpées

175 g (1 tasse) de châtaignes d'eau en conserve, rincées et égouttées

175 g (1 tasse) de pousses de bambou en conserve, rincées et égouttées

200 g (1 tasse) d'épis de maïs miniatures en conserve, rincés et égouttés

660 g (3 tasses) de riz basmati brun, cuit

❖ Dans un petit bol, mélanger la sauce soja, le vinaigre, l'huile et la fécule de maïs. Réserver.

❖ Chauffer l'huile à feu moyen-vif dans une grande poêle ou un wok antiadhésif. Quand l'huile est chaude, ajouter le gingembre et l'ail et faire sauter 1 min à feu vif. Ajouter le brocoli et les pois mange-tout et faire sauter 3 min en remuant. Ajouter les poivrons, les champignons, les germes de haricot, les carottes, les châtaignes d'eau, les pousses de bambou et les épis de maïs. Faire sauter 3 min.

❖ Remuer la sauce et la verser dans la poêle. Frire le tout 1 min, jusqu'à épaississement de la sauce. Partager le riz et les légumes à parts égales dans 4 assiettes.

INFORMATION NUTRITIONNELLE PAR PORTION

Calories 385 | Densité énergétique 0,80 | Glucides 66 g | Matière grasse 9 g | Protéines 14 g | Fibres 12 g

Nouilles et tofu sautés à la thaïlandaise

Le tofu remplace la viande dans plusieurs mets végétariens. Il absorbe bien la sauce dans laquelle on le fait cuire.

4 PORTIONS DE 2 TASSES CHACUNE

180 g (6 oz) de nouilles de riz orientales
250 ml (1 tasse) de bouillon de légumes
2 c. à soupe de sauce de poisson
1 c. à soupe de vinaigre de riz
1 c. à soupe de jus de citron vert
3 c. à soupe de pâte de tomates
1 c. à soupe de sucre
½ c. à soupe de piment jalapeño épépiné
    et émincé
1 c. à soupe d'huile d'arachide

1 c. à café (1 c. à thé) d'ail
1 œuf
240 g (8 oz) de tofu extraferme, en dés
    de 6 mm (¼ po)
120 g (1 tasse) d'oignons hachés
190 g (2 ½ tasses) de germes de haricot frais
15 g (½ tasse) de coriandre fraîche, hachée
30 g (¼ tasse) d'arachides grillées à sec,
    hachées
240 g (4 tasses) de laitue romaine

- ❖ Préparer les nouilles en suivant les indications inscrites sur l'emballage.
- ❖ Dans un petit bol, mélanger le bouillon, la sauce, le vinaigre, le jus de citron vert, la pâte de tomates, le sucre et le piment. Réserver.
- ❖ Chauffer l'huile à feu moyen dans une grande poêle ou un wok antiadhésif et faire sauter l'ail. Ajouter l'œuf et le brouiller pour le défaire en petits morceaux. Monter la température, ajouter le tofu et faire sauter 2 min en remuant doucement. Ajouter la sauce et cuire 1 min, jusqu'à ce qu'elle commence à bouillir.
- ❖ Baisser le feu, ajouter les nouilles, les oignons, les germes de haricot, la coriandre et les arachides. Chauffer en remuant jusqu'à ce que les nouilles soient bien enrobées.
- ❖ Servir la laitue dans 4 assiettes et garnir de nouilles et de légumes.

CONSEIL DU CHEF
Pour un mets végétarien, remplacez la sauce de poisson par de la sauce soja.

INFORMATION NUTRITIONNELLE PAR PORTION

Calories 375 | Densité énergétique 0,90 | Glucides 52 g | Matière grasse 13 g | Protéines 14 g | Fibres 4 g

Pommes de terre nouvelles et petits pois

La menthe ravive le goût des pommes de terre dans ce mets d'accompagnement très agréable.

4 PORTIONS DE 1 TASSE CHACUNE

360 g (¾ tasse) de petites pommes de terre nouvelles, non pelées et brossées

8 oignons verts (partie blanche entière et partie verte hachée)

180 g (1 ½ tasse) de petits pois décongelés

1 c. à café (1 c. à thé) de beurre non salé

1 c. à soupe de menthe fraîche, hachée

Poivre noir du moulin

❖ Mettre les pommes de terre et la partie blanche des oignons dans une casserole moyenne. Couvrir d'eau et laisser mijoter de 15 à 20 min, jusqu'à ce que les pommes de terre soient tendres quand on les perce avec la pointe d'un couteau,

❖ Ajouter les petits pois et cuire 4 min à feu moyen. Égoutter les légumes et remettre dans la casserole. Ajouter le beurre, la menthe et un peu de poivre. Chauffer 1 min à feu très doux. Remuer doucement avec la partie verte des oignons.

CONSEIL DU CHEF

Si vous ne trouvez pas de pommes de terre nouvelles, achetez des pommes de terre blanches régulières que vous couperez en cubes de 2,5 cm (1 po) sans les éplucher.

INFORMATION NUTRITIONNELLE PAR PORTION

Calories 135 | Densité énergétique 0,80 | Glucides 26 g | Matière grasse 1 g | Protéines 5 g | Fibres 5 g

Pommes de terre rôties au four

Voici de quoi remplacer joyeusement les frites traditionnelles à cause de leur faible teneur en matière grasse.

4 PORTIONS DE ⅔ TASSE CHACUNE

600 g (1 ¼ lb) de pommes de terre moyennes à pelure rouge non pelées, coupées en 8 morceaux chacune
½ c. à café (½ c. à thé) de thym séché

Sel
Poivre noir du moulin
7 g (¼ tasse) de persil frais, haché

- ❖ Préchauffer le four à 200 °C (400 °F).
- ❖ Vaporiser légèrement un plat de cuisson d'enduit végétal. Ajouter les pommes de terre, pelure vers le fond. Vaporiser les pommes de terre d'enduit végétal. Saupoudrer de thym, saler et poivrer au goût. Faire rôtir les pommes de terre au four 40 min.
- ❖ Servir avec du persil haché.

CONSEIL DU CHEF

N'importe quelle pomme de terre à bouillir fera l'affaire. Pour une recette à la mode cajun, ajoutez 2 c. à café (2 c. à thé) d'assaisonnement au chili et ¼ c. à café (¼ c. à thé) de cayenne.

INFORMATION NUTRITIONNELLE PAR PORTION

Calories 110 | Densité énergétique 1,6 | Glucides 24 g | Matière grasse 0 g | Protéines 3 g | Fibres 2 g

Purée de pommes de terre

Voici une purée à faible teneur en matière grasse contenant moins de calories que la recette classique.

8 PORTIONS DE ½ TASSE CHACUNE

720 g (1 ½ lb) de pommes de terre à pelure rouge non pelées, en cubes de 2,5 cm (1 po)

60 ml (¼ tasse) de lait écrémé

2 c. à café (2 c. à thé) de beurre non salé

¼ c. à café (¼ c. à thé) de sel

¼ c. à café (¼ c. à thé) de poivre noir du moulin

❖ Mettre les pommes de terre dans une grande casserole, couvrir d'eau et laisser mijoter environ 20 min, jusqu'à ce qu'elles soient tendres quand on les perce avec la pointe d'un couteau. Égoutter et réserver 60 ml (¼ tasse) d'eau de cuisson. Remettre les pommes de terre dans la casserole et mettre à feu doux.

❖ Ajouter le lait, le beurre, le sel et le poivre. Réduire en purée jusqu'à consistance lisse. Si les pommes de terre semblent sèches, ajouter un peu de l'eau réservée.

CONSEIL DU CHEF
Vous pouvez ajouter 4 gousses d'ail épluchées dans la casserole à l'étape 1.

INFORMATION NUTRITIONNELLE PAR PORTION

Calories 75 | Densité énergétique 0,70 | Glucides 14 g | Matière grasse 1 g | Protéines 2 g | Fibres 2 g

Courge farcie à l'orge et aux fines herbes

La courge poivrée a un léger goût de noisette et elle est très nourrissante. L'orge permet de composer un mets d'accompagnement fort satisfaisant.

4 PORTIONS

2 courges poivrées, coupées en deux
  et égrenées
330 g (1 ½ tasse) d'orge cuit
40 g (½ tasse) d'oignons verts hachés
60 g (½ tasse) de céleri haché finement
2 c. à soupe de pignons grillés (p. 84)

2 c. à soupe de marjolaine fraîche, hachée
2 c. à café (2 c. à thé) d'huile d'olive extravierge
½ c. à café (½ c. à thé) de sel
¼ c. à café (¼ c. à thé) de poivre noir
  du moulin
1 c. à café (1 c. à thé) de paprika

❖ Préchauffer le four à 180 °C (350 °F). Vaporiser une plaque à pâtisserie d'enduit végétal.
❖ Mettre les courges sur la plaque, face coupée vers le haut, et cuire au four 25 min.
❖ Mélanger tous les autres ingrédients, sauf le paprika, dans un bol moyen. Farcir les demi-courges à parts égales avec cette farce. Saupoudrer de paprika et cuire au four de 20 à 25 min, jusqu'à ce que les courges soient tendres.

INFORMATION NUTRITIONNELLE PAR PORTION

Calories 210 | Densité énergétique 0,60 | Glucides 41 g | Matière grasse 5 g | Protéines 4 g | Fibres 6 g

Cari aux pois chiches

Les pois chiches ajoutent beaucoup de fibres et d'éléments nutritifs à ce plat végétarien épicé.

6 PORTIONS DE **1** TASSE DE CARI ET DE ½ TASSE DE RIZ CHACUNE

1 c. à soupe d'huile d'olive extravierge
120 g (1 tasse) d'oignons hachés
1 ½ c. à café (1 ½ c. à thé) d'ail émincé
1 ½ c. à café (1 ½ c. à thé) de gingembre frais, haché
1 ½ c. à café (1 ½ c. à thé) de cari
½ c. à café (½ c. à thé) de curcuma moulu
⅛ c. à café (⅛ c. à thé) de flocons de cayenne broyés
½ c. à café (½ c. à thé) de sel

720 g (4 tasses) de tomates épépinées et hachées
1 ½ c. à café (1 ½ c. à thé) de sucre
555 g (3 tasses) de pois chiches en conserve, rincés et égouttés
90 g (1 ½ tasse) d'épinards miniatures
270 g (1 ½ tasse) de petits bouquets de chou-fleur
½ c. à café (½ c. à thé) de garam masala
660 g (3 tasses) de riz basmati brun, cuit

❖ Chauffer l'huile dans une casserole de 4 à 5 litres (16 à 20 tasses) à feu moyen. Ajouter les oignons et faire sauter 5 min. Incorporer l'ail, le gingembre, le cari, le curcuma, les flocons de cayenne et le sel. Cuire 2 min en remuant.

❖ Ajouter les tomates et le sucre et cuire 10 min à feu moyen-doux en remuant de temps à autre.

❖ Ajouter les pois chiches, les épinards, le chou-fleur et le garam masala. Couvrir et laisser mijoter 10 minutes en remuant de temps à autre.

❖ Servir le riz et le cari à parts égales dans 6 bols.

CONSEIL DU CHEF
Le garam masala est un mélange d'épices indien que vous trouverez dans la plupart des épiceries et des boutiques spécialisées.

INFORMATION NUTRITIONNELLE PAR PORTION

Calories 325 | Densité énergétique 0,70 | Glucides 61 g | Matière grasse 5 g | Protéines 11 g | Fibres 10 g

Poivrons farcis au boulghour et aux légumes

Le boulghour contient autant de fibres que les autres céréales entières ett il donne une belle consistance à ce plat que vous servirez comme mets d'accompagnement. Si vous doublez la portion, vous obtiendrez un mets principal des plus appétissants.

4 PORTIONS

250 ml (1 tasse) de bouillon de légumes
125 g (⅔ tasse) de boulghour
4 poivrons rouges, jaunes ou oranges
    (environ 1 kg/2 lb)
60 g (½ tasse) de céleri haché finement
20 g (¼ tasse) d'oignons verts, hachés
60 g (½ tasse) de champignons en dés

60 g (½ tasse) de carottes émincées
30 g (¼ tasse) de parmesan râpé
½ c. à café (½ c. à thé) de thym séché
½ c. à café (½ c. à thé) d'origan séché
½ c. à café (½ c. à thé) de sel
Une pincée de cayenne

❖ Porter le bouillon et le boulghour à ébullition dans une casserole de 2 litres (8 tasses) en remuant sans cesse. Baisser le feu, couvrir et laisser mijoter 10 min. Détacher les grains à la fourchette et transvider dans un grand bol.

❖ Préchauffer le four à 190 °C (375 °F).

❖ Vaporiser légèrement un plat de cuisson de 20 x 20 cm (8 x 8 po) d'enduit végétal.

❖ Couper le dessus des poivrons, puis les épépiner et les évider. Couper une très fine tranche en dessous pour les faire tenir debout sans difficulté.

❖ Cuire les poivrons 3 min dans une grande casserole d'eau bouillante. Égoutter et laisser égoutter sur du papier essuie-tout.

❖ Mélanger les autres ingrédients avec le boulghour. Farcir les poivrons et les ranger debout dans le plat de cuisson. Cuire au four de 15 à 20 min.

INFORMATION NUTRITIONNELLE PAR PORTION

Calories 150 | Densité énergétique 0,50 | Glucides 27 g | Matière grasse 2 g | Protéines 7 g | Fibres 8 g

CONSEIL DU CHEF

Vous trouverez du boulghour dans la plupart des supermarchés et des épiceries d'aliments naturels.

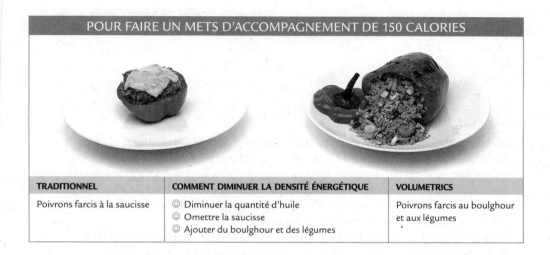

POUR FAIRE UN METS D'ACCOMPAGNEMENT DE 150 CALORIES

TRADITIONNEL	COMMENT DIMINUER LA DENSITÉ ÉNERGÉTIQUE	VOLUMETRICS
Poivrons farcis à la saucisse	☺ Diminuer la quantité d'huile ☺ Omettre la saucisse ☺ Ajouter du boulghour et des légumes	Poivrons farcis au boulghour et aux légumes

« Lasagne » aux aubergines

4 PORTIONS DE 11,5 x 11,5 CM (4 ½ x 4 ½ PO)

40 g (¾ tasse) de chapelure
2 c. à soupe de parmesan râpé
2 c. à café (2 c. à thé) d'origan séché
2 œufs
2 aubergines moyennes, pelées et coupées en
biais en tranches de 6 mm (¼ po)

425 ml (1 ¾ tasse) de Sauce tomate au basilic
frais (p. 214)
120 g (1 tasse) de mozzarella 2% de matière
grasse, râpée

❖ Préchauffer le four à 200 °C (400 °F).
❖ Mélanger la chapelure, le parmesan et l'origan dans un bol peu profond.
❖ Battre les œufs avec 2 c. à soupe d'eau dans un bol peu profond.
❖ Passer les tranches d'aubergine dans ce mélange, puis les enrober légèrement de chapelure. Mettre les tranches sur une plaque à pâtisserie et cuire au four de 20 à 30 min, en les retournant une seule fois en cours de cuisson. Lorsque les aubergines sont dorées, les laisser refroidir légèrement à température ambiante.
❖ Étendre 175 ml (¾ tasse) de sauce tomate au fond d'un plat de cuisson de 23 x 23 cm (9 x 9 po). Étendre la moitié des tranches d'aubergine sur la sauce. Couvrir avec 125 ml (½ tasse) de sauce tomate et 60 g (½ tasse) de mozzarella.
❖ Répéter avec les aubergines, la sauce tomate et le fromage restants.
❖ Couvrir et cuire au four 30 min. Retirer le couvercle et cuire 15 min de plus.

CONSEIL DU CHEF
Faites de la chapelure en pulvérisant des morceaux de pain à l'aide du mélangeur ou du robot de cuisine.

INFORMATION NUTRITIONNELLE PAR PORTION

Calories 355 | Densité énergétique 1,1 | Glucides 43 g | Matière grasse 12 g | Protéines 19 g | Fibres 7 g

Ragoût de légumes traditionnel

Les légumes grillés et le riz brun donnent beaucoup de consistance à cette entrée végétarienne.

4 PORTIONS DE **1 ¾** TASSE DE RAGOÛT ET DE ½ TASSE DE RIZ CHACUNE

120 g (1 tasse) d'oignons en rondelles épaisses

440 g (2 tasses) de navet pelé, en morceaux de 2,5 cm (1 po)

120 g (1 tasse) de céleri en morceaux de 2,5 cm (1 po)

120 g (1 tasse) de carottes en morceaux de 2,5 cm (1 po)

240 g (1 tasse) de pommes de terre à bouillir, épluchées et coupées en dés de 2,5 cm (1 po)

180 g (2 tasses) de poireaux en rondelles de 6 mm (¼ po) d'épaisseur

220 g (1 tasse) de panais pelé en tranches 2,5 cm (1 po)

1 c. à soupe d'huile d'olive extravierge

2 brins de chacun : thym frais, persil frais ou autres fines herbes

500 ml (2 tasses) de bouillon de légumes

425 ml (1 ¾ tasse) de tomates en dés en conserve, non égouttées

1 feuille de laurier

2 c. à café (2 c. à thé) d'ail haché

200 g (2 tasses) de bettes à carde (retirer les tiges coriaces)

Sel

Poivre noir du moulin

440 g (2 tasses) de riz brun, cuit

❖ Préchauffer le four à 250 °C (475 °F).

❖ Mélanger les oignons, les navets, le céleri, les carottes, les pommes de terre, les poireaux, les panais et l'huile dans une plaque à rôtir. Enrober les légumes avec l'huile. Cuire au four 30 min en remuant deux fois en cours de cuisson.

❖ Attacher les brins de fines herbes avec de la ficelle.

❖ Mettre les légumes rôtis dans une grande casserole et chauffer à feu moyen-vif. Ajouter le bouillon, les tomates, la feuille de laurier, l'ail, les fines herbes et 375 ml (1 ½ tasse) d'eau. Cuire 15 min en remuant de temps à autre.

❖ Ajouter les bettes à carde, saler et poivrer légèrement et cuire 2 min. Retirer la feuille de laurier et les fines herbes.

❖ Servir le ragoût sur le riz dans 4 bols peu profonds.

CONSEIL DU CHEF

Les courges d'hiver telles que la courge poivrée et la courge musquée peuvent remplacer efficacement le panais et le navet. Les bettes à carde peuvent être substituées par d'autres légumes verts feuillus comme l'épinard, le chou vert et le chou vert frisé. Pour faire une excellente variante de ragoût de légumes, prenez les Légumes grillés à l'ail (p. 149). Après les avoir fait griller, procéder tel qu'indiqué dans la recette.

INFORMATION NUTRITIONNELLE PAR PORTION

Calories 270 | Densité énergétique 0,60 | Glucides 49 g | Matière grasse 5 g | Protéines 8 g | Fibres 8 g

Viandes

Les chapitres 9, 10 et 11 mettent en vedette des plats de résistance à base de protéines de viande, de poisson et de volaille. À moins d'être végétarien, vous aimerez préparer au moins un repas par jour avec l'une ou l'autre de ces recettes. Certains d'entre vous auront peut-être tendance à vouloir manger plus de viande parce que vous avez entendu dire que les protéines accéléraient la perte de poids. Cela est acceptable à condition que vous choisissiez des viandes maigres ou à faible teneur en matière grasse. Vous savez déjà que le gras a une densité énergétique élevée, ce qui augmente le nombre de calories. Il faut aussi teneur en compte le fait qu'une consommation trop grande de gras animal est reliée aux maladies du cœur.

Nous ne savons pas encore si les protéines favorisent la perte de poids à long terme. Diverses études ont démontré que les personnes qui optaient pour un régime à haute teneur en protéines pendant six mois perdaient plus de poids que celles qui consommaient moins de protéines pendant la même période. Toutefois, après six mois, la perte de poids s'avérait moins importante et la différence entre les deux groupes disparaissait. Maintenir sa perte de poids est la partie la plus difficile d'un programme de gestion du poids. Pour y parvenir, il est nécessaire de manger sainement et de faire régulièrement de l'activité physique.

Les protéines peuvent contribuer à la perte de poids en augmentant l'effet de satiété et en permettant de contrôler la faim. Des études ont démontré que le fait d'augmenter l'apport en protéines augmentait la sensation de satiété. Une partie de cet effet peut être d'ordre psychologique puisque l'on croit généralement qu'un repas qui contient de la viande ou une autre source de protéines est plus complet et plus consistant.

Vous pouvez profiter de cet effet de satiété créé par les protéines pour contrôler votre poids en ajoutant des quantités adéquates de protéines maigres. Que l'on soit carnivore ou végétarien, nous mangeons suffisamment de protéines. La quantité de protéines dont vous avez besoin chaque jour dépend de votre poids. On recommande habituellement 0,4 g par livre (454 g) de poids corporel. Si vous êtes très actif, vous pouvez compter jusqu'à 0,8 g par livre (454 g).

Voici comment vous pouvez faire des choix judicieux lorsque vient le temps d'acheter de la viande. Les portions sont souvent trop grosses. Un bifteck de surlonge de 240 g (8 oz) contient 600 calories et de 30 à 40 p. cent de gras. La portion de viande rouge recommandée est de 60 à 90 g (2 à 3 oz), ce qui représente environ la grosseur d'un jeu de cartes. De telles portions de viande rouge maigre convient au Plan alimentaire *Volumetrics*. Mais comment faire la distinction entre les coupes maigres et celles qui contiennent beaucoup de gras saturé ? Voici quelques conseils.

❖ La viande à hamburger est l'un des aliments qui fournit le plus de gras saturé. Mais si l'on peut lire le mot « maigre » sur l'étiquette, il faut cuire la viande de manière que le gras de cuisson puisse être enlevé. Le gras perdu en cours de cuisson ne transforme pas miraculeusement une viande grasse en viande maigre. Achetez donc toujours du bœuf maigre à 97, 95 ou 90 p. cent.

❖ Enlever le gras visible de la viande rouge et choisissez des coupes qui offrent le moins de persillage ou de marbrage (filaments de graisse).

❖ Parmi les coupes les plus maigres : la ronde et la longe.

❖ La viande de porc la plus maigre : le filet, la côtelette et le bacon de dos.

❖ La viande d'agneau la plus maigre : rôti et côtelettes.

❖ Regardez toujours les différentes catégories de bœuf offertes et optez pour les coupes les plus maigres.

❖ Choisissez des charcuteries, des saucisses et des hot-dogs à faible teneur en matière grasse.

Bœuf sauté aux pois mange-tout et aux tomates

Ce plat principal légèrement épicé est un bon choix quand l'on ne jouit pas de beaucoup de temps pour préparer le repas du soir.

4 PORTIONS DE 1 ½ TASSE CHACUNE

480 g (1 lb) de bavette de flanchet (enlever le gras)

1 c. à soupe de fécule de maïs

1 c. à soupe de sauce soja à teneur réduite en sodium

1 c. à soupe de gingembre frais, émincé

1 c. à café (1 c. à thé) de sucre

1 c. à soupe d'huile végétale

3 oignons verts, coupés en morceaux de 2,5 cm (1 po)

1 ½ c. à café (1 ½ c. à thé) d'ail émincé

180 g (1 ½ tasse) de pois mange-tout

360 g (2 tasses) de tomates épépinées et hachées

¼ c. à café (¼ c. à thé) de sauce au piment fort

Poivre noir du moulin

❖ Couper le bœuf en deux sur la longueur, puis le couper en fines tranches contre le grain.

❖ Dans un grand bol, mélanger la fécule de maïs, la sauce soja, le gingembre et la moitié du sucre. Remuer jusqu'à consistance lisse. Ajouter le bœuf et bien remuer.

❖ Chauffer 1 ½ c. à café (1 ½ c. à thé) d'huile dans une grande poêle ou un wok et mettre à feu moyen-vif. Ajouter la moitié du bœuf et faire sauter 2 min en remuant. Mettre la viande dans une assiette à l'aide d'une cuillère à égoutter. Chauffer l'huile restante et cuire le reste de la viande. Réserver.

❖ Ajouter les oignons verts, l'ail, les pois mange-tout, les tomates, le sucre restant et la sauce au piment fort. Faire sauter 3 min en remuant. Remettre le bœuf et le liquide accumulé dans l'assiette dans la poêle et faire sauter 1 min. Poivrer au goût et remuer.

CONSEIL DU CHEF

Essayez cette recette avec des haricots verts coupés en morceaux de 2,5 cm (1 po) au lieu des mange-tout. Ce plat est délicieux avec du riz brun bouilli.

INFORMATION NUTRITIONNELLE PAR PORTION

Calories 255 | Densité énergétique 1,2 | Glucides 1 g | Matière grasse 12 g | Protéines 26 g | Fibres 2 g

Goulasch traditionnelle aux légumes

*Voici notre version allégie de la fameuse goulasch traditionnelle hongroise. Notre secret : une géné-
reuse quantité de légumes, ce qui permet de servir des portions fort satisfaisantes.*

4 PORTIONS DE 2 ¼ TASSES CHACUNE

1 c. à soupe d'huile extravierge

480 g (1 lb) de rôti de ronde de bœuf (enlever le gras), coupé en morceaux de 2,5 cm (1 po)

½ c. à café (½ c. à thé) de sel

¼ c. à café (¼ c. à thé) de poivre noir du moulin

120 g (1 tasse) d'oignons hachés

1 c. à café (1 c. à thé) d'ail haché

240 g (2 tasses) de champignons en tranches

250 ml (1 tasse) de bouillon de bœuf à teneur réduit en matière grasse et en sodium

480 g (2 tasses) de pommes de terre à bouillir pelées et coupées en dés

240 g (2 tasses) de carottes en fines tranches

120 g (1 tasse) de céleri en tranches

360 g (12 oz) de haricots verts, équeutés et coupés en morceaux de 2,5 cm (1 po)

2 c. à soupe de paprika

½ c. à café (½ c. à thé) de thym séché

1 c. à soupe de pâte de tomates

2 c. à soupe de fécule de maïs

2 c. à soupe de vin rouge

❖ Vaporiser le fond d'un grand faitout ou d'une grande casserole de 4 à 5 litres (16 à 20 tasses) d'enduit végétal. Ajouter l'huile et mettre à feu moyen-vif. Ajouter le bœuf, le sel et le poivre. Cuire, en remuant de temps à autre, de 6 à 8 min, pour faire brunir la viande.

❖ Ajouter les oignons, l'ail et les champignons. Cuire 5 min.

❖ Ajouter le bouillon et suffisamment d'eau pour couvrir les ingrédients. Cuire doucement en remuant de temps à autre. Couvrir et cuire 45 min en remuant de temps à autre.

❖ Ajouter les pommes de terre, les carottes, le céleri, les haricots, le paprika, le thym et la pâte de tomates. Bien remuer et ajouter de l'eau au besoin pour couvrir à peine les ingré-dients. Laisser mijoter 45 min à découvert en remuant de temps à autre. Ajouter de l'eau au besoin pour empêcher la goulasch de sécher.

❖ Dans un petit bol, fouetter la fécule de maïs et le vin jusqu'à consistance lisse. Verser dans la casserole et cuire à feu moyen-vif environ 3 min, en remuant de temps à autre, jusqu'à ce que la goulasch commence à épaissir et à bouillonner. Goûter la sauce et ajouter du sel et du poivre au besoin.

INFORMATION NUTRITIONNELLE PAR PORTION

Calories 335 | Densité énergétique 0,60 | Glucides 32 g | Matière grasse 11 g | Protéines 30 g | Fibres 10 g

Le paprika donne une couleur et une saveur particulières à ce plat. Assurez-vous de sa fraîcheur. La goulasch est délicieuse telle quelle, mais vous pouvez aussi la servir sur des nouilles. Essayez les nouilles larges aux œufs, les nouilles de blé entier ou des pâtes courtes de blé entier telles que les pennes (plumes) ou les fusillis (spirales).

POUR FAIRE UN PLAT DE RÉSISTANCE DE 335 CALORIES

TRADITIONNEL	COMMENT DIMINUER LA DENSITÉ ÉNERGÉTIQUE	VOLUMETRICS
Goulasch traditionnelle au bœuf	☺ Utiliser moins d'huile pour faire sauter ☺ Omettre la crème ☺ Prendre du bœuf maigre et deux fois plus de légumes	Goulasch traditionnelle aux légumes

Pâté chinois

Voici un mets traditionnel dont on ne se lasse pas. Pour en faire une version acceptable, on utilise la viande, les pommes de terre et le maïs traditionnels, mais on augmente le volume du plat en ajoutant de nombreux légumes.

6 PORTIONS DE **1 ½** TASSE CHACUNE

1 ½ c. à café (1 ½ c. à thé) d'huile d'olive
   extravierge
60 g (½ tasse) de céleri en dés
60 g (½ tasse) d'oignons en dés
1 ½ c. à café (1 ½ c. à thé) d'ail émincé
2 c. à soupe de farine
480 g (1 lb) de bœuf haché 95% maigre
375 ml (1 ½ tasse) de bouillon de bœuf
   à teneur réduit en matière grasse
   et en sodium
270 g (1 ½ tasse) de tomates en dés
   en conserve, avec leur liquide
60 ml (¼ tasse) de pâte de tomates
1 ½ c. à café (1 ½ c. à thé) de thym séché

½ c. à café (1 ½ c. à thé) de poivre noir
   du moulin
2 c. à café (2 c. à thé) d'ail émincé
¼ c. à café (¼ c. à thé) de paprika
¼ c. à café (¼ c. à thé) de sel
120 g (1 tasse) de champignons en tranches
120 g (1 tasse) de carottes en tranches
60 g (½ tasse) de petits pois miniatures,
   décongelés
100 g (½ tasse) de maïs, décongelé
Purée de pommes de terre (p. 157)
30 g (¼ tasse) de cheddar à teneur réduit
   en matière grasse, émincé

❖ Préchauffer le four à 190 °C (375 °F).
❖ Chauffer l'huile dans une grande poêle à feu moyen. Ajouter le céleri, les oignons et l'ail. Faire sauter légèrement environ 5 min, jusqu'à ce qu'ils soient tendres. Ajouter la farine et remuer sans cesse pendant 2 min. retirer les légumes de la poêle.
❖ Dans la même poêle, cuire le Bœuf à feu moyen jusqu'à ce qu'il perde sa couleur rosée. Égoutter tout gras visible.
❖ Ajouter les oignons et le céleri à la viande. Ajouter le bouillon, les tomates, la pâte de tomates, le thym, le poivre, l'ail, le paprika et le sel. Bien remuer et cuire environ 5 min, jusqu'à léger épaississement. Réduire le feu à moyen-doux et ajouter les champignons, les carottes, les petits pois et le maïs. Laisser mijoter de 10 à 15 min.
❖ Verser dans une casserole de 3 à 4 litres (12 à 16 tasses). Étendre uniformément la purée de pommes de terre sur le dessus et garnir de cheddar.
❖ Cuire au four à découvert de 30 à 40 min, jusqu'à ce que le liquide commence à bouillonner.
❖ Sortir la casserole du four et préchauffer le gril.
❖ Faire griller le dessus 1 min, jusqu'à ce que le fromage soit légèrement doré.

INFORMATION NUTRITIONNELLE PAR PORTION

Calories 315 | Densité énergétique 0,90 | Glucides 36 g | Matière grasse 8 g | Protéines 25 g | Fibres 3 g

Côtelettes de porc à la sauce soja à l'orange

La réduction de jus d'orange et de sauce soja donne une sauce remarquable. Ce mets principal se prépare relativement vite, ce qui permet de transformer un repas du soir en un moment mémorable.

4 PORTIONS

250 ml (1 tasse) de jus d'orange
1 c. à soupe de sauce soja à teneur réduite
  en sodium
2 c. à café (2 c. à thé) d'ail émincé
½ c. à café (1 ½ c. à thé) de thym séché

4 côtelettes de porc de 120 g (4 oz) chacune
  (retirer le gras)
Sel et poivre noir du moulin
1 c. à soupe d'huile végétale

❖ Préchauffer le four à 200 °C (400 °F).
❖ Dans un petit bol, mélanger le jus d'orange, la sauce soja, l'ail et le thym. Réserver.
❖ Saler et poivrer légèrement les côtelettes.
❖ Chauffer l'huile dans une grande poêle à feu vif. Faire brunir les côtelettes 3 min de chaque côté. Mettre les côtelettes dans un plat de cuisson et cuire au four de 10 à 15 min, jusqu'à ce qu'elles perdent leur couleur rosée.
❖ Retirer tout gras visible de la poêle. Verser le jus d'orange et cuire à feu vif de 3 à 5 min, en remuant, pour réduire de moitié. Remettre les côtelettes et ses jus dans la poêle et réchauffer en les retournant une seule fois.

POUR FAIRE UN PLAT DE RÉSISTANCE DE 195 CALORIES

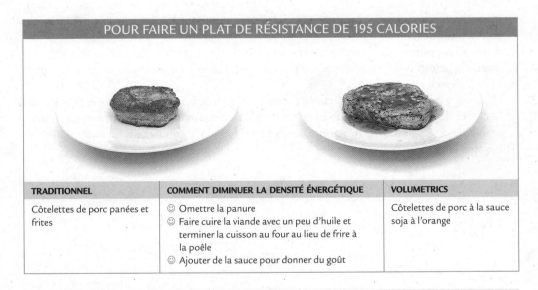

TRADITIONNEL	COMMENT DIMINUER LA DENSITÉ ÉNERGÉTIQUE	VOLUMETRICS
Côtelettes de porc panées et frites	☺ Omettre la panure ☺ Faire cuire la viande avec un peu d'huile et terminer la cuisson au four au lieu de frire à la poêle ☺ Ajouter de la sauce pour donner du goût	Côtelettes de porc à la sauce soja à l'orange

INFORMATION NUTRITIONNELLE PAR PORTION

Calories 195 | Densité énergétique 1,6 | Glucides 7 g | Matière grasse 9 g | Protéines 20 g | Fibres 1 g

Navarin à la printanière

J'ai revampé ce mets fort populaire en diminuant le nombre de calories et la quantité de gras et en ajoutant des saveurs qui rappellent la région méditerranéenne.

4 PORTIONS DE **2 ½** TASSES CHACUNE

1 c. à café (1 c. à thé) d'huile d'olive extravierge
480 g (1 lb) d'épaule d'agneau désossée
(retirer le gras excédentaire), en morceaux
de 2,5 cm (1 po)
120 g (1 tasse) d'oignons hachés
½ c. à café (1 ½ c. à thé) de sel
Une pincée de poivre noir du moulin
250 ml (1 tasse) de bouillon de bœuf à teneur
réduite en matière grasse et en sodium
360 g (1 ½ tasse) de pommes de terre à bouillir
pelées et coupées en dés

440 g (2 tasses) de navets pelés et hachés
120 g (1 tasse) de carottes en tranches épaisses
120 g (1 tasse) de céleri en tranches
½ c. à café (1 ½ c. à thé) de thym séché
½ c. à café (1 ½ c. à thé) d'ail haché
2 c. à soupe de fécule de maïs
2 c. à soupe de vin rouge sec
120 g (1 tasse) de petits pois, décongelés

❖ Vaporiser le fond d'un grand faitout ou d'une grande casserole à fond épais de 4 à 5 litres (16 à 20 tasses) d'enduit végétal. Ajouter l'huile et mettre à feu moyen-vif.

❖ Ajouter l'agneau et cuire, en remuant de temps à autre, jusqu'à ce qu'il commence à brunir. Ajouter les oignons, le sel et le poivre. Cuire 5 min. Ajouter le bouillon et suffisamment d'eau pour couvrir la viande. Lorsque l'eau commence à mijoter, couvrir et cuire 1 h en remuant de temps à autre.

❖ Ajouter les pommes de terre, les navets, les carottes, le céleri, le thym et l'ail. Ajouter plus d'eau au besoin pour couvrir à peine tous les ingrédients. Laisser mijoter en remuant et cuire à découvert 30 min.

❖ Dans un petit bol, fouetter la fécule de maïs et le vin jusqu'à consistance lisse. Verser dans la casserole et ajouter les petits pois. Cuire à feu moyen-vif en remuant environ 3 min, jusqu'à léger épaississement et bouillonnement. Goûter et ajouter du sel et du poivre au besoin.

INFORMATION NUTRITIONNELLE PAR PORTION

Calories 245 | Densité énergétique 0,40 | Glucides 28 g | Matière grasse 6 g | Protéines 20 g | Fibres 6 g

Ce navarin est encore meilleur une fois réchauffé. Laissez-le refroidir, couvrez-le et gardez-le au réfrigérateur toute la nuit. Retirer tout le gras figé à la surface et cuire sur la cuisi-nière à feu moyen, en remuant de temps à autre, jusqu'à ce que le navarin commence à bouillonner.

POUR FAIRE UN PLAT DE RÉSISTANCE DE 245 CALORIES

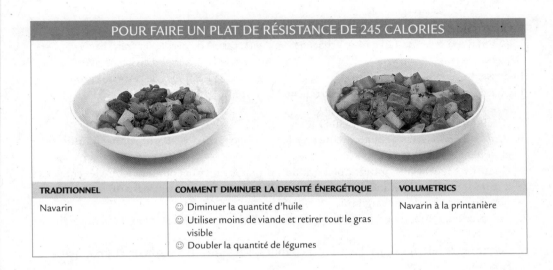

TRADITIONNEL	COMMENT DIMINUER LA DENSITÉ ÉNERGÉTIQUE	VOLUMETRICS
Navarin	☺ Diminuer la quantité d'huile ☺ Utiliser moins de viande et retirer tout le gras visible ☺ Doubler la quantité de légumes	Navarin à la printanière

Côtelettes d'agneau au four et gremolata

En faisant rôtir la viande rapidement, elle devient juteuse et remplie de saveur. On termine la présentation avec un beau mélange de persil, d'ail et de zeste de citron appelé gremolata.

4 PORTIONS

4 côtelettes de longe d'agneau de 2,5 cm
  (1 po) d'épaisseur de 120 g (4 oz) chacune
  (retirer le gras)
1 gousse d'ail coupée en deux
1 c. à café (1 c. à thé) d'huile d'olive extravierge

Sel et poivre noir du moulin
7 g (¼ tasse) de persil plat frais, haché
1 c. à café (1 c. à thé) d'ail haché
1 c. à café (1 c. à thé) de zeste de citron
  râpé

❖ Préchauffer le four à 230 °C (450 °F).
❖ Frotter les côtelettes de chaque côté avec les demi-gousses d'ail. Badigeonner d'huile, saler et poivrer de chaque côté.
❖ Chauffer à feu vif une grande poêle antiadhésive pouvant aller au four. Cuire les côtelettes 2 min. Retourner la viande et mettre la poêle au four. Faire rôtir de 8 à 10 minutes pour obtenir une viande mi-saignante.
❖ Préparer la gremolata en mélangeant le persil, l'ail et le zeste de citron dans un petit bol. Réserver.
❖ Servir les côtelettes dans 4 assiettes chaudes. Parsemer 1 c. à soupe de gremolata sur chacune.

CONSEIL DU CHEF

Cette méthode donne aussi de bons résultats avec des tranches de bifteck tendre de 2,5 cm (1 po) d'épaisseur dont on a enlevé tout le gras visible. Si vous n'avez pas de poêle allant au four, enveloppez bien le manche de la vôtre de papier d'aluminium avant de la mettre au four.

INFORMATION NUTRITIONNELLE PAR PORTION

Calories 140 | Densité énergétique 1,3 | Glucides 1 g | Matière grasse 6 g | Protéines 19 g | Fibres 1 g

10

Poissons et fruits de mer

Le contenu en gras et la densité énergétique des différents poissons peuvent varier considérablement selon les espèces. En général, la chair de couleur pâle contient moins de
gras. Par exemple, les poissons à chair blanche (morue, plie, sole, thon frais, hoplostète
orange ou rouge, etc.) contiennent environ 1 à 2 g de gras par 113 g (4 oz). Les poissons
à chair mi-foncée (saumon rose, barbue, flétan, espadon, etc.) ont de 3 à 6 g de gras
pour la même quantité tandis que les poissons à chair foncée (maquereau, truite arc-
en-ciel, hareng, thon rouge, etc.) en contiennent de 8 à 16 g. Contrairement au gras
saturé contenu dans la viande rouge, l'huile de poisson procure de nombreux bienfaits
pour la santé. On trouve aussi des acides gras oméga-3 dans quelques fruits de mer
comme les pétoncles. Une déclaration récente de l'American Heart Association con-
firme que les acides gras oméga-3 réduisent les risques de cardiopathie. C'est pourquoi
l'on recommande au moins 2 portions de poisson – des poissons gras de préférence –
par semaine. N'oubliez pas qu'une portion pèse de 60 à 90 g (2 à 3 oz) et a la grosseur
d'un jeu de cartes.

Le poisson est un excellent exemple de notre règle voulant que votre choix d'aliments ne repose pas exclusivement sur le nombre de calories ou la densité énergétique
des aliments. Il est important de trouver un juste équilibre nutritionnel puisque nous
ne mangeons pas seulement pour maintenir notre poids, mais aussi pour atteindre un
équilibre nutritionnel essentiel à notre bonne santé. Nous avons besoin de gras dans
notre régime, particulièrement ceux que l'on trouve dans les poissons, les noix, les avocats et les olives. Ne vous privez pas et choisissez un poisson gras que vous servirez avec
beaucoup de légumes. Cette association est excellente pour la santé de votre cœur. Vous
pouvez tout de même modérer l'apport en calories en faisant griller le poisson ou en
l'intégrant à un mets qui ne requiert pas beaucoup de matière grasse comme la Gibe-
lotte de poisson fiesta (p. 186) par exemple.

Pour la plupart des gens, le gras que l'on trouve naturellement dans le poisson ne
devrait pas les préoccuper autant que la manière de le faire cuire. Le fait de paner ou de
frire le poisson ou encore de le mélanger à des ingrédients à haute teneur en matière
grasse comme la mayonnaise augmente inévitablement le nombre de calories.

Plusieurs raisons ont fait en sorte que plusieurs personnes négligent de manger
régulièrement du poisson. On dit que certains poissons comme l'espadon, le thon et le
maquereau sont contaminés par le mercure. Les enfants et les femmes enceintes
devraient limiter leur consommation de ces poissons. L'American Heart Association
recommande de varier les espèces afin de diminuer leurs effets nuisibles potentiels.

Pendant des années, certains ont évité les fruits de mer tels que les crevettes à cause de leur teneur élevée en cholestérol. Il appert que les crevettes et les palourdes (myes) contiennent moins de cholestérol que l'on croyait. Comme les autres poissons, ils contiennent peu de gras saturé. Le gras saturé est le véritable coupable responsable du cholestérol sanguin élevé. N'hésitez donc pas à inclure les crevettes, les palourdes ainsi que les autres mollusques et crustacés dans votre alimentation. Mais n'oubliez jamais que le mode de cuisson peut augmenter la densité énergétique de vos plats. Vous devez donc éviter les fruits de mer frits et panés.

Vous devriez manger du poisson à cause de ses bons gras. Il s'agit d'une excellente source de protéines. Une autre bonne raison de le mettre au menu est qu'il a été démontré que, pour une quantité de calories équivalente, il augmentait davantage la sensation de satiété que le poulet ou le bœuf. Après un repas contenant la même quantité de protéines, les gens se sentaient plus rassasiés avec le poisson qu'avec le bœuf ou le poulet. Les recettes du Plan alimentaire Volumetrics que nous vous proposons dans ce chapitre vous prouveront à quel point il est facile de préparer des plats de résistance à base de poisson et de fruits de mer.

Saumon au four avec sauce au yogourt à l'aneth

Voici une recette simple et impossible à manquer. Les filets de poisson ne sécheront pas grâce à cette méthode de cuisson.

4 PORTIONS

125 g (½ tasse) de yogourt nature écrémé
½ c. à café (1 ½ c. à thé) d'ail émincé
1 c. à soupe d'oignons émincés
1 c. à soupe de câpres égouttées (hachées
  si elles sont grosses)
3 c. à soupe de jus de citron

1 c. à soupe d'aneth frais, haché
1 filet de saumon de 480 g (1 lb) coupé
  en travers en 4 portions de même grosseur
Une pincée de poivre noir du moulin
4 quartiers de citron

❖ Préchauffer le four à 200 °C (400 °F).
❖ Dans un petit bol, bien mélanger le yogourt, l'ail, les oignons, les câpres, 1 c. à soupe de jus de citron et ½ c. à soupe d'aneth. Réserver.
❖ Vaporiser légèrement un plat de cuisson en verre de 20 x 30 cm (8 x 12 po) d'enduit végétal.
❖ Mettre le saumon dans le plat, peau vers le fond. Arroser avec le jus de citron restant. Saler, poivrer et ajouter le reste de l'aneth. Bien couvrir le plat de papier d'aluminium et cuire au four de 15 à 25 min, jusqu'à ce que le saumon ne soit plus translucide et se défasse facilement à la fourchette.
❖ Servir dans 4 assiettes et garnir avec 2 c. à soupe de sauce et un quartier de citron.

INFORMATION NUTRITIONNELLE PAR PORTION
Calories 225 | Densité énergétique 1,6 | Glucides 4 g | Matière grasse 13 g | Protéines 24 g | Fibres 0 g

INFORMATION NUTRITIONNELLE PAR PORTION DE SAUCE AU YOGOURT À L'ANETH
Calories 15 | Densité énergétique 0,52 | Glucides 2 g | Matière grasse 1 g | Protéines 1 g | Fibres 1 g

Tilapia au four et légumes sautés

Essayez cette méthode de cuisson simple pour les filets de poisson. Ce mets est à la fois coloré et délicieux.

4 PORTIONS

480 g (1 lb) de filets de tilapia
125 ml (½ tasse) de jus d'orange
2 c. à café (2 c. à thé) d'huile végétale
¼ c. à café (¼ c. à thé) de sel
120 g (1 tasse) de poivrons verts, hachés

90 g (¾ tasse) d'oignons coupés en deux, puis en rondelles
2 c. à café (2 c. à thé) d'ail émincé
270 g (1 ½ tasse) de tomates en dés en conserve, avec leur liquide

❖ Préchauffer le four à 180 °C (350 °F). Vaporiser légèrement d'enduit végétal un plat de cuisson assez large pour contenir les filets sur une seule couche.

❖ Rincer les filets à l'eau froide, les éponger et les ranger sur une seule couche dans le plat de cuisson, peau vers le bas.

❖ Mélanger 2 c. à soupe de jus d'orange avec 1 c. à café (1 c. à thé) d'huile et verser sur le poisson. Saler et cuire au four de 15 à 20 min, jusqu'à ce que le tilapia ne soit plus translucide et se défasse facilement à la fourchette.

❖ Vaporiser légèrement une grande poêle d'enduit végétal. Verser l'huile restante et chauffer à feu moyen-vif. Ajouter les poivrons et les oignons et cuire 5 min en remuant de temps à autre. Ajouter le jus d'orange restant, l'ail et les tomates. Cuire 2 min, en remuant de temps à autre, pour bien réchauffer.

❖ Servir dans 4 assiettes et napper de sauce.

INFORMATION NUTRITIONNELLE PAR PORTION

Calories 160 | Densité énergétique 0,80 | Glucides 10 g | Matière grasse 3 g | Protéines 22 g | Fibres 2 g

Essayez cette recette avec d'autres poissons tels que la plie, la sole, la morue et le vivaneau. Vous pouvez remplacer le jus d'orange par du jus de citron ou du vin blanc sec. La Salsa aux tomates cerises (p. 222) ou la Salsa à la mangue (p. 81) peuvent remplacer les légumes sautés.

POUR FAIRE UN PLAT DE RÉSISTANCE DE 160

TRADITIONNEL	COMMENT DIMINUER LA DENSITÉ ÉNERGÉTIQUE	VOLUMETRICS
Poisson pané et frit	☺ Omettre la panure ☺ Cuire le poisson au four au lieu de le frire ☺ Ajouter des légumes	Tilapia au four et légumes sautés

Filets de plie à la sauce au citron

Le goût un peu astringent de la sauce au citron et aux câpres rehausse la saveur délicate de la plie.

4 PORTIONS

40 g (⅓ tasse) de farine tout usage
½ c. à café (1 ½ c. à thé) de sel
Une pincée de poivre noir du moulin
1 c. à soupe d'huile d'olive extravierge
480 g (1 lb) de filets de plie
80 ml (⅓ tasse) de vin blanc sec

80 ml (⅓ tasse) de bouillon de poulet à teneur
    réduit en matière grasse et en sodium
2 c. à soupe de jus de citron
1 c. à soupe de câpres rincées et égouttées
2 c. à soupe de persil plat frais, haché
4 quartiers de citron

❖ Mélanger la farine, le sel et le poivre dans un bol peu profond. Passer les filets dans la farine et secouer l'excédent.

❖ Chauffer l'huile dans une grande poêle antiadhésive à feu moyen-vif. Lorque l'huile est chaude, cuire les filets 4 min. À l'aide d'une spatule, retourner doucement les filets et cuire 4 min de plus. Mettre le poisson dans une grande assiette, couvrir et garder au chaud.

❖ Ajouter le vin, le bouillon et le jus dans la poêle. Remuer en raclant le fond. Ajouter les câpres et laisser mijoter. Cuire la sauce 1 min pour la faire réduire un peu. Retirer du feu et incorporer le persil.

❖ Servir les filets, la sauce et les quartiers de citron dans 4 assiettes.

CONSEIL DU CHEF

Les filets de sole et de tilapia conviennent bien à cette recette. La poêle doit être très chaude avant d'y ajouter les filets, ce qui leur permettra de bien dorer uniformément. Le vin peut être substitué par 80 ml (⅓ tasse) de bouillon de poulet.

INFORMATION NUTRITIONNELLE PAR PORTION

Calories 180 | Densité énergétique 1,2 | Glucides 7 g | Matière grasse 5 g | Protéines 23 g | Fibres 1 g

Filets de sole et légumes en papillotes

Ouvrez les papillotes à table afin que chaque convive puisse humer les arômes délectables qui s'en dégagent.

4 PORTIONS

2 courgettes moyennes
1 poireau moyen, bien lavé
240 g (8 oz) de fines asperges
4 filets de sole de 150 g (5 oz) chacun
4 c. à soupe de vin blanc sec

8 minces tranches de citron
7 g (¼ tasse) d'aneth frais, haché
2 c. à café (2 c. à thé) d'ail haché
Sel et poivre noir du moulin

❖ Préchauffer le four à 200 °C (400 °F).
❖ Couper les bouts des courgettes. À l'aide d'une mandoline ou d'un large couteau éplucheur, faire de longues tranches fines et réserver.
❖ Couper le blanc de poireau en julienne et les asperges en morceaux de 5 cm (2 po) de longueur. Réserver. Découper 4 feuilles de papier parchemin de 33 x 33 cm (13 x 13 po).
❖ Mettre un filet sur chacun des papiers. Arroser avec le vin et couvrir avec 2 tranches de citron. Ajouter les courgettes, les poireaux et les asperges à parts égales. Terminer avec l'aneth et l'ail. Saler et poivrer légèrement.
❖ Former 4 papillotes en enveloppant bien les ingrédients. Tordre les bouts et les rabattre sous les papillotes.
❖ Mettre les papillotes sur une plaque à pâtisserie et cuire au four 20 min. Servir les petits paquets à table sans les ouvrir.

CONSEIL DU CHEF
Les filets de plie et de tilapia conviennent bien à cette recette. Le vin peut être substitué par du bouillon de légumes.

INFORMATION NUTRITIONNELLE PAR PORTION

Calories 230 | Densité énergétique 0,70 | Glucides 9 g | Matière grasse 8 g | Protéines 30 g | Fibres 3 g

Kebabs de thon et de fruits à la mode antillaise

C'est Jenny, une candidate au post-doctorat de mon laboratoire, qui a créé ce plat principal à son retour de la Jamaïque.

4 PORTIONS

125 ml (½ tasse) de jus de citron vert

250 ml (1 tasse) de jus d'orange

4 c. à soupe de miel

¼ c. à café (¼ c. à thé) de piment de la Jamaïque

¼ c. à café (¼ c. à thé) de thym séché

¼ c. à café (¼ c. à thé) de cayenne

480 g (1 lb) de darnes de thon coupées en 16 cubes de 2,5 cm (1 po)

¼ c. à café (¼ c. à thé) de sel

24 cubes d'ananas frais de 2,5 cm (1 po)

2 mangues pelées et dénoyautées, coupées en 24 morceaux

440 g (2 tasses) de riz brun à grain long, cuit

❖ Dans un petit bol, mélanger le jus de citron vert, le jus d'orange, le miel, le piment de la Jamaïque, le thym et le cayenne. Faire mariner le poisson dans 250 ml (1 tasse) de ce mélange pendant 1 h dans le réfrigérateur. Réserver le reste de la marinade.

❖ Préchauffer le gril.

❖ Retirer le thon de la marinade et saupoudrer de sel. Enfiler un morceau d'ananas, un de mangue et un autre de thon sur une brochette. Recommencer, puis ajouter un autre morceau de chaque fruit. Faire 8 brochettes de la même manière.

❖ Ranger les kebabs sur une plaque à pâtisserie vaporisée d'enduit végétal. Badigeonner les brochettes un peu de la marinade restante. Faire griller 3 min. Retourner les kebabs, badigeonner de nouveau et griller de 3 à 4 min de plus, jusqu'à ce que le poisson ne soit plus translucide et s'effeuille facilement à la fourchette.

❖ Servir les kebabs et le riz dans 4 assiettes.

CONSEIL DU CHEF

Ces kebabs peuvent aussi être cuits sur le gril du barbecue.

INFORMATION NUTRITIONNELLE PAR PORTION

Calories 420 | Densité énergétique 1,0 | Glucides 61 g | Matière grasse 7 g | Protéines 30 g | Fibres 4 g

Crevettes à la créole

Apprenez à apprécier les saveurs de La Nouvelle-Orléans avec cet impressionnant mets principal vite fait.

4 PORTIONS DE 1 ½ TASSE DE CREVETTES À LA CRÉOLE ET DE ¾ TASSE DE RIZ BRUN CHACUNE

120 g (1 tasse) de céleri en tranches
120 g (1 tasse) d'oignons hachés
2 c. à café (2 c. à thé) d'ail émincé
540 g (3 tasses) de tomates à l'étuvée
   en conserve
250 ml (1 tasse) de Sauce tomate au basilic
   frais (p. 214)
2 c. à café (2 c. à thé) d'assaisonnement
   au chili

2 c. à soupe de sauce Worcestershire
1 c. à soupe de sauce au piment fort
360 g (12 oz) de crevettes bouillies,
   décortiquées et déveinées
240 g (2 tasses) de poivrons verts en lanières
660 g (3 tasses) de riz brun, cuit

❖ Dans une grande poêle vaporisée d'enduit végétal, cuire le céleri, les oignons et l'ail à feu moyen environ 5 min pour les attendrir.
❖ Ajouter les tomates, la sauce tomate, l'assaisonnement au chili, la sauce Worcestershire et la sauce au piment fort. Laisser mijoter 45 min à découvert. Si la sauce devient trop épaisse, ajouter 125 ml (½ tasse) d'eau.
❖ Ajouter les crevettes et les poivrons. Laisser mijoter 5 min.
❖ Servir le riz et les crevettes à parts égales dans 4 assiettes.

INFORMATION NUTRITIONNELLE PAR PORTION

Calories 335 | Densité énergétique 0,60 | Glucides 60 g | Matière grasse 2 g | Protéines 19 g | Fibres 8 g

Riz sauté aux crevettes

Le goût remarquable de l'huile de sésame grillé ajoute une touche très spéciale à ce repas qui sera prêt en un clin d'œil.

4 PORTIONS DE 1 ½ TASSE CHACUNE

3 c. à café (3 c. à thé) d'huile de sésame grillé
360 g (12 oz) de petites crevettes, décortiquées et déveinées
2 c. à café (2 c. à thé) d'ail haché
2 c. à café (2 c. à thé) de gingembre frais, haché
120 g (1 tasse) de carottes hachées finement
180 g (1 tasse) de petits bouquets de brocoli
20 g (¼ tasse) d'oignons verts, hachés
120 g (1 tasse) de poivrons rouges ou verts, évidés et hachés

120 g (1 tasse) de petits pois, décongelés
440 g (2 tasses) de riz brun, cuit
1 c. à soupe de sauce soja à teneur réduite en sodium
1 c. à soupe de sauce hoisin
Une pincée de cayenne
1 œuf
1 blanc d'œuf

❖ Chauffer 1 c. à café (1 c. à thé) d'huile à feu moyen-vif dans une grande poêle ou un wok. Ajouter les crevettes, l'ail et le gingembre et faire sauter 3 min ou jusqu'à ce que les crevettes soient roses et opaques. Transvider dans une assiette et couvrir pour garder chaud.

❖ Ajouter 2 c. à café (2 c. à thé) d'huile dans la poêle et faire sauter les carottes, le brocoli, les oignons verts, les poivrons et les pois pendant 2 minutes.

❖ Ajouter le riz, la sauce soja, la sauce hoisin, le cayenne et les crevettes. Faire sauter environ 3 min pour bien réchauffer.

❖ Dans un petit bol, mélanger l'œuf et le blanc d'œuf. Verser dans la poêle et cuire en remuant de temps à autre.

INFORMATION NUTRITIONNELLE PAR PORTION

Calories 325 | Densité énergétique 1,1 | Glucides 39 g | Matière grasse 8 g | Protéines 26 g | Fibres 6 g

Pour créer un plat végétarien, remplacez les crevettes par 180 g (6 oz) de tofu.

POUR FAIRE UN PLAT DE RÉSISTANCE DE 325 CALORIES

TRADITIONNEL	COMMENT DIMINUER LA DENSITÉ ÉNERGÉTIQUE	VOLUMETRICS
Riz frit aux crevettes et aux arachides	☺ Diminuer la quantité d'huile ☺ Omettre les arachides ☺ Ajouter plus légumes	Riz sauté aux crevettes

Gibelotte de poisson fiesta

Ce mets à faible teneur en densité énergétique allumera vos papilles grâce à ses vives saveurs du Sud-Ouest.

4 PORTIONS DE 1 ¾ TASSE CHACUNE

250 ml (1 tasse) de fumet de poisson
    ou de jus de myes
250 ml (1 tasse) de bouillon de légumes
80 ml (⅓ tasse) de vin blanc sec
2 c. à soupe de jus de citron vert
1 gros oignon d'environ 180 g (6 oz),
    en quartiers de 1,25 cm (½ po)
2 échalotes minces
1 piment jalapeño épépiné et coupé
    en fines tranches

½ c. à café (1 ½ c. à thé) de sel
Une pincée de poivre noir du moulin
300 g (3 tasses) de courgettes hachées
3 tomates prunes épépinées et hachées
    finement
480 g (1 lb) de filets d'églefin en morceaux
    de 3 cm (1 ¼ po)
2 c. à soupe de vinaigre de vin blanc
30 g (1 tasse) de coriandre fraîche, hachée

❖ Faire cuire le fumet, le bouillon, le vin, le jus de citron vert, les oignons, les échalotes, l'ail, les piments, le sel et le poivre dans une casserole de 4 à 5 litres (16 à 20 tasses) jusqu'à ce que le liquide commence à mijoter. Laisser cuire à découvert pendant 15 min.

❖ Ajouter les courgettes et les tomates. Quand le liquide commence à mijoter, ajouter le poisson et cuire 2 min, jusqu'à ce qu'il ne soit plus translucide et s'effeuille facilement à la fourchette. Incorporer le vinaigre et la coriandre. Verser dans 4 bols.

CONSEIL DU CHEF

Tous les filets de poissons blancs tels que la sole ou la plie peuvent remplacer l'églefin.

INFORMATION NUTRITIONNELLE PAR PORTION

Calories 185 | Densité énergétique 0,40 | Glucides 13 g | Matière grasse 2 g | Protéines 26 g | Fibres 3 g

11

Volaille

La volaille est un aliment de choix pour ceux qui rêvent de perdre du poids. Elle fournit les protéines nécessaires pour augmenter la sensation de satiété et elle peut être faible en densité énergétique. Toutefois, manger du poulet frit ou avec la peau augmente considérablement le nombre de calories. La peau garde la chair tendre pendant la cuisson et très peu du gras qu'elle contient est absorbé pendant la cuisson. Vous pouvez donc laisser la peau si vous le souhaitez, mais ne la mangez pas. La peau double la quantité de gras et ajoute de 20 à 40 calories par portion de 90 g (3 oz).

Les coupes de dinde et de poulet sans os et sans peau procurent une source de protéines intéressante et versatile. Je les utilise dans plusieurs recettes faciles à préparer et faible en calories telles que le Poulet parmesan (p. 188) et les Rouleaux de dinde à l'italienne (p. 194). Vous pouvez utiliser les restes de poulet dans votre lunch du lendemain. Essayez les Sandwiches à la salade de poulet et aux amandes (p. 110) et la Salade de poulet thaï (p. 135) par exemple.

Voici quelques conseils pour faire de meilleurs choix.

❖ L'auto-arrosage des dindes et des poulets entiers est rendue possible grâce à du gras que l'on a injecté dans la chair. Ce surplus de gras n'est pas nécessaire pour garder la chair juteuse. Il ne s'agit en fait que de calories supplémentaires inutiles.

❖ La volaille hachée peut contenir de la peau, ce qui ajoute du gras et des calories inutiles. Lisez bien les étiquettes en vous assurant que le contenu en gras est le plus bas possible. Vous pouvez aussi acheter un morceau de volaille maigre et demander au boucher de le hacher.

❖ Lorsque vous achetez du poulet précuit congelé ou commandez du poulet du restaurant, assurez-vous que la volaille n'a pas été façonnée à partir de parties de volaille variées ou préparée de façon industrielle. Il pourrait contenir de la peau.

❖ La chair brune, sans peau, contient plus de gras et de calories que la chair blanche. Par exemple, 90 g (3 oz) de viande brune sans peau cuite au four contiennent environ 150 calories tandis que la même quantité de viande blanche sans peau n'en contient que 120.

❖ La consommation de poulet a augmenté au cours des dernières années et elle est très en demande dans les restaurants. Pour faire un choix judicieux pour votre Plan alimentaire Volumetrics, commandez-le grillé, cuit au four ou rôti. Enlevez toute la peau et demandez que l'on vous serve aussi des légumes.

❖ Faites de vos casseroles de poulet de véritable choix Volumetrics en leur ajoutant plus de légumes.

Poulet parmesan

Voici une belle recette pour remplacer le poulet frit. Un mets faible en matière grasse, mais riche en saveur !

4 PORTIONS

1 c. à café (1 c. à thé) d'huile d'olive extravierge
½ c. à café (1 ½ c. à thé) d'ail émincé
60 ml (¼ tasse) de sauce au piment fort
1 blanc d'œuf
¼ c. à café (¼ c. à thé) de sel

60 g (½ tasse) de parmesan râpé
25 g (½ tasse) de chapelure (p. 162)
7 g (¼ tasse) de coriandre fraîche, émincée
4 demi-poitrines (blancs) de poulet désossées
   et sans peau de 120 g (4 oz) chacune

❖ Préchauffer le four à 180 °C (350 °F). Vaporiser légèrement une plaque à pâtisserie d'enduit végétal.
❖ Dans un bol peu profond, fouetter l'huile, l'ail, la sauce au piment fort, le blanc d'œuf, le sel et 2 c. à café (2 c. à thé) d'eau.
❖ Dans un autre bol peu profond, mélanger le parmesan, la chapelure et la coriandre.
❖ Tremper une demi-poitrine dans le blanc d'œuf et l'enrober ensuite complètement de chapelure. Étendre la volaille sur la plaque et procéder ainsi avec le poulet restant. Vaporiser légèrement d'enduit végétal et cuire au four 35 min.

CONSEIL DU CHEF

Pour obtenir un goût différent, remplacez la sauce au piment fort par de la sauce Worcestershire et la coriandre par du persil plat frais.

INFORMATION NUTRITIONNELLE PAR PORTION

Calories 200 | Densité énergétique 1,8 | Glucides 11 g | Matière grasse 6 g | Protéines 24 g | Fibres 1 g

Poulet à la provençale

Votre cuisine sera remplie d'arômes du Sud de la France lorsque vous cuisinerez ce plat de résistance.

4 PORTIONS

1 c. à soupe d'huile d'olive extravierge
4 demi-poitrines (blancs) de poulet désossées
    et sans peau de 120 g (4 oz) chacune
60 g (½ tasse) d'oignons hachés
1 c. à café (1 c. à thé) de sel
Une pincée de poivre noir du moulin
125 ml (½ tasse) de vin blanc sec

270 g (1 ½ tasse) de tomates en dés
    en conserve, avec leur liquide
30 g (¼ tasse) d'olives kalamata ou
    autres olives dans la saumure
1 c. à soupe d'origan frais, haché
1 c. à soupe de persil plat frais, haché

❖ Chauffer l'huile à feu moyen-vif dans une grande poêle. Ajouter le poulet, les oignons, l'ail, le sel et le poivre. Faire sauter le poulet environ 3 min de chaque côté, jusqu'à ce qu'il commence à dorer légèrement.

❖ Ajouter le vin et porter à ébullition. Ajouter les tomates, les olives et l'origan. Remettre à ébullition. Baisser le feu, couvrir partiellement et cuire environ 6 min, jusqu'à ce que le poulet ne soit plus rosé.

❖ Garder le poulet au chaud dans une assiette. Cuire la sauce de 2 à 3 min, jusqu'à léger épaississement. Verser sur le poulet et garnir de persil.

CONSEIL DU CHEF
La marjolaine fera tout aussi bien l'affaire que l'origan dans cette recette.

INFORMATION NUTRITIONNELLE PAR PORTION

Calories 165 | Densité énergétique 0,70 | Glucides 6 g | Matière grasse 5 g | Protéines 18 g | Fibres 1 g

Poulet au merlot

Ce plat rappelle les bonnes senteurs de la cuisine campagnarde française.

4 PORTIONS

4 demi-poitrines (blancs) de poulet désossées et sans peau de 120 g (4 oz) chacune

30 g (¼ tasse) de farine tout usage

1 c. à café (1 c. à thé) de thym séché

½ c. à café (1 ½ c. à thé) de sel

2 c. à café (2 c. à thé) d'huile d'olive extravierge

360 g (3 tasses) de champignons en quartiers

240 g (2 tasses) de carottes en tranches

4 morceaux de bacon de dos coupés en tranches de 6 mm (¼ po) de largeur

160 ml (⅔ tasse) de merlot ou d'un autre vin rouge sec

160 ml (⅔ tasse) de bouillon de poulet à teneur réduite en matière grasse et en sodium

2 c. à café (2 c. à thé) de pâte de tomates

7 g (¼ tasse) de persil plat frais, haché

❖ Couper chaque demi-poitrine en travers en 3 morceaux.

❖ Mélanger la farine, le thym et le sel dans un sac de plastique à fermeture hermétique. Ajouter le poulet, sceller le sac et secouer vigoureusement. Retirer le poulet et secouer le surplus de farine.

❖ Vaporiser légèrement une grande poêle d'enduit végétal. Verser 1 c. à café (1 c. à thé) d'huile et chauffer à feu moyen-vif. Ajouter le poulet et cuire environ 5 min, en remuant, jusqu'à ce que le poulet soit légèrement doré de chaque côté. Retirer le poulet et réserver.

❖ Ajouter 1 c. à café (1 c. à thé) d'huile dans la poêle et faire sauter les champignons, les carottes et le bacon pendant 2 min. Incorporer le vin, le bouillon et la pâte de tomates. Cuire 10 minutes en remuant de temps à autre.

❖ Remettre le poulet dans la poêle et cuire de 4 à 5 min, jusqu'à ce que le centre ne soit plus rosé.

❖ Servir dans 4 assiettes, garnir de persil et servir.

INFORMATION NUTRITIONNELLE PAR PORTION

Calories 240 | Densité énergétique 0,70 | Glucides 15 g | Matière grasse 6 g | Protéines 26 g | Fibres 3 g

Servez ce poulet avec des pommes de terre bouillies, des nouilles de blé entier ou des pâtes courtes de blé entier telles que les pennes (plumes) ou les fusillis (spirales).

POUR FAIRE UN PLAT DE RÉSISTANCE DE 240 CALORIES

TRADITIONNEL	COMMENT DIMINUER LA DENSITÉ ÉNERGÉTIQUE	VOLUMETRICS
Coq au vin	☺ Utiliser le blanc de volaille sans peau au lieu de la viande brune ☺ Diminuer la quantité d'huile ☺ Ajouter plus légumes ☺ Acheter du bacon de dos au lieu du bacon régulier	Poulet au merlot

Casserole de poulet à la mexicaine

Voici une casserole au goût relevé qui cuira en très peu de temps.

4 PORTIONS DE 2 ½ TASSES CHACUNE

4 demi-poitrines (blancs) de poulet désossées
    et sans peau de 120 g (4 oz) chacune
Sel et poivre noir du moulin
2 c. à soupe d'huile d'olive extravierge
180 g (1 ½ tasse) d'oignons hachés
120 g (1 tasse) de poivrons verts, évidés
    et hachés
120 g (1 tasse) de céleri en dés
1 c. à café (1 c. à thé) d'ail haché
2 c. à café (2 c. à thé) d'origan séché

1 litre (4 tasses) de bouillon de poulet à teneur
    réduite en matière grasse et en sodium
300 g (1 ½ tasse) de maïs, décongelé
270 g (1 ½ tasse) de tomates en dés
    en conserve, avec leur liquide
180 g (3 tasses) d'épinards miniatures
¼ c. à café (¼ c. à thé) de sauce au piment
    fort
125 g (½ tasse) de yogourt nature écrémé
20 g (¼ tasse) d'oignons verts, hachés

- ❖ Couper le poulet en cubes de 2,5 cm (1 po). Saler et poivrer légèrement.
- ❖ Chauffer 1 c. à café (1 c. à thé) d'huile à feu moyen-vif dans une casserole de 4 à 5 litres (16 à 20 tasses). Faire dorer légèrement le poulet environ 5 min en remuant. Réserver le poulet dans un bol. Baisser le feu et ajouter 1 c. à soupe d'huile dans la casserole. Cuire les oignons, les poivrons, le céleri et l'ail 5 min en remuant souvent. Ajouter l'origan, le bouillon et ½ c. à café (½ c. à thé) de sel. Laisser mijoter 10 min.
- ❖ Ajouter le maïs, les tomates et le poulet. Laisser mijoter 10 minutes en remuant de temps à autre. Incorporer les épinards et la sauce au piment fort.
- ❖ Verser dans 4 bols. Servir le yogourt et les oignons verts dans des petits bols individuels.

POUR FAIRE UN PLAT DE RÉSISTANCE DE 325 CALORIES

TRADITIONNEL	COMMENT DIMINUER LA DENSITÉ ÉNERGÉTIQUE	VOLUMETRICS
Casserole mexicaine	☺ Utiliser le blanc de volaille sans peau au lieu de la viande brune ☺ Diminuer la quantité d'huile ☺ Ajouter plus légumes ☺ Omettre les tortillas	Casserole de poulet à la mexicaine

INFORMATION NUTRITIONNELLE PAR PORTION

Calories 325 | Densité énergétique 0,50 | Glucides 24 g | Matière grasse 11 g | Protéines 34 g | Fibres 6 g

Dinde sautée et légumes croquants

Les escalopes de dinde représentent une bonne source de protéines maigres.

4 PORTIONS DE ½ TASSE DE RIZ ET DE ¾ TASSE DE DINDE SAUTÉE CHACUNE

1 c. à café (1 c. à thé) de fécule de maïs
3 c. à soupe de sauce soja
1 c. à café (1 c. à thé) d'huile végétale
3 tranches de gingembre frais de 3 mm (⅛ po)
   d'épaisseur
480 g (1 lb) d'escalopes de poitrine de dinde,
   en cubes de 1,25 cm (½ po)
1 c. à café (1 c. à thé) d'huile de sésame
100 g (1 tasse) de chou vert, émincé
60 g (½ tasse) d'oignons en tranches

120 g (1 tasse) de bâtonnets de céleri
   de 2,5 cm (1 po) de longueur
120 g (1 tasse) de bâtonnets de poivron vert
   de 2,5 cm (1 po) de longueur
120 g (1 tasse) de bâtonnets de carotte
   de 2,5 cm (1 po) de longueur
1 c. à café (1 c. à thé) d'ail haché
¼ c. à café (¼ c. à thé) de poivre noir
   du moulin
440 g (2 tasses) de riz brun, cuit

❖ Dans un petit bol, mélanger la fécule de maïs avec 4 c. à soupe d'eau froide pour obtenir une pâte légère. Incorporer la sauce soja et réserver.

❖ Chauffer l'huile végétale à feu vif dans une grande poêle ou un wok antiadhésif. Lorsque l'huile est chaude, ajouter le gingembre et faire sauter 1 min. Retirer le gingembre à l'aide d'une cuillère à égoutter et jeter.

❖ Ajouter la dinde dans la poêle et faire sauter 3 min. Mettre la dinde dans un bol à l'aide d'une cuillère à égoutter et réserver.

❖ Baisser le feu à moyen-vif et ajouter l'huile de sésame. Ajouter tous les légumes et le poivre. Faire sauter 3 min.

❖ Remuer la fécule de maïs et verser sur la dinde. Faire sauter 2 minutes.

❖ Servir le riz et le sauté dans 4 assiettes.

INFORMATION NUTRITIONNELLE PAR PORTION

Calories 300 | Densité énergétique 0,80 | Glucides 34 g | Matière grasse 5 g | Protéines 31 g | Fibres 5 g

Rouleaux de dinde à l'italienne

Ce plat est très beau et il impressionnera assurément vos invités.

4 PORTIONS

480 g (1 lb) d'escalopes de poitrine de dinde, coupées en 4 morceaux de même grosseur
4 c. à café (4 c. à thé) de pâtes de tomates
15 g (½ tasse) de feuilles de basilic frais, bien tassées
½ c. à café (½ c. à thé) d'ail émincé

Sel et poivre noir du moulin
1 c. à soupe de lait écrémé
2 c. à soupe de farine de blé entier
125 ml (½ tasse) de Sauce tomate au basilic frais (p. 214)

❖ Placer la grille à environ 12 à 15 cm (5 à 6 po) de l'élément chauffant du four et préchauffer le gril.

❖ Mettre la dinde sur une surface de travail et couvrir avec une feuille de pellicule plastique. Aplatir les escalopes à environ 6 mm (¼ po) d'épaisseur à l'aide d'un petit maillet ou d'un rouleau à pâtisserie. Retirer le papier.

❖ Étendre 1 c. à café (1 c. à thé) de pâtes de tomates sur chaque morceau de dinde. Couvrir de basilic, ajouter l'ail, saler et poivrer.

❖ En commençant par le côté le plus étroit, rouler chaque escalope en serrant bien. Faire tenir à l'aide d'un cure-dent. Badigeonner les rouleaux de lait et saupoudrer légèrement de farine.

❖ Ranger les rouleaux sur une plaque à pâtisserie et faire griller 20 min, en retournant de temps à autre, jusqu'à ce qu'ils soient cuits. Chauffer la sauce dans une petite casserole.

❖ Retirer les cure-dents et découper chaque rouleau en travers en morceaux de 2,5 cm (1 po). Servir dans 4 assiettes et napper chaque portion avec 2 c. à soupe de sauce tomate. Garnir avec 1 ou 2 feuilles de basilic.

INFORMATION NUTRITIONNELLE PAR PORTION

Calories 140 | Densité énergétique 1,0 | Glucides 4 g | Matière grasse 2 g | Protéines 28 g | Fibres 1 g

12

Légumineuses, riz et céréales

Les légumineuses

Les légumineuses renferment plusieurs éléments nutritifs. Elles sont riches en protéines, en fibres et en vitamines telles que l'acide folique. Les légumineuses sont une famille de plantes qui donnent des gousses comestibles incluant les pois, les haricots secs, les lentilles, les haricots de soja et les arachides. Une tasse de légumineuses fournit environ la moitié de la quantité de fibres recommandée chaque jour. Cela continue à augmenter et à prolonger la sensation de satiété. Pour les végétariens, les légumineuses, dont le tofu fait partie, sont une importante source de protéines.

La plupart d'entre nous ne sont pas assez audacieux quand vient le temps de cuisiner les légumineuses. Consultez divers livres de cuisine du monde entier et vous verrez qu'elles sont abondamment utilisées dans les soupes, les chilis et les plats au four. J'ai inclus des recettes qui vous initieront à différentes façons de les incorporer à votre alimentation. Essayez les Haricot rouges et riz des bayous (p. 200) et le Cari aux pois chiches (p. 159). Voici d'autres idées intéressantes.

- ❖ Ajoutez des légumineuses en purée dans vos plats de viande tels que la sauce à spaghetti ou le pain de viande.
- ❖ Faites un pilaf nourrissant avec des oignons et des poivrons sautés que vous mélangerez à des légumineuses.
- ❖ Ajoutez des haricots noirs aux plats mexicains tels que les tacos et les tortillas.
- ❖ Mettez un peu de pois cassés ou de haricots secs dans vos ragoûts, vos pot-au-feu et vos plats en casserole.
- ❖ Ajoutez des haricots ou des pois à vos salades pour augmenter leur teneur en fibres. Essayez la Salade de thon aux haricots cannellinis (p. 141).
- ❖ Remplacez la viande, la volaille ou le poisson par le tofu dans les ragoûts, les gibelottes, les soupes et les plats sautés. La recette de Nouilles et tofu sautés à la thaïlandaise (p. 154) mérite d'être essayée.

Vous pouvez acheter des légumineuses en conserve. Elles sont pratiques et la plupart de leurs nutriments sont encore intacts. Rincez-les et égouttez-les bien, ce qui enlèvera le sel ajouté et éliminera les composantes qui peuvent causer des flatulences.

À ce propos, si vous mangez soudainement plus de légumineuses et de céréales entières afin d'enrichir votre alimentation en fibres, procédez graduellement. Des études démontrent que si vous en ajoutez environ 5 g par jour pendant une semaine, votre corps s'adaptera sans difficulté. Par exemple, si vous en consommez 15 g par jour maintenant, prenez-en 20 g par jour pendant une semaine, puis 25 g la semaine suivante, jusqu'à ce que vous atteigniez votre but de 30 à 35 g par jour.

Riz

Le riz est l'un des aliments les plus importants pour les êtres humains. Il fournit 20 p. cent des calories absorbées dans le monde entier et dans certains pays asiatiques il représente plus de la moitié des calories consommées. On trouve plus de 40 000 variétés de riz à travers le monde. Malgré cette variété impressionnante, nous nous contentons souvent de riz blanc à grain long parce qu'il cuit facilement et que son goût fade permet de l'intégrer à plusieurs plats, Malheureusement, on a éliminé les couches de son, riches en nutriments et en fibres, qui recouvrent ses grains. Le riz brun contient toutes ces couches, ce qui le rend riche en nutriments et en fibres. Sa densité énergétique est plus basse que celle du riz blanc (1,1 calorie par g comparé à 1,3). Le riz brun est agréable à mastiquer et il a un léger goût de noisette qui ne convient pas à toutes les recettes. Le riz que l'on trouve au supermarché se divise en trois principales variétés.

- ❖ Le riz à grain long a un long grain effilé. Le riz basmati et le riz au jasmin font partie de cette catégorie. Les grains cuits se séparent facilement (non collants). Ils sont légers et duveteux. Le riz à grain long n'est pas recommandé pour les salades froides et les poudings parce qu'il durcit en refroidissant.
- ❖ Le riz à grain moyen a un grain plus court et plus large que le riz à grain long. Il est plus collant une fois cuit. On l'utilise souvent dans les recettes de consistance crémeuse comme les poudings et certains types de salades.
- ❖ Le riz à grain court a évidemment un grain court, presque rond. En cuisant, il devient mou et collant. Il est très prisé dans la cuisine traditionnelle chinoise et les sushis.

Céréales

Vous savez que vous devez rechercher les céréales et les pains composés de grains entiers pour le petit-déjeuner. Le riz brun entier contient plus de fibres et de nutriments que le riz blanc. Permettez-moi de vous rappeler pourquoi les céréales entières sont préférables aux autres. La controverse entourant la quantité de glucides que nous mangeons vient du fait que plusieurs personnes tirent la plus grande partie de leurs calories quotidiennes dans les produits transformés et raffinés riches en sucres et en amidons. Nous devrions pourtant manger nos glucides sous forme de céréales entières principalement. Au lieu de consommer des biscuits, des gâteaux et des sodas, nous devrions trouver des sources alimentaires plus nourrissantes. En plus des céréales et des pains de grains entiers, voici quelques aliments auxquels vous n'aviez peut-être pas pensé.

- ❖ Le maïs, et même le maïs soufflé, font partie des céréales entières. La semoule de maïs que l'on trouve entre autres dans les tortillas n'est pas une céréale entière puisqu'on a enlevé une partie du son qu'elle contenait à l'origine.

❖ Le boulghour est fait de grains de blé qui ont été précuits à la vapeur, décortiqués et concassés grossièrement. Il a un léger goût de noisette et une texture croquante. Il cuit rapidement et peut être incorporé dans plusieurs recettes délicieuses dont les Poivrons farcis au boulghour et aux légumes (p. 160).

❖ D'autres céréales méritent de figurer dans votre menu : l'orge, le sarrasin et le kasha, le millet et le quinoa. Suivez les indications inscrites sur l'emballage pour préparer des mets d'accompagnement ou ajoutez-les simplement à des soupes ou à des plats en casserole. Le Quinoa au citron vert de mon amie Mary (p. 203) est un plat d'accompagnement savoureux et facile à préparer.

Chili au bœuf et aux légumes

Voici notre version du chili traditionnel. Il est tout aussi appétissant, mais sa densité énergétique est plus basse.

8 PORTIONS DE **1 ¾** TASSE CHACUNE

480 g (1 lb) de bœuf haché 95 % maigre
240 g (2 tasses) d'oignons hachés
3 c. à soupe d'ail haché
120 g (1 tasse) de poivrons verts, évidés et hachés
¾ c. à café (¾ c. à thé) de sel
¼ c. à café (¼ c. à thé) de poivre noir du moulin
3 c. à soupe d'assaisonnement au chili
2 c. à café (2 c. à thé) de cumin

540 g (3 tasses) de tomates broyées en conserve
750 ml (3 tasses) de bouillon de bœuf à teneur réduite en matière grasse et en sodium
600 g (3 tasses) de haricots rouges en conserve, rincés et égouttés
120 g (1 tasse) de céleri haché
240 g (2 tasses) de carottes émincées
100 g (1 tasse) de courgettes hachées
1 c. à soupe de sauce au piment fort

❖ Vaporiser légèrement une casserole de 4 à 5 litres (16 à 20 tasses) d'enduit végétal. Chauffer à feu moyen-vif jusqu'à ce qu'elle soit chaude. Émietter la viande dans la casserole, puis ajouter les oignons, l'ail, les poivrons, le sel et le poivre. Cuire, en remuant de temps à autre, jusqu'à ce que la viande commence à être colorée. Égoutter le liquide.

❖ Baisser le feu à moyen et ajouter l'assaisonnement au chili et le cumin. Ajouter les autres ingrédients et 250 ml (1 tasse) d'eau. Porter à ébullition et remuer. Couvrir, baisser le feu et laisser mijoter 45 min en remuant de temps à autre.

INFORMATION NUTRITIONNELLE PAR PORTION

Calories 315 | Densité énergétique 0,70 | Glucides 31 g | Matière grasse 11 g | Protéines 25 g | Fibres 11 g

CONSEIL DU CHEF
Utilisez les restes de chili pour napper des pommes de terre cuites au four.

POUR FAIRE UN PLAT DE RÉSISTANCE DE 315 CALORIES		

TRADITIONNEL	**COMMENT DIMINUER LA DENSITÉ ÉNERGÉTIQUE**	**VOLUMETRICS**
Chili au bœuf	☺ Utiliser du bœuf haché maigre sans mettre d'huile ☺ Ajouter plus légumes	Chili au bœuf et aux légumes

Haricots rouges et riz des bayous

Ce mets ressemble au plat traditionnel, mais il ne contient presque pas de gras. Gardez cette recette à portée de la main pour les soirs où vous aurez envie de préparer le repas le plus vite possible.

4 PORTIONS DE 1 ½ TASSE CHACUNE

120 g (1 tasse) d'oignons hachés
2 c. à café (2 c. à thé) d'ail émincé
800 g (4 tasses) de haricots rouges
   en conserve, rincés et égouttés
120 g (1 tasse) de poivrons rouges, évidés
   et coupés en dés

120 g (1 tasse) de poivrons verts, évidés
   et coupés en dés
2 c. à café (2 c. à thé) de cumin
1 ½ c. à café (1 ½ c. à thé) de sauce au piment
   fort
440 g (2 tasses) de riz brun, cuit

❖ Vaporiser légèrement une grande poêle antiadhésive d'enduit végétal et chauffer à feu moyen-vif. Ajouter les oignons et l'ail et cuire 5 min en remuant.
❖ Ajouter les haricots rouges, les poivrons, le cumin, la sauce au piment fort et 125 ml (½ tasse) d'eau. Couvrir et laisser mijoter 20 min.
❖ Servir les haricots rouges sur un lit de riz.

CONSEIL DU CHEF

On peut garnir ce plat d'oignons verts hachés. Le riz blanc est excellent avec ce mets, mais le riz brun contient plus de fibres et d'éléments nutritifs.

POUR FAIRE UN PLAT DE RÉSISTANCE DE 300 CALORIES

TRADITIONNEL	COMMENT DIMINUER LA DENSITÉ ÉNERGÉTIQUE	VOLUMETRICS
Haricot rouges et riz au jambon	☺ Omettre la viande grasse, l'huile et le lard ☺ Ajouter des poivrons et plus d'oignons	Haricot rouges et riz des bayous

INFORMATION NUTRITIONNELLE PAR PORTION

Calories 300 | Densité énergétique 0,90 | Glucides 60 g | Matière grasse 1 g | Protéines 14 g | Fibres 15 g

Paelle Sencillo

Cette variante simplifiée du fameux mets traditionnel espagnol est délicieuse et nécessite moins d'une heure de préparation.

120 g (4 oz) de saucisses de dinde kielbassa
1 c. à soupe d'huile végétale
120 g (4 oz) de poitrines (blancs) de poulet désossées et sans peau, coupées en cubes de 1,25 cm (½ po)
60 g (½ tasse) d'oignons hachés
150 g (¾ tasse) de riz à grain long
1 c. à café (1 c. à thé) d'ail haché
¼ c. à café (¼ c. à thé) de filaments de safran broyés ou de curcuma moulu
300 ml (1 ¼ tasse) de bouillon de poulet à teneur réduite en matière grasse et en sodium

175 ml (¾ tasse) de fumet de poisson ou de jus de myes
¼ c. à café (¼ c. à thé) de sel
¼ c. à café (¼ c. à thé) de poivre noir du moulin
120 g (1 tasse) de petits pois miniatures, décongelés
120 g (4 oz) de crevettes moyennes, décortiquées et déveinées
4 quartiers de citron

❖ Préchauffer le gril.
❖ Faire griller les saucisses 7 min de chaque côté. Découper en deux sur la longueur, puis en biais en morceaux de 1,25 cm (½ po) d'épaisseur. Réserver.
❖ Vaporiser légèrement une grande poêle ou une poêle à paella d'enduit végétal. Ajouter 1 c. à café (1 c. à thé) d'huile et chauffer à feu moyen. Ajouter le poulet et cuire 7 min en remuant. Mettre le poulet dans un bol à l'aide d'une cuillère à égoutter et réserver.
❖ Ajouter 2 c. à café (2 c. à thé) d'huile, les oignons, le riz et l'ail dans la poêle. Cuire 4 min en remuant souvent. Mélanger le safran avec le bouillon et verser dans la poêle. Ajouter le fumet de poisson, le sel et le poivre. Couvrir et laisser mijoter 30 min.
❖ Ajouter les saucisses, le poulet, les petits pois et les crevettes. Couvrir et cuire environ 5 min, jusqu'à ce que les crevettes soient cuites. Servir la paella avec des quartiers de citron.

INFORMATION NUTRITIONNELLE PAR PORTION

Calories 325 | Densité énergétique 1,2 | Glucides 41 g | Matière grasse 8 g | Protéines 22 g | Fibres 3 g

Pilaf aux légumes

Dans le pilaf classique, on fait sauter le riz dans du beurre et de l'huile avant d'ajouter le liquide. En ajoutant des légumes qui mijotent avec le riz, nous avons diminué la densité énergétique de ce mets.

2 c. à café (2 c. à thé) de beurre non salé
60 g (½ tasse) d'oignons hachés
100 g (½ tasse) de riz blanc à grain long
125 ml (½ tasse) de bouillon de légumes
75 g (½ tasse) d'asperges fines, parées
et coupées en dés

60 g (½ tasse) de champignons hachés
¼ c. à café (¼ c. à thé) d'estragon séché
¼ c. à café (¼ c. à thé) de sel
50 g (½ tasse) de courgettes en dés
60 g (½ tasse) de petits pois miniatures,
décongelés

❖ Faire fondre le beurre à feu moyen dans une casserole antiadhésive de 4 à 5 litres (16 à 20 tasses). Ajouter les oignons et cuire 3 min. Ajouter le riz et remuer pour bien l'enduire de beurre.

❖ Ajouter 125 ml (½ tasse) d'eau, le bouillon, les asperges, les champignons, l'estragon et le sel. Quand le liquide commence à mijoter, couvrir et cuire à feu doux de 16 à 20 min, jusqu'à ce que le riz soit tendre et que tout le liquide soit absorbé.

❖ Ajouter les courgettes et les petits pois. Couvrir et laisser reposer 3 min avant de servir.

INFORMATION NUTRITIONNELLE PAR PORTION

Calories 135 | Densité énergétique 0,90 | Glucides 25 g | Matière grasse 2 g | Protéines 4 g | Fibres 2 g

Quinoa au citron vert de mon amie Mary

Le quinoa est un sarrasin au léger goût de noisette qui est cultivé en Amérique du Sud depuis des siècles. Servez ce plat léger et rafraîchissant comme mets d'accompagnement. Mary est une collègue et amie qui se fait toujours une joie de partager ses recettes préférées inspirées de la philosophie du Plan alimentaire Volumetrics.

4 PORTIONS DE ¾ TASSE CHACUNE

4 c. à soupe de jus de citron vert

1 c. à soupe d'huile d'olive extravierge

1 c. à soupe + 250 ml (1 tasse) de bouillon de légumes

1 c. à soupe de piment jalapeño épépiné et haché finement

3 c. à soupe de coriandre fraîche, hachée

½ c. à café (½ c. à thé) de sucre

¼ c. à café (¼ c. à thé) de sel

⅛ c. à café (⅛ c. à thé) de poivre noir du moulin

60 g (½ tasse) de quinoa

1 c. à café (1 c. à thé) de graines de cumin grillées (p. 84)

200 g (1 tasse) de haricots noirs en conserve, rincés et égouttés

120 g (1 tasse) de poivrons orange, évidés et hachés

120 g (1 tasse) de poivrons rouges, évidés et hachés

3 c. à soupe d'oignons verts, hachés

❖ Dans un bol moyen, fouetter le jus de citron vert, l'huile, 1 c. à soupe de bouillon, le piment, la coriandre, le sucre, le sel et le poivre. Réserver.

❖ Porter 250 ml (1 tasse) de bouillon à ébullition dans une petite casserole. Ajouter le quinoa et les graines de cumin. Couvrir et laisser mijoter 10 min, jusqu'à ce que le bouillon soit absorbé.

❖ Mélanger les haricots noirs, les poivrons et les oignons verts dans un grand bol. Défaire le quinoa à l'aide d'une fourchette et mélanger avec les légumes. Ajouter la vinaigrette, remuer doucement et laisser refroidir 1 h dans le réfrigérateur.

CONSEIL DU CHEF

On trouve le quinoa dans les grandes épiceries et les supermarchés, les boutiques d'aliments naturels et certains marchés spécialisés.

INFORMATION NUTRITIONNELLE PAR PORTION

Calories 195 | Densité énergétique 0,77 | Glucides 32 g | Matière grasse 5 g | Protéines 7 g | Fibres 6 g

Risotto primavera

Voici une variante du risotto traditionnel que nous avons réussi à alléger en matière grasse.

4 PORTIONS DE 1 ½ TASSE CHACUNE

375 ml (1 ½ tasse) de bouillon de légumes
1 c. à soupe d'huile d'olive extravierge
120 g (1 tasse) d'oignons hachés
120 g (1 tasse) de haricots verts, équeutés et coupés en dés
120 g (1 tasse) de poivrons rouges, évidés et hachés
120 g (1 tasse) de carottes en dés

1 c. à soupe + 7 g (¼ tasse) de basilic frais, haché
1 c. à café (1 c. à thé) d'ail haché
200 g (1 tasse) de riz à grain court
125 ml (½ tasse) de vin blanc sec
1 c. à soupe de parmesan râpé
Une pincée de poivre noir du moulin

❖ Faire mijoter le bouillon et 375 ml (1 ½ tasse) d'eau dans une casserole. Laisser à feu doux.

❖ Chauffer l'huile à feu moyen dans une casserole antiadhésive de 4 à 5 litres (16 à 20 tasses). Ajouter les oignons, les haricots verts, les poivrons, les carottes, 1 c. à soupe de basilic et l'ail. Cuire 6 min en remuant.

❖ Ajouter le riz et cuire 2 min en remuant sans cesse.

❖ Ajouter le vin et 250 ml (1 tasse) de bouillon. Cuire en remuant sans cesse jusqu'à ce que le liquide soit presque complètement absorbé. Ajouter le bouillon restant, 125 ml (½ tasse) à la fois, et remuer souvent. Attendre que le liquide soit absorbé avant d'ajouter la quantité de liquide suivante. Le temps de cuisson total sera de 25 à 30 min.

❖ Retirer le risotto du feu. Incorporer le parmesan et poivrer au goût.

❖ Servir le risotto à parts égales dans 4 assiettes et garnir avec le basilic restant.

INFORMATION NUTRITIONNELLE PAR PORTION

Calories 290 | Densité énergétique 1,0 | Glucides 51 g | Matière grasse 5 g | Protéines 6 g | Fibres 5 g

Le vin peut être remplacé par du bouillon de légumes. Même si le riz italien arborio convient parfaitement à la préparation du risotto, n'importe quel riz à grain court peut aussi donner un excellent résultat. Le risotto peut être préparé une heure d'avance. Pour ce faire, réservez 250 ml (1 tasse) de bouillon. Cessez la préparation dès que le bouillon est épuisé. Retirez la casserole du feu, couvrez et réservez. Lorsque vous êtes prêt, retirez le couvercle et réchauffez doucement à feu doux en remuant sans cesse afin que le riz ne brûle pas. Montez le feu à moyen-vif, ajoutez le bouillon restant (125 ml/½ tasse à la fois), puis les autres ingrédients tel qu'indiqué.

POUR FAIRE UN PLAT DE RÉSISTANCE DE 290 CALORIES

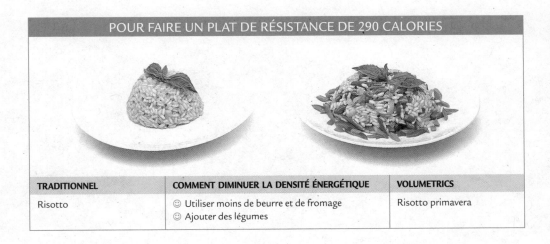

TRADITIONNEL	COMMENT DIMINUER LA DENSITÉ ÉNERGÉTIQUE	VOLUMETRICS
Risotto	☺ Utiliser moins de beurre et de fromage ☺ Ajouter des légumes	Risotto primavera

13

Pâtes et pizzas

Les pâtes et les pizzas font partie des aliments les plus populaires en Amérique du Nord. Des millions de personnes en consomment chaque jour. Les Italiens sont étonnés de voir comment nous les mangeons. C'est là notre problème habituel : nous mangeons trop. Nos portions sont énormes et contiennent du gras et des calories dont nous n'avons aucunement besoin. Malgré ce que vous disent les défenseurs des régimes à faible teneur en glucides, nous n'avons pas à nous priver des pâtes et des pizzas. Elles sont tellement délicieuses en plus d'être faciles à préparer et nourrissantes. Je vais vous démontrer comment les inclure dans votre Plan alimentaire Volumetrics.

Pâtes

Dans mon laboratoire, nous avons utilisé des plats de pâtes dans plusieurs de nos études sur la satiété. Nous avons constaté que plus la portion de macaroni au fromage ou de zitis au four était grosse et plus les participants avaient tendance à manger. De plus, la plupart d'entre eux ne remarquaient même pas que les portions servies étaient plus grosses. D'autres études faites dans mon laboratoire ont démontré comment contrôler les calories même si l'on sert de grosses portions. La réponse ne vous étonnera guère : il faut réduire la densité énergétique en augmentant la quantité de légumes et en diminuant le gras dans les pâtes. Quand on ne leur mettait pas de limites, les participants à notre étude se servaient la même portion de pâtes. Lorsque nous avons réduit la densité énergétique en ajoutant des légumes, ils ont consommé moins de calories et étaient pourtant tout aussi rassasiés.

Une autre manière d'augmenter la satiété est de prendre des pâtes de blé entier. Elles ont plus de consistance et ont un goût différent des pâtes ordinaires. Essayez-les puisqu'elles vous apporteront de 5 à 6 g de fibres de plus avec chaque portion. Vous pouvez aussi vous procurer des pâtes de blé dur (durum) ; elles sont semblables aux pâtes régulières et contiennent 3 g de fibres. Les pâtes régulières sont faites avec de la farine de blé contenant peu de fibres. Certaines pâtes contiennent de la farine de soja qui augmente sa teneur en protéines.

Les pâtes se prêtent à plusieurs usages dans notre répertoire culinaire. Voici quelques conseils pour préparer des plats de pâtes bons pour votre santé.

❖ Faites preuve d'imagination. Utilisez n'importe quel mélange de légumes pour garnir les pâtes. Dans un peu d'huile d'olive, faites sauter de l'ail, des tomates et d'autres légumes tels que les courgettes, les courges jaunes, les asperges, les champignons ou les aubergines. Mélangez-les ensuite avec des pâtes.

- ❖ Ayez toujours des fines herbes fraîches à portée de la main. Le basilic, avec son goût si particulier, est un favori. Essayez aussi la coriandre pour faire des mets plus exotiques.
- ❖ Quand vous êtes pressé, vous pouvez prendre de la sauce du commerce, mais vérifiez sa teneur en matière grasse. Celui-ci peut varier considérablement selon les différentes marques.
- ❖ Achetez des pâtes de toutes les formes. Remplacer les spaghettis traditionnels par des linguine, des farfalle, des fettuccinis, des plumes (penne) ou des cheveux d'ange.
- ❖ Pour un repas très rassasiant, ajoutez des protéines à la sauce. Des légumineuses comme les haricots secs et les lentilles ajoutent de la variété et de la consistance aux plats. Achetez aussi du poisson, de la poitrine de dinde hachée ainsi que du poulet ou du bœuf maigre. Les Pâtes aux fruits de mer (p. 212) sont un excellent mélange de pâtes et de fruits de mer.
- ❖ Prenez des portions convenables. Il faut compter ½ tasse de pâtes cuites, ce qui représente environ 100 calories. Vous pouvez manger plus, mais la meilleure stratégie consiste à ne pas manger plus d'une tasse de pâtes par repas et de leur ajouter des légumes et des protéines maigres.

Pizza

Vous pouvez manger de la pizza tout en surveillant votre poids. Je vais vous montrer comment et vous donner de merveilleuses recettes. Il existe plusieurs façons de préparer la pizza et il n'y a rien de plus simple que d'ajuster les proportions des différents ingrédients pour réduire les calories et augmenter la sensation de satiété. Par exemple, si l'on utilise de la pâte à pizza de blé entier vendue dans le commerce et qu'on l'abaisse de manière qu'elle ne soit pas trop épaisse. On économisera 100 calories par tranche comparé à la croûte de pizza à base de farine blanche. Voici quelques trucs qui vous permettront de confectionner des pizzas nourrissantes.

- ❖ Faites des pizzas individuelles avec des pitas ou des muffins anglais de blé entier au lieu d'une croûte de pizza ordinaire.
- ❖ Pour couper la quantité de gras saturé et de gras total, utilisez de la mozzarella écrémée ou à faible teneur en matière grasse et diminuez la quantité.
- ❖ Le parmesan est un excellent fromage qui donne beaucoup de goût à la pizza. Mettez-en peu à cause de son goût prononcé.
- ❖ Pour faire une pizza blanche (sans sauce tomate) à faible teneur en matière grasse telle que la Pizza d'Aristote (p. 218), prenez de la ricotta à faible teneur en matière grasse.
- ❖ Soyez généreux au moment de mettre des légumes sur la pâte. Ajoutez des tomates, des oignons et des artichauts frais hachés, des poivrons grillés, des brocolis, des courgettes ou des champignons. Faites des essais en goûtant par exemple la Pizza aux légumes frais du potager (p. 219).
- ❖ Comme pour les pâtes, utilisez des fines herbes fraîches telles que l'origan, la marjolaine, le thym et le basilic.

- ❖ Rehaussez le goût de la pizza avec des piments forts, ce qui vous empêchera de remarquer que la quantité de gras a été réduite.
- ❖ Ajoutez des protéines maigres pour augmenter la sensation de satiété. Essayez les crevettes, les palourdes (myes), la volaille, la saucisse à faible teneur en matière grasse, le tofu ou les légumineuses.
- ❖ Si vous voulez du pepperoni sur votre pizza, essayez la Pizza au pepperoni de dinde (p. 221).
- ❖ La pizza n'a pas besoin d'être d'inspiration italienne. Optez pour une variante mexicaine grâce à la Pizza-fajita au poulet (p. 222).

Je suis sûre que vous ne faites pas toujours vos propres pizzas. Si vous savez faire les bons choix, vous pourrez en manger lorsque vous serez au restaurant. Certaines chaînes ont mis à leur menu des choix santé fort intéressants. Si ce n'est pas le cas, voici quelques suggestions.

- ❖ La plus grande partie du gras et des calories vient du fromage. Si vous commandez une pizza, demandez de mettre moins de fromage. S'il est déjà là, vous n'êtes pas forcé de tout le manger. Vous pouvez aussi éponger une partie du gras qui se trouve sur le dessus de la pizza avec une serviette de table. Remplacez le pepperoni et le saucisson par des viandes plus maigres comme le poulet, le bacon de dos ou le jambon. Ne mangez pas la viande si elle contient trop de gras.
- ❖ Vous pouvez manger moins de calories en choisissant une pizza à croûte mince.
- ❖ Garnissez votre pizza avec une grande quantité de légumes. Demandez si une partie du fromage peut être remplacée par des légumes en plus.
- ❖ Demandez combien de calories contient une portion. Plusieurs chaînes de restaurants fournissent cette information sur leur site Web. J'ai fait quelques recherches et j'ai observé que la grosseur d'une portion et le nombre de calories varient selon les restaurants : de 140 à 500 calories par portion !
- ❖ Commencez votre repas par une salade ou servez-la avec la pizza. Voilà une bonne façon de n'en déguster qu'une seule pointe sans souffrir de la faim.

Pâtes primavera de Charlie

Plusieurs combinaisons de légumes se marient parfaitement avec les pâtes. Charlie en a essayé plusieurs, mais voici sa préférée. Elle est délicieuse même si elle ne contient pas de beurre ni de crème.

4 PORTIONS DE 2 ½ TASSES CHACUNE

1 c. à soupe d'huile d'olive extravierge
120 g (1 tasse) de poivrons, évidés et hachés (couleur au choix)
120 g (1 tasse) d'oignons, hachés
1 c. à café (1 c. à thé) d'ail haché
200 g (2 tasses) de courgettes en dés
480 g (1 lb) d'asperges fines, parées et coupées en morceaux de 2,5 cm (1 po)

360 g (2 tasses) de tomates fraîches, épépinées et hachées
1 c. à café (1 c. à thé) de sel
Une pincée de poivre noir du moulin
240 g (8 oz) de pennes (plumes) de blé entier
240 g (4 tasses) d'épinards miniatures
4 c. à soupe de parmesan râpé

❖ Chauffer l'huile à feu moyen dans une grande poêle antiadhésive. Ajouter les poivrons, les oignons et l'ail. Cuire 5 min en remuant souvent.

❖ Ajouter les courgettes, les asperges, les tomates, l'origan, le sel et le poivre. Bien remuer. Cuire à découvert de 10 à 15 min à feu moyen en remuant de temps à autre. Laisser la sauce à feu doux.

❖ Cuire les pâtes en suivant les indications inscrites sur l'emballage. Réserver 125 ml (½ tasse) d'eau de cuisson et égoutter les pâtes.

❖ Ajouter les pâtes et les épinards à la sauce et bien remuer. Laisser à feu doux environ 1 min.

❖ Incorporer environ 60 ml (¼ tasse) d'eau de cuisson réservée. En ajouter davantage si les pâtes ont l'air sèches.

❖ Servir dans 4 assiettes ou bols peu profonds et saupoudrer de parmesan.

INFORMATION NUTRITIONNELLE PAR PORTION

Calories 345 | Densité énergétique 0,80 | Glucides 59 g | Matière grasse 6 g | Protéines 15 g | Fibres 10 g

D'autres pâtes de blé entier de format moyen peuvent convenir à cette recette : zitti, rotelle, farfalle, etc. Les asperges peuvent être remplacées par des haricots verts frais que vous couperez en morceaux de 2,5 cm (1 po).

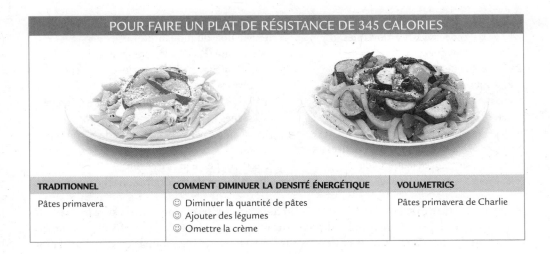

POUR FAIRE UN PLAT DE RÉSISTANCE DE 345 CALORIES		
TRADITIONNEL	**COMMENT DIMINUER LA DENSITÉ ÉNERGÉTIQUE**	**VOLUMETRICS**
Pâtes primavera	☺ Diminuer la quantité de pâtes ☺ Ajouter des légumes ☺ Omettre la crème	Pâtes primavera de Charlie

Pâtes aux fruits de mer

Dans ce mets délicieux et consistant, les crevettes et les pétoncles composent un beau mélange avec les tomates et les pâtes.

4 PORTIONS DE 2 TASSES CHACUNE

240 g (8 oz) de crevettes moyennes, non décortiquées
240 g (8 oz) de pétoncles géants
1 c. à soupe d'huile d'olive extravierge
1 grosse gousse d'ail, épluchée et coupée en deux
60 g (½ tasse) d'oignons hachés
630 g (3 ½ tasses) de tomates hachées en conserve, avec leur liquide
½ c. à café (½ c. à thé) de sel

Poivre noir du moulin
½ c. à café (½ c. à thé) d'origan séché
¼ c. à café (¼ c. à thé) de flocons de cayenne broyés
240 g (8 oz) de pâtes de blé entier moyennes, sèches
1 c. à café (1 c. à thé) de zeste de citron râpé
2 c. à soupe de jus de citron
3 c. à soupe de basilic frais, haché

❖ Porter 1,5 litre (6 tasses) d'eau à ébullition dans une casserole moyenne. Cuire les crevettes de 2 à 3 min, jusqu'à ce qu'elles deviennent roses. Égoutter et laisser refroidir à température ambiante. Décortiquer et déveiner les crevettes, puis les couper en deux sur la longueur. Réserver.

❖ Couper les pétoncles horizontalement en deux et égoutter dans une passoire. Éponger avec du papier essuie-tout et réserver.

❖ Chauffer l'huile dans une grande poêle à feu moyen. Ajouter l'ail et faire sauter 2 min, en pressant sur les morceaux à l'aide d'une spatule, jusqu'à ce qu'ils soient dorés. Retirer les morceaux et les jeter.

❖ Ajouter les oignons dans la poêle et cuire 5 min en remuant de temps à autre.

❖ Ajouter les tomates, le sel, un peu de poivre, l'origan et les flocons de cayenne. Laisser mijoter et cuire 25 min.

❖ Cuire les pâtes en suivant les indications inscrites sur l'emballage et égoutter.

❖ Ajouter les crevettes et les pétoncles à la sauce et cuire de 3 à 5 min, jusqu'à ce que les pétoncles deviennent opaques.

❖ Égoutter les pâtes et les mettre dans la sauce avec le zeste, le jus de citron et le basilic. Bien remuer et servir.

CONSEIL DU CHEF
Si vous préférez, vous pouvez utiliser uniquement des crevettes ou des pétoncles.

INFORMATION NUTRITIONNELLE PAR PORTION

Calories 400 | Densité énergétique 0,80 | Glucides 54 g | Matière grasse 7 g | Protéines 31 g | Fibres 4 g

Penne aux olives et aux épinards

Ce mets met en vedette des ingrédients très populaire de la cuisine méditerranéenne.

4 PORTIONS DE 1 ½ TASSE CHACUNE

240 g (8 oz) de pennes (plumes) de blé entier
    ou d'autres pâtes moyennes
1 c. à soupe d'huile d'olive extravierge
1 c. à café (1 c. à thé) de vinaigre de vin rouge
1 c. à café (1 c. à thé) d'ail haché
30 g (¼ tasse) d'olives kalamata ou autres
    olives dans la saumure, dénoyautées
    et hachées

1 c. à soupe de câpres égouttées (hachées
    si elles sont grosses)
Sel et poivre noir du moulin
240 g (4 tasses) d'épinards miniatures
2 c. à soupe de parmesan râpé

- Cuire les pâtes en suivant les indications inscrites sur l'emballage et égoutter.
- Dans un grand bol, fouetter l'huile, le vinaigre, l'ail, les olives et les câpres. Saler et poivrer légèrement.
- Ajouter les épinards et les pâtes et bien remuer. Servir chaud ou à température ambiante.

CONSEIL DU CHEF

La roquette peut très bien prendre la place des épinards dans cette recette.

INFORMATION NUTRITIONNELLE PAR PORTION

Calories 265 | Densité énergétique 1,4 | Glucides 43 g | Matière grasse 6 g | Protéines 9 g | Fibres 5 g

Spaghettis et sauce tomate au basilic frais

Ce mets principal contient une sauce marinara à la fois simple et délicieuse qui contient peu de calories et de matière grasse.

4 PORTIONS DE 1 ½ TASSE CHACUNE

1 c. à café (1 c. à thé) d'huile d'olive extravierge
120 g (1 tasse) d'oignons hachés
1 ½ c. à café (1 ½ c. à thé) d'oignons hachés
630 g (3 ½ tasses) de tomates broyées en conserve
½ c. à café (½ c. à thé) d'origan séché
¼ c. à café (¼ c. à thé) de flocons de cayenne broyés
1 c. à café (1 c. à thé) de sel
Poivre noir du moulin
30 g (1 tasse) de basilic frais, haché
360 g (12 oz) de spaghettis de blé entier
4 c. à soupe de parmesan râpé

❖ Vaporiser légèrement une grande poêle d'enduit végétal. Chauffer l'huile à feu moyen. Ajouter les oignons et cuire 5 min en remuant de temps à autre. Ajouter l'ail, les tomates, l'origan, les flocons de cayenne, le sel et le poivre. Laisser mijoter 15 min en remuant de temps à autre. Baisser le feu au minimum et ajouter le basilic à la sauce.

❖ Cuire les pâtes en suivant les indications inscrites sur l'emballage. Réserver 60 ml (¼ tasse) d'eau de cuisson et égoutter.

❖ Ajouter les spaghettis à la sauce. Bien remuer et laisser reposer 1 min. Si la sauce semble sèche, ajouter l'eau de cuisson réservée.

❖ Servir dans 4 assiettes et saupoudrer de parmesan.

CONSEIL DU CHEF

Si vous préférez une sauce plus onctueuse, réduisez-la en purée avant d'ajouter les pâtes. Cette recette donne environ 875 ml (3 ½ tasses) de sauce que l'on peut utiliser dans n'importe quelle recette demandant de la sauce tomate. Elle se congèle sans difficulté.

INFORMATION NUTRITIONNELLE PAR PORTION

Calories 400 | Densité énergétique 1,0 | Glucides 78 g | Matière grasse 4 g | Protéines 15 g | Fibres 5 g

INFORMATION NUTRITIONNELLE PAR PORTION DE SAUCE TOMATE

Calories 100 | Densité énergétique 0,40 | Glucides 16 g | Matière grasse 3 g | Protéines 4 g | Fibres 3 g

Coquilles farcies aux tomates et aux brocolis

Cette recette est bien connue des Italiens. Ici, nous mettons moins de fromage et nous compensons avec des tomates et des brocolis, ce qui permet de diminuer la densité énergétique.

4 PORTIONS DE 5 COQUILLES CHACUNE

20 coquilles géantes (pâtes sèches)
250 g (1 tasse) de fromage cottage 1 %
90 g (¾ tasse) de mozzarella partiellement écrémée, émincée
30 g (¼ tasse) de parmesan râpé
1 œuf
½ c. à café (½ c. à thé) d'ail émincé
½ c. à café (½ c. à thé) de poivre noir du moulin

180 g (1 tasse) de bouquets de brocoli frais, hachés
270 g (1 ½ tasse) de tomates en dés en conserve, avec leur liquide
10 g (⅓ tasse) de basilic frais, haché
500 ml (2 tasses) de Sauce tomate au basilic frais (p. 214)

❖ Préchauffer le four à 190 °C (375 °F).
❖ Cuire les pâtes en suivant les indications inscrites sur l'emballage. Égoutter et réserver.
❖ Dans un grand bol, bien mélanger le cottage, la mozzarella, le parmesan, l'œuf, l'ail et le poivre. Ajouter le brocoli, les tomates et le basilic. Remuer doucement.
❖ Étendre 125 ml (½ tasse) de sauce au fond d'un plat de cuisson en verre de 23 x 33 cm (9 x 13 po).
❖ Farcir chaque coquille avec 2 c. à soupe de farce au fromage. Ranger les pâtes dans le plat et couvrir doucement avec 375 ml (1 ½ tasse) de sauce tomate.
❖ Couvrir le plat de papier d'aluminium et cuire au four 45 min.

CONSEIL DU CHEF

Les épinards hachés congelés peuvent remplacer le brocoli. Faites-les d'abord décongeler et pressez-les pour extraire le liquide.

INFORMATION NUTRITIONNELLE PAR PORTION

Calories 370 | Densité énergétique 1 | Glucides 47 g | Matière grasse 9 g | Protéines 25 g | Fibres 5 g

Macaroni aux légumes et au fromage

Cette recette prouve que vous pouvez déguster des mets réconfortants tout en veillant à votre poids.

6 PORTIONS DE 1 ½ TASSE CHACUNE

240 g (8 oz) de coudes, de fusillis ou de penne
2 c. à soupe de chapelure (p. 162)
1 c. à café (1 c. à thé) de beurre fondu
¼ c. à café (¼ c. à thé) de paprika
440 ml (1 ¾ tasse) de lait écrémé
3 c. à soupe de farine tout usage
180 g (1 ½ tasse) de cheddar à faible teneur
  en matière grasse, émincé

250 g (1 tasse) de fromage cottage 1 %
30 g (¼ tasse) de parmesan râpé
Une pincée de muscade moulue
½ c. à café (½ c. à thé) de sel
Une pincée de poivre noir du moulin
360 g (6 tasses) d'épinards frais, émincés
270 g (1 ½ tasse) de tomates en dés
  en conserve, avec leur liquide

❖ Préchauffer le four à 190 °C (375 °F).

❖ Vaporiser légèrement un plat de cuisson de 23 x 33 cm (9 x 13 po) d'enduit végétal.

❖ Cuire les pâtes en suivant les indications inscrites sur l'emballage. Égoutter et réserver.

❖ Dans un petit bol, mélanger la chapelure, le beurre et le paprika. Réserver.

❖ Chauffer 375 ml (1 ½ tasse) de lait dans une casserole antiadhésive de 4 à 5 litres (16 à 20 tasses) jusqu'à ce que de la vapeur commence à s'échapper.

❖ Dans un petit bol, fouetter le lait restant avec la farine jusqu'à consistance lisse. Verser dans le lait chaud et cuire de 3 à 7 min, en remuant sans cesse, jusqu'à ce que la sauce épaississe et mijote. Retirer la casserole du feu.

❖ Ajouter le cheddar à la sauce blanche et remuer jusqu'à ce qu'il soit fondu. Incorporer le cottage, le parmesan, la muscade, le sel et le poivre. Mélanger les pâtes avec la sauce.

❖ Verser la moitié des pâtes dans le plat de cuisson. Couvrir uniformément d'épinards, puis de tomates. Couvrir avec les pâtes restantes et saupoudrer de chapelure.

❖ Cuire au four de 25 à 30 min, jusqu'à ce que le dessus soit doré et bouillonnant.

INFORMATION NUTRITIONNELLE PAR PORTION

Calories 330 | Densité énergétique 1,0 | Glucides 38 g | Matière grasse 9 g | Protéines 25 g | Fibres 5 g

Les épinards peuvent être remplacés par 360 g (2 tasses) de bouquets de brocoli frais, hachés.

POUR FAIRE UN PLAT DE RÉSISTANCE DE 330 CALORIES

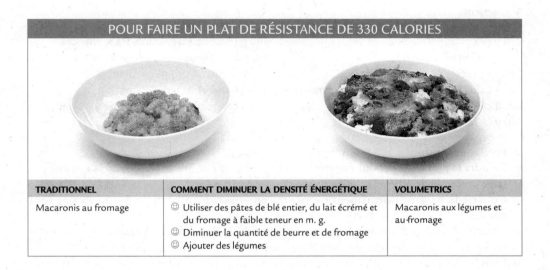

TRADITIONNEL	COMMENT DIMINUER LA DENSITÉ ÉNERGÉTIQUE	VOLUMETRICS
Macaronis au fromage	☺ Utiliser des pâtes de blé entier, du lait écrémé et du fromage à faible teneur en m. g. ☺ Diminuer la quantité de beurre et de fromage ☺ Ajouter des légumes	Macaronis aux légumes et au fromage

Pizza d'Aristote

Le feta et l'aneth frais donnent beaucoup de couleur à cette pizza végétarienne d'inspiration grecque.

4 PORTIONS

270 g (9 oz) de pâte à pizza de blé
   (voir Conseil du chef)
250 g (1 tasse) de ricotta écrémée
1 c. à café (1 c. à thé) d'huile d'olive extravierge
1 c. à café (1 c. à thé) d'ail haché
120 g (1 tasse) d'oignons hachés

180 g (3 tasses) d'épinards frais, émincés
5 tomates prunes coupées en tranches
   de 6 mm (¼ po) d'épaisseur
50 g (½ tasse) de feta écrémé
1 c. à soupe d'aneth frais, haché

❖ Préchauffer le four à 190 °C (375 °F).

❖ Étendre la pâte à pizza pour couvrir une plaque à pizza de 30 cm (12 po) ou la rouler pour faire un cercle de 30 cm (12 po) sur une plaque à pâtisserie.

❖ Couvrir la pâte uniformément de ricotta en laissant un bord de 6 mm (¼ po) tout autour.

❖ Chauffer l'huile à feu moyen-vif dans une grande poêle vaporisée d'enduit végétal. Ajouter l'ail, les oignons et les épinards. Faire sauter 5 min en remuant souvent.

❖ Étendre les épinards sur la ricotta. Couvrir de tranches de tomate et de feta. Parsemer d'aneth.

❖ Cuire au four de 20 à 25 min, jusqu'à ce que la croûte soit dorée. Découper la pizza en 4 pointes.

CONSEIL DU CHEF

On peut se procurer de la pâte à pizza faite de blé entier dans les grandes épiceries. Si vous n'en trouvez pas, achetez une croûte déjà préparée et comptez environ 100 calories de plus par portion.

INFORMATION NUTRITIONNELLE PAR PORTION

Calories 290 | Densité énergétique 1,0 | Glucides 42 g | Matière grasse 5 g | Protéines 20 g | Fibres 5 g

Pizza aux légumes frais du potager

Cette pizza est très attrayante. Les légumes se marient parfaitement aux tomates et à la mozzarella utilisées dans la recette traditionnelle.

4 PORTIONS

1 c. à soupe d'huile d'olive extravierge

90 g (1 tasse) de blanc de poireaux en fines tranches

1 c. à café (1 c. à thé) d'ail émincé

120 g (1 tasse) de carottes râpées

270 g (9 oz) de pâte à pizza de blé (voir Conseil du chef, p. 218)

2 tomates moyennes, épépinées et coupées en tranches de 6 mm (¼ po) d'épaisseur

50 g (½ tasse) de courgettes en fines tranches

150 g (1 tasse) d'asperges fines, coupées en morceaux de 2,5 cm (1 po) de longueur

Sel et poivre noir du moulin

60 g (½ tasse) de mozzarella partiellement écrémée, émincée

- ❖ Préchauffer le four à 190 °C (375 °F).
- ❖ Chauffer l'huile dans une poêle antiadhésive à feu moyen. Ajouter les poireaux et l'ail et cuire 4 min en remuant de temps à autre. Ajouter les carottes et cuire 1 min. Retirer la poêle du feu et réserver.
- ❖ Étendre la pâte à pizza pour couvrir une plaque à pizza de 30 cm (12 po) ou la rouler pour faire un cercle de 30 cm (12 po) sur une plaque à pâtisserie.
- ❖ Couvrir la pâte uniformément de poireaux en laissant un bord de 1,25 cm (½ po) tout autour.
- ❖ Disposer les tranches de tomate autour des poireaux et étendre les courgettes au centre. Mettre les asperges sur les tomates. Saler et poivrer légèrement. Garnir de mozzarella.
- ❖ Cuire au four de 15 à 20 min, jusqu'à ce que la croûte soit dorée. Découper la pizza en 4 pointes.

INFORMATION NUTRITIONNELLE PAR PORTION

Calories 285 | Densité énergétique 1,2 | Glucides 41 g | Matière grasse 9 g | Protéines 13 g | Fibres 5 g

Pizza Margherita

Voici une version allégée en matière grasse de la fameuse recette napolitaine tant appréciée.

4 PORTIONS

270 g (9 oz) de pâte à pizza de blé (voir Conseil
  du chef, p. 218)
5 tomates prunes en fines tranches
½ c. à café (½ c. à thé) d'ail émincé
⅛ c. à café (⅛ c. à thé) de sel

Une pincée de poivre noir du moulin
120 g (1 tasse) de mozzarella partiellement
  écrémée, émincée
15 g (½ tasse) de basilic frais, haché

❖ Préchauffer le four à 190 °C (375 °F).
❖ Étendre la pâte à pizza pour couvrir une plaque à pizza de 30 cm (12 po) ou la rouler pour faire un cercle de 30 cm (12 po) sur une plaque à pâtisserie.
❖ Superposer les tomates sur la pâte en laissant un bord de 1,25 cm (½ po) tout autour. Couvrir uniformément d'ail, de sel, de poivre et de mozzarella. Cuire au four de 15 à 20 min, jusqu'à ce que la croûte soit dorée. Garnir de basilic et découper la pizza en 4 pointes.

Pizza au pepperoni de dinde

Le pepperoni de dinde permet de réduire la quantité de calories et de matière grasse et il offre l'avantage d'avoir le même goût épicé que le pepperoni que l'on utilise habituellement pour les pizzas.

4 PORTIONS

1 poivron vert, coupé en lanières
60 g (½ tasse) d'oignons rouges en rondelles
90 g (¾ tasse) de champignons en tranches
270 g (9 oz) de pâte à pizza de blé (voir Conseil du chef, p. 218)
125 ml (½ tasse) de sauce pour pizza du commerce à faible teneur en matière grasse

120 g (1 tasse) de mozzarella 2 % de matière grasse, râpée
30 g (1 oz) de pepperoni de dinde coupé en 16 petites rondelles

❖ Préchauffer le four à 190 °C (375 °F).
❖ Vaporiser une poêle antiadhésive d'enduit végétal. Chauffer à feu moyen et ajouter les poivrons, les oignons et les champignons. Faire sauter de 4 à 5 min, jusqu'à ce que les légumes attendrissent légèrement. Retirer du feu et réserver.
❖ Étendre la pâte à pizza pour couvrir une plaque à pizza de 30 cm (12 po) ou la rouler pour faire un cercle de 30 cm (12 po) sur une plaque à pâtisserie.
❖ Étendre la sauce sur la pâte en laissant un bord de 1,25 cm (½ po) tout autour.
❖ Couvrir la sauce de mozzarella, puis de pepperoni et de légumes.
❖ Cuire au four de 15 à 20 min, jusqu'à ce que la croûte soit dorée. Découper la pizza en 4 pointes.

INFORMATION NUTRITIONNELLE PAR PORTION

Calories 295 | Densité énergétique 1,6 | Glucides 36 g | Matière grasse 10 g | Protéines 18 g | Fibres 3 g

Pizza-fajita au poulet

Cette pizza hors de l'ordinaire dégage des parfums irrésistibles du Mexique.

4 PORTIONS

10 tomates cerises
2 c. à soupe de coriandre fraîche, hachée
2 c. à soupe d'oignons hachés
1 ½ c. à café (1 ½ c. à thé) de piment jalapeño épépiné et haché finement
1 ½ c. à café (1 ½ c. à thé) de jus de citron vert
Une pincée de sel
2 c. à soupe de crème sure ou de crème aigre à teneur réduite en matière grasse
240 g (2 tasses) de poivrons, évidés et coupés en dés (couleur au choix)
60 g (½ tasse) d'oignons rouges, en dés
200 g (1 tasse) de poitrine (blanc) de poulet cuite et coupée en dés (voir Conseil du chef, p. 110)

70 g (⅓ tasse) de haricots noirs en conserve, rincés et égouttés
90 g (½ tasse) de tomates rouges en dés, épépinées et coupées en dés
2 c. à café (2 c. à thé) de cumin moulu
2 c. à café (2 c. à thé) d'assaisonnement au chili
270 g (9 oz) de pâte à pizza de blé (voir Conseil du chef, p. 218)
120 g (1 tasse) de cheddar à teneur réduite en matière grasse, émincé

❖ Préchauffer le four à 190 °C (375 °F).
❖ Dans un petit bol, mélanger les tomates cerises, la coriandre, les oignons, les piments, le jus de citron vert et le sel. Ajouter la crème sure et réserver la salsa.
❖ Chauffer une poêle moyenne à feu moyen. Ajouter les poivrons, les oignons, le poulet, les haricots noirs, les tomates, le cumin et l'assaisonnement au chili. Cuire de 2 à 3 min, jusqu'à ce que les légumes attendrissent légèrement. Retirer la poêle du feu et réserver.
❖ Étendre la pâte à pizza pour couvrir une plaque à pizza de 30 cm (12 po) ou la rouler pour faire un cercle de 30 cm (12 po) sur une plaque à pâtisserie.
❖ Étendre le mélange de salsa et de crème sure uniformément sur la pâte en laissant un bord de 1,25 cm (½ po) tout autour.
❖ Étendre le cheddar sur la salsa, puis les poivrons.
❖ Cuire au four de 15 à 20 min, jusqu'à ce que la croûte soit dorée. Découper la pizza en 4 pointes.

INFORMATION NUTRITIONNELLE PAR PORTION

Calories 390 | Densité énergétique 1,6 | Glucides 41 g | Matière grasse 15 g | Protéines 24 g | Fibres 5 g

La Salsa aux tomates cerises restante peut servir de trempette pour les légumes crus ou de garniture pour les pommes de terre cuites au four. Pour gagner du temps, vous pouvez la remplacer par 60 ml (¼ tasse) de salsa vendue dans le commerce.

POUR FAIRE UN PLAT DE RÉSISTANCE DE 390 CALORIES

TRADITIONNEL	COMMENT DIMINUER LA DENSITÉ ÉNERGÉTIQUE	VOLUMETRICS
Pizza au poulet	☺ Utiliser moins de pâte et de fromage ☺ Prendre de la pâte de blé entier ☺ Choisir de la crème et du fromage à teneur réduite en m. g. ☺ Augmenter la quantité de légumes	Pizza-fajita au poulet

INFORMATION NUTRITIONNELLE POUR **2** C. À SOUPE DE SALSA

Calories 10 | Densité énergétique 0,25 | Glucides 3 g | Matière grasse 1 g | Protéines 1 g | Fibres 1 g

Desserts et fruits

Pourquoi reste-il toujours de la place pour le dessert? La sensation de satiété peut être spécifique à un aliment en particulier. Même si nous avons mangé suffisamment de notre mets principal, d'autres aliments de différentes textures et de saveurs variées peuvent nous sembler très alléchants. Cette *satiété organoleptique spécifique* explique pourquoi on peut avoir envie d'un aliment sucré même si l'on a mangé une quantité appréciable d'aliments salés plus tôt dans le repas. Cela explique aussi pourquoi vous pouvez continuer à manger après avoir satisfait les besoins nutritifs de votre corps. Les desserts peuvent procurer beaucoup de plaisir et, pour plusieurs, un repas ne saurait être complet sans une finale sucrée. Toutefois, si vous constatez dans votre journal que vous consommez une grande partie de vos calories quotidiennes sous forme de desserts, vous devez développer une stratégie pour surveiller vos calories prises au moment du dessert sans toutefois vous sentir privé.

Le dessert n'est pas un problème en soi, mais il faut tenir compte de la quantité. Il est normal de s'offrir des desserts à densité énergétique élevée et riches en calories lors des événements spéciaux, mais exercez toujours un certain contrôle. Nous avons souvent tendance à manger de tels aliments lorsque nous sommes avec nos amis. Dans une étude, nous avons observé que les amis qui mangeaient ensemble consommaient 50 p. cent plus de calories que lorsqu'ils mangeaient seuls ou avec des étrangers. La plupart des calories excédentaires proviennent des desserts. La meilleure stratégie consiste à les partager. De plus en plus de gens le font, même lors des repas d'affaires. Les restaurants s'empressent généralement d'apporter des assiettes et des fourchettes supplémentaires pour tous les convives.

Si vous faites vos desserts, il existe plusieurs façons de les rendre nourrissants. Recherchez les recettes qui utilisent des ingrédients à faible teneur en matière grasse tels que le lait ou les blancs d'œufs au lieu des œufs entiers. Remplacez le gras par des fruits comme les compotes ou les pruneaux. Pour ajouter des fibres et des nutriments, remplacez le tiers de la farine que vous utilisez habituellement par de la farine de blé entier.

Une autre possibilité consiste à choisir des desserts qui contiennent peu de calories comme les sorbets ou les fruits de saison. La fin d'un repas est un moment idéal pour ajouter des fruits à notre menu. Comme les légumes, la plupart des fruits ont beaucoup de fibres et leur contenu élevé en eau diminue leur densité énergétique. Pour profiter pleinement des nombreux nutriments contenus dans les fruits, choisissez-les de couleurs variées: mauves, rouges, jaunes, verts, bleus, orange, etc. Les fruits frais constituent le meilleur choix, surtout s'ils sont de saison, mais les fruits congelés sans sucre ou les fruits mis en conserve dans leur jus ou dans l'eau sont aussi acceptables. Pour absorber plus de fibres et favoriser la sensation de satiété, gardez la pelure si possible.

Dans ce chapitre, je vous confie entre autres ma recette de Fondue au chocolat aux fruits frais (p. 238). J'aime prendre un morceau de chocolat de qualité pour terminer le repas. C'est un geste symbolique qui souligne que nous avons fini de manger et que nous sommes vraiment repus. Je vous recommande toutefois de consommer plus de fruits et pas seulement au moment du dessert. Ils sont délicieux à tout moment de la journée.

Certains fruits ont une densité énergétique si basse que vous n'avez pas à tenir compte de la quantité que vous mangez. Les melons, les agrumes et les petits fruits donnent des portions satisfaisantes et peu de calories. Par exemple, si vous voulez un goûter de 100 calories, vous pouvez prendre 200 g (1 ¼ tasse) de quartiers d'orange ou 415 g (2 ¾ tasses) de fraises. Il s'agit évidemment de les servir sans sucre ni crème. Vous trouverez dans les prochaines pages des desserts remarquables à base de fruits. Ce sont de purs délices sans trop de calories. Voici quelques conseils pour apprendre à manger plus de fruits chaque jour.

- ❖ Ayez toujours plusieurs fruits qui se conservent bien à portée de la main: pommes, poires et agrumes par exemple. Achetez les fruits plus fragiles les plus frais possible (fraises, framboises, mûres, bleuets, etc.).
- ❖ Ajoutez des fruits frais, congelés ou en conserve à des plats que vous appréciez déjà. Par exemple, mettez quelques petits fruits ou tranches de banane dans votre yogourt nature.
- ❖ N'oubliez pas de mettre des sacs remplis de bouchées de fruits dans votre boîte à lunch. Les tranches de pomme, les raisins, les petits fruits, les quartiers d'orange et les clémentines s'apportent bien au travail ou à l'école. Les portions individuelles de fruits ou de compotes de pommes sont aussi recommandées.
- ❖ Ajoutez des fruits à vos salades. Essayez la Salade de roquette et d'oranges au fenouil (p. 128) ou la Salade d'épinards et de fruits avec vinaigrette à l'orange et aux graines de pavot (p. 132).
- ❖ Pour les fêtes et les événements spéciaux, servez des quartiers de fruit que l'on trempera dans du yogourt.
- ❖ Mettez votre four à micro-ondes à profit. Évidez une pomme, versez quelques cuillerées à soupe de jus d'orange ou de citron autour, mettez une petite cuillerée de raisins secs à l'intérieur, saupoudrez de cannelle, perdez la pelure et faites cuire 5 minutes à allure maximale.
- ❖ Faites griller des fruits. La prochaine fois que vous allumerez le barbecue, faites des brochettes avec des fruits tropicaux comme la mangue ou l'ananas. Essayez les Kebabs de thon et de fruits à la mode antillaise (p. 182) et les Bananes royales au four (p. 229) pour vous rendre compte à quel point les fruits grillés sont irrésistibles.

❖ Remplacez une partie du gras que vous mettez dans les produits de boulangerie avec de la compote de pommes. Essayez les Muffins aux bleuets et à la compote de pommes (p. 70) pour une expérience culinaire étonnante.

❖ Gardez toujours des fruits à portée de la main. Vous et votre famille en mangerez davantage que s'ils sont cachés dans une armoire ou dans le réfrigérateur.

❖ Essayez différentes variétés d'un même fruit. Par exemple, on trouve plusieurs sortes de pommes et de poires et il faut faire plusieurs tests avant de savoir quelles sont celles que l'on préfère.

❖ N'ayez pas peur d'essayer de nouveaux fruits : mangues, papayes, kiwis, fruits de la Passion, etc. Plusieurs marchands offrent des feuillets sur lesquels on trouve des indications quant à la manière de les utiliser. Initiez vos enfants à découvrir de nouveaux fruits afin qu'ils gardent cette bonne habitude à l'âge adulte.

Petits fruits au vinaigre balsamique

Quelques gouttes de vinaigre balsamique vieux ou extravieux mettent en valeur le goût des fraises. On ne goutte même pas le vinaigre tellement c'est bon !

4 PORTIONS DE 1 TASSE CHACUNE

480 g (4 tasses) de fraises
1 c. à soupe de sucre

¼ c. à café (¼ c. à thé) de vinaigre balsamique
vieux ou extravieux

- ❖ Laver, équeuter et couper les fraises en quartiers.
- ❖ Mettre les fruits dans un grand bol. Ajouter le sucre et le vinaigre balsamique. Remuer doucement et garder 1 h dans le réfrigérateur.
- ❖ Servir dans des verres à pied ou des petits bols.

CONSEIL DU CHEF

Le vinaigre balsamique vieux ou extravieux a un goût plus intense que les variétés que l'on trouve couramment dans le commerce à meilleur prix. Ajoutez-en 1 c. à café (1 c. à thé) si celui que vous utilisez est de moindre qualité.

POUR FAIRE UN DESSERT DE 55 CALORIES

TRADITIONNEL	COMMENT DIMINUER LA DENSITÉ ÉNERGÉTIQUE	VOLUMETRICS
Fraises et crème glacée	☺ Le vinaigre balsamique et un peu de sucre remplacent la crème	Petits fruits au vinaigre balsamique

INFORMATION NUTRITIONNELLE PAR PORTION

Calories 55 | Densité énergétique 0,37 | Glucides 13 g | Matière grasse 0 g | Protéines 1 g | Fibres 3 g

Bananes royales au four

Voici de quoi termine royalement une belle soirée d'été.

4 PORTIONS

4 bananes mûres de 240 g (8 oz) chacune
2 c. à soupe de grains de chocolat
125 g (½ tasse) de yogourt à la vanille congelé
   écrémé

4 c. à café (4 c. à thé) de noix
   hachées

❖ Préchauffer le gril du barbecue ou préchauffer le four à 200 °C (400 °F).
❖ Placer chaque banane non pelée sur une feuille de papier d'aluminium. Faire une fente sur la longueur dans la partie supérieure du fruit. Laisser la pelure attachée.
❖ Faire pénétrer ½ c. à soupe de grains de chocolat par la fente de chaque banane.
❖ Envelopper les fruits dans le papier d'aluminium en laissant le dessus ouvert. Faire griller environ 15 min, jusqu'à ce que le chocolat soit fondu.
❖ Ouvrir légèrement le papier et presser légèrement sur les fruits.
❖ Garnir chaque banane avec 2 c. à soupe de yogourt glacé et 1 c. à café (1 c. à thé) de noix hachées.

INFORMATION NUTRITIONNELLE PAR PORTION

Calories 185 | Densité énergétique 1,2 | Glucides 36 g | Matière grasse 4 g | Protéines 3 g | Fibres 3 g

Compote de fruits au four

Il suffit de trois fruits et de jus d'orange pour composer un dessert rafraîchissant sans matière grasse.

6 PORTIONS DE **1** ½ TASSE CHACUNE

2 pamplemousses rouges
1 petit melon genre cantaloup d'environ 1 kg
   (2 ¼ lb)
150 g (1 tasse) de fraises fraîches en tranches

1 c. à soupe de menthe fraîche, hachée
125 ml (½ tasse) de jus d'orange
175 ml (¾ tasse) de sorbet à l'orange

- ❖ Peler les pamplemousses avec un couteau en enlevant minutieusement la membrane blanche. Détacher les segments et laisser égoutter dans une passoire.
- ❖ Couper le melon en deux et enlever les graines. Retirer la chair à l'aide d'une cuillère à melon. On devrait obtenir 2 tasses de chair environ. Mettre le melon dans un grand bol.
- ❖ Ajouter les fraises, la menthe et le pamplemousse. Verser le jus d'orange et bien remuer.
- ❖ Servir à parts égales dans 6 petits bols et napper chaque portion avec 2 c. à soupe de sorbet.

CONSEIL DU CHEF
Cette recette peut être servie sans le sorbet à l'heure du petit-déjeuner ou comme salade d'accompagnement.

INFORMATION NUTRITIONNELLE PAR PORTION

Calories 125 | Densité énergétique 0,38 | Glucides 28 g | Matière grasse 0 g | Protéines 2 g | Fibres 3 g

Poires pochées et sauce aux framboises

Créez cette grande finale en faisant pocher l'un des fruits les plus savoureux de l'automne. Un dessert léger mais inoubliable !

6 PORTIONS DE 1 POIRE ET D'ENVIRON 2 C. À SOUPE DE SAUCE CHACUNE

6 poires Bartlett fermes, non équeutées
1 litre (4 tasses) de jus de canneberge
   et de pomme
1 c. à soupe de jus de citron
3 clous de girofle entiers
1 bâton de cannelle de 3 cm (1 ¼ po)

225 g (1 ½ tasse) de framboises non sucrées,
   décongelées
2 c. à soupe de sucre
½ c. à café (½ c. à thé) de liqueur d'orange
   ou 1 c. à soupe de jus d'orange
6 brins de menthe fraîche

- ❖ Peler minutieusement les poires en prenant soin de ne pas les équeuter.
- ❖ Mettre le jus de canneberge, le jus de citron, les clous de girofle et la cannelle dans une casserole de 4 à 5 litres (16 à 20 tasses). Mettre les poires dans la casserole et chauffer à feu moyen jusqu'à ce que le jus commence à mijoter. Couvrir et laisser mijoter 1 h.
- ❖ Retirer la casserole du feu, enlever le couvercle et laisser les poires refroidir dans le liquide. Couvrir la casserole et garder dans le réfrigérateur pendant toute la nuit.
- ❖ Réduire les framboises, le sucre et la liqueur en purée à l'aide du mélangeur ou du robot de cuisine. Réserver.
- ❖ Sortir les poires du liquide. Découper une fine tranche dans la partie inférieure de chaque fruit afin qu'il tienne debout facilement.
- ❖ Verser un peu de sauce aux framboises dans une grande assiette ou 1 c. à soupe dans 6 assiettes à dessert. Mettre les poires debout dans la ou les assiettes. Napper chacune avec 1 c. à soupe de sauce. Garnir de menthe. Verser la sauce restante dans une petite carafe afin que chaque convive puisse se servir.

CONSEIL DU CHEF

N'importe quel mélange de jus de canneberge peut convenir à cette recette. Les framboises peuvent être remplacées par d'autres petits fruits. Pour faire un coulis et éliminer les petites graines, verser la sauce dans un tamis à fines mailles placé dans un bol. Cette sauce donne 8 portions de 2 c. à soupe chacune.

INFORMATION NUTRITIONNELLE PAR PORTION					
Calories 125	Densité énergétique 0,60	Glucides 28 g	Matière grasse 1 g	Protéines 1 g	Fibres 5 g

INFORMATION NUTRITIONNELLE PAR PORTION DE SAUCE					
Calories 20	Densité énergétique 0,80	Glucides 5 g	Matière grasse 0 g	Protéines 0 g	Fibres 0 g

Parfaits aux fruits frais

Préparez ce dessert rafraîchissant lorsque les petits fruits sont à leur meilleur. Ces parfaits conviennent aussi pour le petit-déjeuner.

4 PORTIONS

375 g (1 ½ tasse) de fromage de yogourt (p. 81)
2 c. à soupe de miel
½ c. à café (½ c. à thé) d'extrait de vanille
150 g (1 tasse) de fraises fraîches, coupées
   en tranches

4 fraises entières
150 g (1 tasse) de bleuets frais
150 g (1 tasse) de framboises fraîches
4 c. à café (4 c. à thé) de granola à faible
   teneur en matière grasse

- ❖ Dans un grand bol, mélanger le fromage de yogourt, le miel et la vanille. Battre à l'aide du batteur électrique jusqu'à consistance lisse et duveteuse.
- ❖ Partager les fraises dans 4 verres à parfait ou plats à dessert, Napper chacun avec 3 c. à soupe de yogourt. Couvrir de bleuets à parts égales, puis ajouter 3 c. à soupe de yogourt. Ajouter les framboises et couvrir avec le yogourt restant. Garnir chaque verre avec 1 c. à café (1 c. à thé) de granola et décorer avec 1 fraise entière.

POUR FAIRE UN DESSERT DE 170 CALORIES

TRADITIONNEL	COMMENT DIMINUER LA DENSITÉ ÉNERGÉTIQUE	VOLUMETRICS
Mousse aux fraises	☺ Utiliser beaucoup de petits fruits frais ☺ Remplacer la crème par du fromage de yogourt	Parfait aux fruits frais

INFORMATION NUTRITIONNELLE PAR PORTION

Calories 170 | Densité énergétique 0,78 | Glucides 32 g | Matière grasse 0 g | Protéines 11 g | Fibres 4 g

Croustade aux pommes et aux framboises

Cette recette traditionnelle a été adaptée en réduisant la quantité de beurre, ce qui abaisse la densité énergétique. La confiture de framboises ajoute du goût à ce dessert.

4 PORTIONS DE 1 TASSE CHACUNE

4 pommes acidulées moyennes
   (Granny Smith, etc.)
60 ml (¼ tasse) de jus d'orange
2 c. à soupe de confiture de framboises
2 c. à soupe de flocons d'avoine à cuisson
   rapide

2 c. à soupe de farine tout usage
2 c. à soupe de cassonade ou de sucre roux
2 c. à soupe de germe de blé
½ c. à café (½ c. à thé) de cannelle moulue
Une pincée de sel
1 c. à soupe de beurre fondu

❖ Préchauffer le four à 180 °C (350 °F).

❖ Peler et évider les pommes, puis les couper en fines tranches.

❖ Dans un bol, mélanger les pommes, le jus d'orange, la confiture et 60 ml (¼ tasse) d'eau. Verser dans un plat de cuisson en verre de 20 x 20 cm (8 x 8 po) et réserver.

❖ Mélanger l'avoine, la farine, la cassonade, le germe de blé, la cannelle et le sel. Ajouter le beurre fondu et bien remuer.

❖ Couvrir les pommes avec les ingrédients secs. Couvrir et cuire au four 1 h, jusqu'à ce que les pommes soient tendres. Découvrir le plat pour les 10 dernières minutes de cuisson.

CONSEIL DU CHEF

Essayez aussi la confiture de fraises ou de mûres dans cette recette.

INFORMATION NUTRITIONNELLE PAR PORTION

Calories 175 | Densité énergétique 1,0 | Glucides 37 g | Matière grasse 4 g | Protéines 1 g | Fibres 3 g

Bagatelle aux fraises et sirop au citron

Ce grand classique anglais a été révisé pour inclure du fromage de yogourt au lieu de la crème pâtissière.

6 PORTIONS

3 c. à soupe de jus de citron
160 g (⅔ tasse) de sucre
250 g (1 tasse) de Fromage de yogourt (p. 81)
120 g (4 oz) de fromage à la crème à teneur
    réduite en matière grasse, ramolli
2 c. à café (2 c. à thé) de zeste de citron râpé

2 c. à café (2 c. à thé) d'extrait de vanille
600 g (4 tasses) de fraises fraîches,
    équeutées et coupées en fines tranches
12 biscuits à la cuillère
Brins de menthe fraîche

- ❖ Dans une petite casserole, mélanger 2 c. à soupe de jus de citron et 80 g (⅓ tasse) de sucre. Remuer à feu moyen environ 3 min, jusqu'à dissolution du sucre. Transvider dans un petit bol et laisser refroidir le sirop au citron à température ambiante.
- ❖ Dans un grand bol, mélanger le fromage de yogourt, le fromage à la crème, 1 c. à soupe de jus de citron, le zeste, la vanille et 80 g (⅓ tasse) de sucre. Battre à l'aide du batteur électrique jusqu'à consistance lisse et duveteuse.
- ❖ Dans un bol moyen, mélanger les fraises avec 2 c. à soupe de sirop de citron.
- ❖ Verser la moitié de la préparation au fromage dans 6 assiettes à dessert. Mettre 1 biscuit dans chaque assiette et badigeonner légèrement de sirop au citron. Couvrir avec la moitié des fraises. Répéter avec le fromage, les biscuits, le sirop et les fraises restants. Garnir avec les brins de menthe.

INFORMATION NUTRITIONNELLE PAR PORTION

Calories 250 | Densité énergétique 1,2 | Glucides 43 g | Matière grasse 5 g | Protéines 8 g | Fibres 2 g

D'autres petits fruits ou mélanges de petits fruits conviennent également. Pour un buffet, vous pouvez assembler le tout dans un grand bol. Commencez avec la moitié de la préparation au fromage et 6 biscuits à la cuillère et procédez tel qu'indiqué.

POUR FAIRE UN DESSERT DE 250 CALORIES

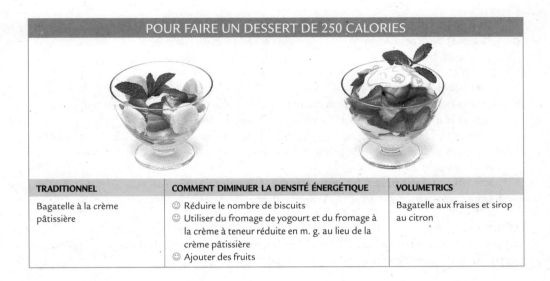

TRADITIONNEL	COMMENT DIMINUER LA DENSITÉ ÉNERGÉTIQUE	VOLUMETRICS
Bagatelle à la crème pâtissière	☺ Réduire le nombre de biscuits ☺ Utiliser du fromage de yogourt et du fromage à la crème à teneur réduite en m. g. au lieu de la crème pâtissière ☺ Ajouter des fruits	Bagatelle aux fraises et sirop au citron

Petits gâteaux à la ricotta et aux framboises

Ces petits gâteaux au fromage individuels contiennent peu d'ingrédients et aucune matière grasse mesurable.

4 PORTIONS

250 g (1 tasse) de ricotta écrémée
2 blancs d'œufs, battus

60 ml (¼ tasse) de miel
Sauce aux framboises (p. 231)

❖ Préchauffer le four à 180 °C (350 °F).
❖ Mettre la ricotta dans un bol et la défaire à l'aide d'une cuillère de bois. Ajouter les blancs d'œufs et le miel. Remuer jusqu'à consistance lisse.
❖ Vaporiser légèrement 4 ramequins de 180 ml (6 oz) d'enduit végétal. Verser la ricotta à parts égales. Mettre les ramequins sur une plaque à pâtisserie et cuire au four 30 min. Laisser refroidir 30 min sur une grille.
❖ Passer un couteau autour des ramequins et démouler dans 4 assiettes à dessert. Napper chaque portion avec 2 c. à soupe de Sauce aux framboises.

CONSEIL DU CHEF
On peut préparer ces gâteaux à l'avance et les conserver de 1 à 2 h dans le réfrigérateur. Sortir 30 min avant de servir.

INFORMATION NUTRITIONNELLE PAR PORTION

Calories 165 | Densité énergétique 1,1 | Glucides 30 g | Matière grasse 0 g | Protéines 11 g | Fibres 1 g

Crème caramel à l'érable

Utilisez toujours du véritable sirop d'érable pour faire cette recette élégante et facile d'exécution.

6 PORTIONS

80 g (⅓ tasse) de sucre
3 gros œufs
1 gros blanc d'œuf
500 ml (2 tasses) de lait écrémé

½ c. à café (½ c. à thé) d'extrait de vanille
2 c. à soupe de sirop d'érable 100% pur
½ c. à café (½ c. à thé) de sel

❖ Préchauffer le four à 160 °C (325 °F).

❖ Vaporiser légèrement 6 ramequins de 180 ml (6 oz) d'enduit végétal.

❖ Dans une petite casserole à fond épais, mélanger le sucre et 3 c. à soupe d'eau. Cuire à feu moyen-vif, en remuant sans cesse, jusqu'à dissolution du sucre. Poursuivre la cuisson sans mélanger de 4 à 8 min, jusqu'à ce que le liquide devienne bien doré. Verser immédiatement le caramel dans les ramequins, un à la fois, en faisant basculer chacun pour bien enduire le fond. Réserver.

❖ Fouetter les œufs et le blanc d'œuf dans une tasse à mesurer de 1 litre (4 tasses). Incorporer le lait, la vanille, le sirop d'érable et le sel. Verser dans les ramequins.

❖ Mettre les ramequins dans un moule de 33 x 23 cm (13 x 9 po). Verser 2,5 cm (1 po) d'eau chaude dans le moule. Cuire au four 50 min.

❖ Laisser refroidir les ramequins 30 min sur une grille. Couvrir séparément de pellicule plastique et laisser refroidir 4 h dans le réfrigérateur.

❖ Passer un couteau autour des ramequins. Poser une assiette à dessert sur le dessus et renverser la crème caramel. Napper avec le sirop restant.

INFORMATION NUTRITIONNELLE PAR PORTION
Calories 130 | Densité énergétique 1,0 | Glucides 19 g | Matière grasse 3 g | Protéines 6 g | Fibres 0 g

Fondue au chocolat aux fruits frais

Pour respecter la philosophie du Plan alimentaire Volumetrics, il suffit de prendre une petite quantité de chocolat avec chaque bouchée de fruit.

4 PORTIONS

90 g (3 oz) de chocolat semi-sucré
2 c. à soupe de lait concentré écrémé
½ c. à café (½ c. à thé) d'extrait de vanille
1 banane, en morceaux de 2,5 cm (1 po)
   d'épaisseur

1 pomme Golden Delicious ou Granny Smith
   évidée et coupée en tranches
150 g (1 tasse) de fraises fraîches, coupées
   en deux
200 g (1 tasse) d'ananas frais en morceaux

❖ Dans un poêlon à fondue, faire fondre le chocolat, le lait et la vanille en suivant les indications du manufacturier. Si l'on n'a pas de poêlon à fondue, faire fondre tous les ingrédients ensemble dans une petite casserole mise à feu moyen-doux. Faire fondre en remuant sans cesse. Transvider dans un petit bol.

❖ Mettre les fruits dans une grande assiette. Servir la fondue au chocolat en y trempant les fruits piqués sur des fourchettes à fondue ou de longs cure-dents.

❖ Si l'on ne sert pas les fruits immédiatement, arroser les pommes avec un peu de jus de citron pour les empêcher de brunir.

CONSEIL DU CHEF
Puisque cette recette contient peu de chocolat, achetez le meilleur ! Essayez cette fondue avec d'autres fruits comme les poires, les pêches, les tranches d'orange et les framboises.

INFORMATION NUTRITIONNELLE PAR PORTION

Calories 185 | Densité énergétique 1,2 | Glucides 33 g | Matière grasse 6 g | Protéines 2 g | Fibres 3 g

INFORMATION NUTRITIONNELLE PAR PORTION DE FONDUE AU CHOCOLAT

Calories 114 | Densité énergétique 3,9 | Glucides 14 g | Matière grasse 6 g | Protéines 2 g | Fibres 0 g

Votre plan alimentaire personnalisé

Au chapitre 2, vous avez évalué vos besoins journaliers en calories et avez fixé vos objectifs en ce qui a trait à votre apport calorique quotidien. Je vais maintenant vous donner un plan de menus basé sur un apport de 1400 calories par jour, de même que des suggestions qui vous aideront à varier le plan afin que vous puissiez l'adapter à vos objectifs spécifiques. N'oubliez pas que vous devez ajuster la quantité de nourriture que vous mangez si vous accusez une perte de poids trop lente ou trop rapide.

La principale caractéristique de ce plan de menus est qu'il combine des aliments de différentes densités énergétiques. Les aliments à D. É. faible sont particulièrement importants puisqu'ils vous permettront de manger à votre faim tout en diminuant votre apport calorique. Après avoir suivi le plan de menus pendant un mois, vous aurez une bonne idée des portions et types d'aliments que vous devez manger. À partir de là, vous pourrez arrêter de vous concentrer sur les calories et vous préoccuper uniquement de choisir des aliments sains qui vous plaisent et comblent votre appétit.

Voici comment sont réparties les 1400 calories quotidiennes du plan Volumetrics :

- ❖ 400 calories au déjeuner
- ❖ 500 calories au dîner
- ❖ 500 calories au souper

Le menu des trois premières semaines (pages 247 à 249) est surtout basé sur des recettes qui se trouvent dans ce livre, mais il contient aussi des plats faciles à préparer ou précuisinés. Le plan de menus de la première semaine est principalement composé de recettes volumétriques. Bon, je sais qu'il y a des jours où c'est difficile de trouver le temps de cuisiner, mais consolez-vous en songeant à la deuxième semaine, qui vous sera plus clémente puisqu'elle est composée en parties de recettes volumétriques et en partie d'idées de repas faciles et rapides à préparer. Durant la troisième semaine, ce sont les repas simples et les plats précuisinés qui prévaudront. Vous retrouverez également, à votre grande surprise sans doute, un certain nombre de repas qui tombent dans la catégorie de la restauration rapide, ce qui vous donnera une idée des mets qui sont adéquats dans ce type de restaurant et que vous pourrez manger à l'occasion, quand vous n'aurez pas le temps de cuisiner vous-même. En fait, mon but est de vous montrer que vous aurez beaucoup de flexibilité pour choisir des menus adaptés à votre style de vie.

Si la fiche de la semaine 4 (page 250) a été laissée vide, c'est parce que vous allez élaborer cette semaine-là votre propre menu volumétrique. N'attendez pas la fin de la semaine 3 pour remplir la fiche de la semaine 4 ; inscrivez-y au fur et à mesure les plats et les aliments des trois premières semaines qui vous plaisent le plus.

Un plan flexible

Mettons les choses au clair : votre objectif n'est pas de suivre à la lettre le plan de menus que je propose ici, mais d'intégrer les habitudes alimentaires volumétriques à votre quotidien. Je veux que vous développiez, au fil du programme, les connaissances et aptitudes nécessaires pour créer un plan alimentaire personnalisé axé sur les principes de la volumétrique. Les listes modulaires qui suivent le plan de menus vous permettront de substituer à votre guise des plats et aliments qui ont un contenu calorique similaire.

Les déjeuners du plan de menus comptent 400 calories chacun ; les dîners et soupers en comptent 500. Vous trouverez aux pages 264 à 267 la liste des aliments adéquats pour les collations. Choisissez chaque jour un déjeuner, dîner, souper et des goûters se trouvant au niveau calorique désiré. Vous pouvez intervertir les menus du dîner et du souper si vous voulez ; ou facilitez-vous la tâche en servant les restes d'un repas précédent. Je veux vous donner le plus de flexibilité possible, comme ça vous aurez plus de facilité – et de plaisir ! – à gérer votre poids dans les années à venir. Vous pouvez vous en tenir à vos deux ou trois choix favoris pour un repas donné, ou alors optez pour la variété en essayant au gré de votre fantaisie la multitude de plats et des aliments qui vous sont proposés ici. Ce plan alimentaire est le vôtre, ne l'oubliez pas !

Le plan que j'ai conçu ici compte 1400 calories par jour, mais il peut aisément être révisé à la hausse ou à la baisse, tout dépendant du résultat que vous désirez obtenir. Si vous décidez de passer sous la barre des 1400 calories par jour, prenez soin de répartir la réduction calorique sur tous les repas de la journée. Ne sautez pas de repas et choisissez des aliments qui vous assureront une nutrition équilibrée.

Référez-vous au tableau suivant pour atteindre un niveau calorique spécifique.

NIVEAU CALORIQUE	STRATÉGIE
1400 calories	Utilisez le plan de 1400 calories. Les menus sont pour le déjeuner, le dîner et le souper. Consommez entre 100 et 200 calories de moins aux repas si vous voulez manger des collations.
1600 calories	Augmentez de 100 calories les dîners et soupers du plan de 1400 calories en ajoutant un mets d'accompagnement de 100 calories à chaque repas, ou alors mangez des collations totalisant 200 calories par jour.
1800 calories	Ajoutez 200 calories de collations par jour au plan de 1400 calories. Vos dîners et soupers doivent maintenant compter 600 calories ; ajoutez un mets d'accompagnement de 100 calories à chacun de ces repas ou augmentez tout simplement les portions.
2000 calories	Ajoutez 200 calories en collations au plan de 1400 calories. Passez de 400 à 500 calories pour le déjeuner et à 650 au dîner et au souper, en ajoutant des aliments ou en augmentant les portions.
Plus de 2000 calories	Passé ce cap, n'augmentez pas les calories en ajoutant aux goûters. Augmentez plutôt les portions au déjeuner, au dîner et au souper. Cette approche est plus saine du fait qu'un repas contient plus de protéines et de nutriments qu'une collation.

Laissez les listes modulaires (pages 251 à 269) vous guider en ce qui a trait aux portions et aux choix alimentaires. Ces listes contiennent de tout – déjeuners, soupes, mets d'accompagnement, plats principaux, condiments, desserts, collations, boissons, etc. Dans chacune de ces catégories, les aliments sont regroupés selon leur teneur en calories, ce qui vous permettra de modifier le plan de menus selon vos goûts et préférences en substituant des aliments de même niveau calorique. Vous cherchez un mets d'accompagnement de 100 calories? Pas de problème ! Choisissez tout simplement un mets de cette catégorie classé sous la rubrique « 90 à 110 calories ». Notez que le compte de calories ne doit pas nécessairement être exact. Pour combler vos 100 calories, vous pourrez donc choisir le maïs en crème (92 calories) ou le riz brun (108 calories). Vous pourriez aussi remplacer le mets d'accompagnement par une boisson ou un autre aliment (un verre de lait ou une soupe, par exemple) de 100 calories.

Ceux qui suivent le plan de 1400 calories pourront utiliser les listes modulaires pour varier leur alimentation. Vous trouverez par exemple aux pages 264 à 267 toute une variété de collations de 100 ou 200 calories. Pour rajouter 200 calories à vos dîners et soupers, vous pourriez manger une double portion de salade de thon aux haricots blancs (page 141) ; ou encore une double portion de soupe végétarienne à l'orge (page 102), ce qui vaut 120 calories, plus un fruit ou mets d'accompagnement de 80 calories.

Les boissons

Et les boissons, eux ? Eh bien, il ne faut pas oublier que les calories que l'on boit comptent autant que les autres. Il n'y a pas de mal à boire du thé ou du café au déjeuner, mais si vous y ajoutez de la crème ou du sucre, alors vous devez couper dans les calories du reste du repas. Le plan de menus Volumetrics n'inclut aucune boisson calorique comme les boissons gazeuses ou alcoolisées ; le lait est en fait la seule boisson volumétrique qui contient des calories. Vous verrez que vous économiserez beaucoup de calories en buvant de l'eau ou une autre boisson non-calorique. Si vous ne pouvez pas résister à la tentation de boire une boisson gazeuse, un jus, un verre de vin ou une bière, alors allez-y, mais comptez cela comme une collation – une portion de 12 onces de jus ou de boisson gazeuse contient environ 150 calories.

Le lait est une excellente source de calcium et de protéines. Les déjeuners volumétriques sont riches en calcium du fait qu'ils prévoient une portion de lait partiellement écrémé ou du yogourt. Nos dîners et soupers incluent aussi des produits laitiers, préférablement du lait écrémé ou partiellement écrémé. Un verre de 8 onces de lait écrémé contient 85 calories ; le même verre de lait 1 % renferme pour sa part 100 calories. Si vous êtes sur le plan de 2000 calories, vous pouvez boire un verre de lait pour porter le compte de calories de vos dîners et soupers à 600 calories. Une collation de 200 calories peut pour sa part être composée d'un verre de lait et d'un autre aliment de 100 calories.

Le calcium et le sodium

Vous en savez maintenant pas mal sur l'art de s'alimenter à la Volumetrics : vous mangez davantage d'aliments à faible densité énergétique – fruits, légumes, soupes, etc. – et consommez des portions adéquates de fibres et de protéines maigres, lesquels favorisent la sensation de satiété. Le calcium est un autre élément nutritif essentiel à la santé. Votre plan de menus doit comprendre trois aliments riches en calcium tel le lait, le yogourt ou le fromage. Si, pour une raison ou une autre, vous êtes dans l'impossibilité d'incorporer ces sources de calcium à votre alimentation, alors vous devez songer à en prendre sous forme de supplément alimentaire.

Le sodium, en revanche, est un élément nutritif dont on ne doit pas abuser. Lisez bien les étiquettes des produits que vous achetez pour identifier leur teneur en sodium. Les organismes de santé comme Santé Canada recommandent une consommation quotidienne maximum de 2400 mg. Si je n'ai pas mentionné le sel jusqu'ici, c'est parce qu'il n'a aucune incidence sur les tissus adipeux. Cela dit, il est bon de limiter sa con-

sommation de sodium, surtout dans le cas de personnes qui font de l'hypertension artérielle. Le tout est de manger moins d'aliments traités ou de choisir des variantes faibles
en sodium – il y a par exemple sur le marché d'excellentes soupes réduites en sodium.
Vous réduirez la teneur en sodium des légumineuses en conserve en les rinçant bien
avant de les utiliser.

La variété... sans trop dépenser

Les recettes que je vous propose dans ce livre prônent la variété alimentaire. J'ai inclus
plusieurs excellents plats rapides et faciles à préparer tel le bœuf sauté aux pois mange-
tout et aux tomates (page 167), le poulet parmesan (page 188), les crevettes à la créole
(page 183), et les petits fruits au vinaigre balsamique (page 228). Certaines recettes sont
un peu plus raffinées et prennent un peu plus de temps à préparer: la crème de chou-
fleur au cari (page 96), la salade de thon aux haricots blancs (page 141), les haricots rouges et riz des bayous (page 200), et les spaghettis dans leur sauce tomate au basilic frais
(page 214) sont parfaits pour les grandes occasions, mais n'en sont pas coûteux pour
autant. Encore une fois, n'hésitez pas à personnaliser le plan de menus selon votre budget,
vos goûts et votre emploi du temps.

Le plan alimentaire Volumetrics a été conçu de façon que vous puissiez aisément
l'adapter à votre style de vie. Le témoignage suivant raconte comment les Lehman s'y
sont pris pour intégrer les principes volumétriques à leur quotidien.

*Nous sommes un jeune couple très occupé, donc nous avions besoin d'un plan alimentaire
facile à suivre et équilibré. Nous sommes tombés par hasard sur un article qui parlait des
principes volumétriques et nous avons décidé de lire* Le plan alimentaire Volumetrics.
*L'aspect logique et scientifique de cette méthode nous a beaucoup plu, de même que la variété
et la flexibilité des menus. C'est exactement ce qu'on recherchait ! Il y a maintenant plus
d'un an que nous suivons le plan... et on peut dire que la volumétrique fait vraiment partie
de notre vie. On se sent super bien, et le mieux, c'est qu'on n'a jamais faim entre les repas !*

DAN et ANN LEHMAN

Suivre le plan alimentaire Volumetrics ne coûte pas nécessairement cher. Voici quelques conseils qui vous aideront à économiser sur vos factures d'épicerie :

- ⦿ Substituez certains ingrédients par d'autres moins coûteux. Par exemple :
  - — Remplacez le poisson frais par du poisson congelé
  - — Remplacez l'huile d'olive par de l'huile de canola
  - — Utilisez des légumes en conserve ou congelés plutôt que des légumes frais
- ⦿ Faites des soupes et plats en casserole avec vos restants de table.
- ⦿ Achetez les produits quand ils sont en saison. Jardinez un peu : cultivez vos propres légumes et herbes aromatiques.
- ⦿ Faites votre épicerie quand vous avez le temps de lire les étiquettes et de comparer les prix. Choisissez les marques maison plutôt que les marques populaires.
- ⦿ Profitez des coupons rabais et des spéciaux annoncés dans les circulaires. Planifiez vos repas en fonction des spéciaux de la semaine. Achetez les produits de première nécessité quand ils sont en spécial. Tout cela nécessite un peu de temps et d'organisation, mais je vous garantis que vous en aurez plus pour votre argent !
- ⦿ Achetez des produits en vrac. Un article est généralement moins cher quand il est vendu en vrac plutôt qu'emballé, mais vérifiez tout de même le prix annoncé pour voir s'il s'agit bel et bien d'une aubaine.
- ⦿ Dressez la liste des produits dont vous avez besoin... et ne faites pas votre épicerie à jeun. Vous éviterez ainsi de faire des choix impulsifs.

Manger sainement pour le reste de sa vie

Une fois que vous aurez atteint votre poids cible, vous le maintiendrez en continuant d'utiliser votre plan de menus. Comme je l'ai déjà mentionné, certaines personnes ont plus de difficulté à maintenir leur poids qu'à maigrir. Après avoir passé un mois sur le programme Volumetrics, vous devriez savoir quelle quantité de nourriture vous devez manger pour atteindre un certain niveau de calories. En fait, j'espère que rendu à ce point-ci vous n'aurez plus l'impression de vous astreindre à un programme et que vous voudrez continuer de manger selon les principes volumétriques parce que vous y aurez pris goût.

Voici quelques points à ne pas oublier :

- ❖ Vous n'augmenterez que très légèrement le contenu calorique d'un repas donné si vous mangez plus de légumes que ce que vous aviez prévu. Notez que cela ne vaut pas pour les légumes amylacés tels que le maïs et la pomme de terre, ni pour les légumes au beurre, à l'huile ou qui sont dans une sauce riche en matières grasses.
- ❖ Vous n'avez pas à compter les calories avec exactitude, surtout dans le cas d'aliments qui sont de densité énergétique faible ou très faible. Le plan Volumetrics vous permettra de perdre du poids même si vous ne calculez pas tout au millipoil.

❖ Le plan Volumetrics n'est pas composé de plats ou d'aliments spéciaux destinés uniquement aux personnes qui font un régime, ce qui veut dire que vous pourrez partager vos saines et délicieuses découvertes culinaires avec les gens pour lesquels vous cuisinez – conjoint ou conjointe, amis, famille, etc. La seule différence, c'est qu'ils pourront manger des plus grosses portions que vous s'ils ne sont pas au régime !

Vous trouverez à la page suivante le résumé des principes volumétriques que nous avons vus jusqu'ici. Je l'ai dit et je le répète, mon but est de vous faire manger des aliments faibles en calories qui sont nutritifs et comblent l'appétit ; comme ça, vous perdrez du poids sans avoir l'impression de vous priver. Mieux encore : j'espère que vous prendrez plaisir à vous nourrir à la Volumetrics !

ALIMENTS	RECOMMANDATIONS
Aliments riches en eau	Consommez plus d'aliments qui contiennent beaucoup d'eau. Vous pouvez manger des portions substantielles de ces aliments qui vous rassasieront avec très peu de calories. Font partie de cette catégorie : ● Les fruits et légumes frais, mangés sans sucre ou gras ajouté. ● Les soupes et bouillies ● Les plats en casserole contenant beaucoup de légumes ● Les céréales chaudes et les grains cuits ● Le poisson (poché ou vapeur) Mangez davantage de fruits et de légumes aux repas ou aux goûters. Commencez chaque repas avec une soupe, une salade ou un fruit frais.
Les aliments faibles en gras	Il est important que vous réduisiez les matières grasses, car elles présentent une densité énergétique élevée. Voici quelques conseils qui vous aideront en ce sens : ● Modérez votre consommation de tartinades, vinaigrettes et sauces riches en gras. ● Remplacez les produits riches en gras par leurs variantes allégées. ● Favorisez les produits laitiers faibles en gras. ● Favorisez les viandes et volailles maigres. ● Évitez les aliments frits. La cuisson au four, à la vapeur ou sur le gril est bien meilleure. ● Remplacez les desserts, goûters et boissons caloriques par des équivalents faibles en gras.
Les portions	Vous pourrez manger des plus grosses portions – et vous sentirez donc plus rassasié – si vous mangez surtout des aliments à faible ou très faible densité énergétique. Réduisez les portions dans le cas d'aliments de D. É. moyenne ou élevée.
Les aliments riches en fibres	La fonction première des fibres n'est pas de réduire la densité énergétique – ce qu'elles font dans une certaine mesure –, mais de favoriser la sensation de satiété. Les aliments suivants conviennent parfaitement à un régime de D. É. faible : ● Les fruits et légumes entiers, mangés sans sucre ou gras ajouté. ● Les grains entiers (pain de blé entier, riz brun, etc.). ● Les céréales de déjeuner riches en fibres, avec peu ou pas de sucre ajouté.
Les protéines maigres	Les aliments de cette catégorie sont très nourrissants et ils favorisent la satiété. Les aliments protéinés suivants présentent une D. É. faible : ● La volaille (sans la peau) ● Les viandes maigres ● Les haricots et le tofu Combinez les protéines à des fruits, légumes ou céréales à faible densité énergétique.
Les breuvages faibles en calories	Choisissez avec soin ce que vous buvez. Surveillez votre consommation d'alcool et de boissons sucrées, qui sont caloriques et favorisent peu la satiété. Buvez de l'eau, du café (sans sucre et lait) ou d'autres boissons peu caloriques au lieu des jus et boissons gazeuses qui contiennent beaucoup de sucre et de calories.

SEMAINE 1 : Les repas de cette première semaine contiennent toute une variété de recettes volumétriques, mais vous pouvez tout aussi bien les substituer par des repas des semaines 2 et 3 ou des listes modulaires.

LUNDI	MARDI	MERCREDI	JEUDI	VENDREDI	SAMEDI	DIMANCHE
Déjeuner 1 tasse de céréales au son de blé ½ tasse de bleuets 1 banane (302 calories) 1 tasse de lait 1% (102 calories)	**Déjeuner** 1 muffin anglais au blé entier 1 oz de fromage suisse (220 calories) 1 pamplemousse, ½ c. à thé de sucre (81 calories) 1 tasse de lait 1% (102 calories)	**Déjeuner** 1 sachet de gruau instantané ¼ de tasse de son d'avoine ¼ de tasse de raisins secs une pincée de cannelle (307 calories) 1 tasse de lait 1% (102 calories)	**Déjeuner** 2 gaufres congelées au blé entier 1 c. à soupe de margarine légère, ½ tasse de fraises, 1 kiwi (292 calories) 1 tasse de lait 1% (102 calories)	**Déjeuner** 1 ½ tasse de céréales au son d'avoine ¼ de tasse de canneberges séchées (296 calories) 1 tasse de lait 1% (102 calories)	**Déjeuner** Gruau crémeux aux abricots (page 71, 265 calories) ½ pamplemousse rose ¼ de c. à thé de sucre (40 calories) 1 tasse de lait 1% (102 calories)	**Déjeuner** Frittata piquante (page 69, 175 calories) 1 tasse de cantaloup 1 tasse de melon de miel (118 calories) 1 tasse de lait 1% (102 calories)
Dîner Sandwich grillé aux champignons (page 115, 290 calories) Tabboulé (page 139, 100 calories) 1 poire (98 calories)	**Dîner** Sandwich aux viandes froides et au fromage (page 112, 345 calories) Salade de chou piquante (page 133, 65 calories) ½ tasse de gélatine à saveur de fruits 1 tasse de fraises (80 calories)	**Dîner** Pizza aux légumes frais du potager (page 219, 285 calories) Gaspacho (page 103 120 calories) Un petit pudding au chocolat sans gras (100 calories)	**Dîner** Pitas savoureux à la salade de thon (page 120, 285 calories) Salade d'épinards et de fruits frais avec vinaigrette à l'orange et aux graines de pavot (page 132, 150 calories) 1 pomme (81 calories)	**Dîner** Casserole de poulet à la mexicaine (page 192, 325 calories) Salade Volumetrics (page 129, 100 calories) 1 tasse de salade de fruits dans un sirop léger (76 calories)	**Dîner** Salade de bifteck Santa Fe avec vinaigrette à la coriandre et au citron vert (page 138, 400 calories) ½ tasse de fromage cottage faible en gras ¼ de tasse de pêches en conserve dans un sirop léger (108 calories)	**Dîner** Risotto primavera (page 204, 290 calories) Salade de roquette et d'oranges au fenouil (page 128, 80 calories) Crème caramel à l'érable (page 237, 130 calories)
Souper Poulet au merlot (page 190, 240 calories) ⅔ de tasse de riz brun (144 calories) Insalata mista (page 131, 60 calories) Petits fruits au vinaigre balsamique (page 228, 55 calories)	**Souper** Macaroni aux légumes et au fromage (page 216, 330 calories) Crème de chou-fleur au cari (page 96, 105 calories) ⅔ de tasse de mandarines en quartiers (69 calories)	**Souper** Tilapia au four et légumes sautés (page 178, 160 calories) Pommes de terre rôties au four (page 156, 110 calories) Asperges grillées (page 151, 50 calories) Fondue au chocolat aux fruits frais (page 238, 185 calories)	**Souper** Casserole de poulet à la mexicaine (page 192, 325 calories) Petit pain au blé entier (110 calories) 1 tasse de raisins (62 calories)	**Souper** Saumon au four avec sauce au yogourt à l'aneth (page 177, 225 calories) Pilaf aux légumes (page 202, 135 calories) Salade grecque de Charlie (page 126, 80 calories) 1 barre congelée aux fruits (portion de 3 oz, 70 calories)	**Souper** Pâtes primavera de Charlie (page 210, 345 calories) Chaudrée de maïs et de tomates (page 93, 105 calories) 1 kiwi (46 calories)	**Souper** Côtelettes de porc à la sauce soja à l'orange (page 171, 195 calories) Haricots verts sautés (page 152, 65 calories) ½ tasse de riz brun (72 calories) Petits gâteaux à la ricotta et aux framboises (page 236, 165 calories)

SEMAINE 2 : Le menu de cette semaine est fait en partie de recettes volumétriques et en partie d'idées de repas rapides et faciles à préparer.

LUNDI	MARDI	MERCREDI	JEUDI	VENDREDI	SAMEDI	DIMANCHE
Déjeuner 1 sachet de gruau instantané, saveur érable et cassonade ¼ de tasse de son d'avoine (235 calories) 1 orange (62 calories) 1 tasse de lait 1 % (102 calories)	**Déjeuner** 1 ½ tasse de céréales au son de blé 1 pêche (246 calories) 1 tasse cantaloup (56 calories) 1 tasse de lait 1 % (102 calories)	**Déjeuner** 1 tasse de yogourt à la vanille sans gras 1 tasse d'ananas, ¼ de tasse de muesli faible en gras (302 calories) 1 tasse de lait 1 % (102 calories)	**Déjeuner** 1 tasse de céréales « *Shredded Wheat* » format bouchée, ¼ de tasse d'abricots séchés (291 calories) 1 tasse de lait 1 % (102 calories)	**Déjeuner** 1 muffin anglais au blé entier 1 c. à soupe de beurre d'arachides « light » 1 pomme coupée en tranches (304 calories) 1 tasse de lait 1 % (102 calories)	**Déjeuner** Crêpes de blé entier au babeurre et aux petits fruits (page 66, 270 calories) 1 tasse de yogourt aux fruits sans sucre (120 calories)	**Déjeuner** Sandwich roulé aux œufs à la mexicaine (page 68, 240 calories) 1 tasse de raisins (62 calories) 1 tasse de lait 1 % (102 calories)
Dîner 1 pomme de terre au four garnie de salsa, légumes et fromage (350 calories) Salade de fenouil au citron (page 130, 55 calories) 1 poire (98 calories)	**Dîner** Sous-marin à la dinde sur pain de blé entier (6 pouces), sans mayo ou fromage mais avec beaucoup de légumes (280 calories) 2 tasses de soupe aux légumes végétarienne (144 calories) 1 tasse de raisins (81 calories)	**Dîner** Sandwich roulé Buffalo (page 116, 350 calories) Insalata mista (page 131, 60 calories) 1 pomme (81 calories)	**Dîner** Salade de thon aux haricots blancs (page 141, 200 calories) 1 bagel au son d'avoine (181 calories) 1 tasse de yogourt aux fruits sans sucre (120 calories)	**Dîner** 1 repas congelé réduit en calories (300 calories) 15 carottes miniatures 1 c. à soupe de vinaigrette ranch sans gras (82 calories) 1 banane (109 calories)	**Dîner** Sandwich ouvert au rôti de bœuf (page 114, 200 calories) Soupe aux cannellinis (page 100, 265 calories) 1 prune (40 calories)	**Dîner** Ratatouille (page 150, 75 calories) 1 tasse de pâtes alimentaires au blé entier (174 calories) Bagatelle aux fraises et sirop au citron (page 234, 250 calories)
Souper Goulasch traditionnelle aux légumes (page 168, 335 calories) Champignons farcis à la florentine (page 86, 45 calories) ½ tasse de fromage cottage faible en gras 1 kiwi (128 calories)	**Souper** Haricots rouges et riz des bayous (page 200, 300 calories) Salade Volumetrics (page 129, 100 calories) ½ tasse de crème glacée à la vanille faible en gras (92 calories)	**Souper** ¾ de tasse de pâtes alimentaires au blé entier 1 ½ tasses de légumes mixtes congelés ½ tasse de sauce en conserve 1 c. à thé de fromage parmesan Morceau de chocolat (50 calories)	**Souper** Soupe-repas au poulet et aux légumes (page 104, 290 calories) Salade d'épinards et de fruits frais avec vinaigrette à l'orange et aux graines de pavot (page 132, 150 calories) 1 tasse de cantaloup (56 calories)	**Souper** Navarin à la printanière (page 172, 186 calories) Insalata Caprese (page 80, 105 calories) ½ tasse de pudding au chocolat (150 calories)	**Souper** Pâtes aux fruits de mer (page 212, 400 calories) Salade crémeuse de concombres à l'aneth (page 127, 50 calories) ½ tasse de pêches, ½ c. à soupe de garniture fouettée « light » (51 calories)	**Souper** Bœuf sauté aux pois mange-tout et aux tomates (page 167, 255 calories) Rouleaux de printemps avec sauce soja au gingembre (page 82, 130 calories) 2 biscuits chinois (56 calories) ½ pêche, 1 c. à soupe de crème légère (51 calories)

SEMAINE 3 : Le plan de menus de cette semaine comprend lui aussi un mélange d'idées repas simples et de recettes volumétriques.

LUNDI	MARDI	MERCREDI	JEUDI	VENDREDI	SAMEDI	DIMANCHE
Déjeuner 2 rôties au pain de blé entier 2 c. à soupe de fromage à la crème réduit en gras 2 kiwis (292 calories) 1 tasse de lait 1% (102 calories)	**Déjeuner** 2 œufs brouillés 2 c. à soupe de salsa (163 calories) ¾ de tasse d'ananas ½ tasse de fromage cottage faible en gras (139 calories) 1 tasse de lait 1% (102 calories)	**Déjeuner** 1 tasse de yogourt à la vanille sans gras ¾ de tasse de mangue ¼ de tasse de muesli faible en gras (309 calories) 1 tasse de lait 1% (102 calories)	**Déjeuner** 1 tasse de céréales « Shredded Wheat » format bouchée 1 pêche coupée en cubes (256 calories) 1 tangerine (37 calories) 1 tasse de lait 1% (102 calories)	**Déjeuner** 2 saucisses végétariennes (80 calories) 2 rôties au pain de blé entier ½ c. à soupe de margarine « light » (155 calories) 1 tasse de melon de miel (62 calories) 1 tasse de lait 1% (102 calories)	**Déjeuner** Muffins aux bleuets et à la compote de pommes (page 70, 250 calories) ½ pamplemousse rose, ¼ c. à thé de sucre (40 calories) 1 tasse de lait 1% (102 calories)	**Déjeuner** Pain doré aux petits fruits cuit au four (page 67, 315 calories) ¾ de tasse de lait 1% (75 calories)
Dîner Sandwich au poulet grillé, sans mayo ou fromage mais avec beaucoup de légumes (320 calories) 7 craquelins au blé 1 oz de fromage réduit en gras (144 calories) 1 clémentine (37 calories)	**Dîner** Burrito congelé aux haricots et fromage (5 oz) ¼ de tasse de salsa (325 calories) 1 tasse de yogourt aux fruits sans sucre 1 tasse de fraises (168 calories)	**Dîner** Sandwich au jambon sur pain de blé entier, avec 1 tranche de fromage, beaucoup de légumes, mais pas de mayo (380 calories) ½ tasse de sorbet aux fruits (120 calories)	**Dîner** 1 boîte de soupe aux légumes à base de bouillon (180 calories) 1 bagel au blé entier 1 c. à soupe de fromage à la crème réduit en gras (230 calories) 1 poire (98 calories)	**Dîner** 1 plat congelé réduit en calories (300 calories) 1 ½ tasse de soupe au poulet, riz et légumes (135 calories) 1 tasse de raisins (62 calories)	**Dîner** 1 petit cheeseburger, sans mayo mais avec beaucoup de légumes (310 calories) 1 grosse salade jardinière sans croûtons, ¼ de tasse de vinaigrette sans gras (150 calories) 1 prune (40 calories)	**Dîner** Burger végétarien sur pain de blé entier, avec tomate et laitue (320 calories) 2 tasses de soupe poulet et nouilles (150 calories) ½ tasse de framboises (30 calories)
Souper 1 plat congelé réduit en calories 2 tasses de légumes mixtes congelés (300 calories) Gâteau éponge (1 oz) ½ tasse de fraises 2 c. à soupe de garniture fouettée réduite en calories (193 calories)	**Souper** Pizza-fajita au poulet (page 222, 390 calories) ½ tasse de pudding à la vanille sans sucre préparé avec du lait écrémé ½ tasse de bleuets (110 calories)	**Souper** Pizza Margherita (page 220, 265 calories) Salade verte avec vinaigrette sans gras (50 calories) Bananes royales au four (page 229, 185 calories)	**Souper** Riz sauté aux crevettes (page 184, 325 calories) 1 tasse d'ananas frais (76 calories) 1 biscuit chinois (28 calories) ½ tasse de yogourt glacé sans gras (80 calories)	**Souper** Salade de pâtes à la façon de Liz (page 137, 400 calories) Pomme cuite au four, 1 c. à thé de sucre, une pincée de cannelle (96 calories)	**Souper** Côtelette de porc cuite au four (3 oz), 1 tasse de riz sauvage (338 calories) Bruschetta aux haricots blancs (page 78, 60 calories) Brocoli à la menthe (page 148, 35 calories) 1 ¼ tasse de melon (60 calories)	**Souper** Rouleaux de dinde à l'italienne (page 94, 140 calories) 1 tasse de fèves vertes (20 calories) ¾ de tasse de riz brun (162 calories) Parfaits aux fruits frais (page 232, 170 calories)

SEMAINE 4 : Composez votre propre plan de menus en vous basant sur vos recettes volumétriques favorites.

LUNDI	MARDI	MERCREDI	JEUDI	VENDREDI	SAMEDI	DIMANCHE
Déjeuner	Déjeuner	Déjeuner	Déjeuner	Déjeuner	Déjeuner	Déjeuner
Dîner	Dîner	Dîner	Dîner	Dîner	Dîner	Dîner
Souper	Souper	Souper	Souper	Souper	Souper	Souper

Les listes modulaires

Vous pouvez vous référer à ces listes pour procéder à des substitutions dans le plan de menus ou pour créer votre propre version personnalisée du plan alimentaire *Volumetrics*. Dans chaque liste, les aliments sont regroupés selon leur niveau calorique, ce qui vous permettra d'identifier rapidement les aliments interchangeables ; j'ai aussi inscrit la densité énergétique de chaque aliment afin que vous puissiez faire des choix alimentaires qui favorisent davantage la satiété. Le poids par portion (en grammes) est aussi indiqué, ce qui est un autre élément qui vous guidera en ce qui a trait à la satiété. Référez-vous à mon autre ouvrage, *Le plan alimentaire Volumetrics*, pour trouver les valeurs d'aliments qui ne figurent pas sur les listes suivantes.

Liste modulaire des aliments de déjeuner

Les listes modulaires vous aideront à identifier les aliments qui favorisent le plus la satiété. Comment ça ? Eh bien, il suffit de se référer à la colonne dans laquelle est inscrite la densité énergétique. Parmi les aliments de même niveau calorique, ceux qui ont une D. É. plus faible peuvent être mangés en plus grandes quantités et sont donc plus susceptibles de vous rassasier. Par exemple, dans les aliments de déjeuner, on retrouve le beigne glacé (D. É. de 4,0) et le gruau crémeux aux abricots (page xxx, D. É. de 0,90), qui comptent tous deux 250 calories. Mais comme leur densité énergétique est très différente, la portion du beigne est de 61 grammes et celle du gruau, 294 grammes. En choisissant le gruau, c'est comme si, à calories égales, vous mangiez 5 fois plus !

On ne peut pas se tromper en mangeant des céréales avec du lait écrémé ou partiellement écrémé au déjeuner. Lisez soigneusement les étiquettes et optez pour une céréale qui contient au moins 3 grammes de fibres par portion. Et surveillez bien vos portions ! Sur les listes modulaires, j'ai indiqué le nombre de calories par tasse de céréales, mais certaines céréales sont plus caloriques – une tasse de muesli contient 620 calories ! –, alors faites bien attention. Le fait que les calories d'un aliment donné soient indiquées par tasse ne veut pas dire que vous devez absolument manger une tasse de cet aliment !

	DENSITÉ ÉNERGÉTIQUE	POIDS (en grammes)	CALORIES

Moins de 100 calories

	DENSITÉ ÉNERGÉTIQUE	POIDS (en grammes)	CALORIES
Substitut d'œuf liquide, brouillé, ¼ de tasse	0,91	58	53
Pain de blé entier, 1 tranche	2,8	23	65
Pain blanc, 1 tranche	2,9	23	67
Œuf poché, 1 gros	1,5	50	75
Œuf à la coque, 1 gros	1,6	49	78
Saucisse kielbassa à la dinde, 2 oz	1,4	57	80
Saucisse végétarienne (2)	1,8	45	80
Crêpe américaine (1), 4 pouces de diamètre	2,3	37	86
Gaufre congelée (1)	2,6	33	87
Bacon, 2 tranches	1,9	47	89
Bacon à la dinde, 3 tranches	2,4	37	90
Œuf au miroir, 1 gros	2	46	92

100 à 200 calories

	DENSITÉ ÉNERGÉTIQUE	POIDS (en grammes)	CALORIES
Crème de blé, 1 tasse, préparée avec de l'eau	0,49	251	123
Muffins aux bleuets et à la compote de pommes, page 70	1,6	78	125
Muffin anglais, grillé	2,6	51	128
Bacon, 3 tranches	5,7	24	138
Gruau de maïs, préparé avec de l'eau	0,6	242	145
Gruau instantané, 1 tasse, préparé avec de l'eau	0,62	233	145
Product 19 (Kellog's), 1 tasse avec ½ tasse de lait 1 %	1	151	151
Corn Flakes (Kellog's), 1 tasse avec ½ tasse de lait 1 %	1,1	137	151
Pain doré, 1 tranche, fait avec du lait 2 %	2,3	66	151
Muffin au son, 2 ½ pouces de diamètre	2,7	57	153
Shredded Wheat (Post), format bouchée, 1 tasse avec ½ tasse de lait 1 %	1,4	113	158
Wheaties (General Mills), 1 tasse avec ½ tasse de lait 1 %	1,1	146	161
Cheerios (General Mills), 1 tasse avec ½ tasse de lait 1 %	1,1	147	162
Fiber One (General Mills), 1 tasse avec ½ tasse de lait 1 %	0,94	182	171
Frittata piquante, page 69	1	170	175
Bagel au son d'avoine (1), 3 ⅓ pouces de diamètre	2,5	70	181
Grape-Nuts (Post), 1 tasse avec ½ tasse de lait 1 %	1,1	168	185
Bagel cannelle et raisins, 3 ⅓ pouces de diamètre	2,9	67	194
Bagel nature, 3 ⅓ pouces de diamètre	2,8	70	195
Céréales au son d'avoine, 1 tasse avec ½ tasse de lait 1 %	1,2	165	198

	DENSITÉ ÉNERGÉTIQUE	POIDS (en grammes)	CALORIES
200 à 300 calories			
Céréales de son de blé, 1 tasse avec ½ tasse de lait 1 %	1,2	170	204
Pâtisserie pour grille-pain aux fruits	3,9	52	204
All-Bran (Kellog's), 1 tasse avec ½ tasse de lait 1 %	1,1	192	211
Biscuit pour petit-déjeuner (1), 2 ½ pouces de diamètre	3,5	61	212
Brioche aux raisins et à la cannelle	3,7	60	223
Son 100 % (Post), 1 tasse avec ½ tasse de lait 1 %	1,2	188	226
Croissant au beurre	4,1	56	231
Sandwich roulé aux œufs à la mexicaine, page 68	1,3	185	240
Quaker Oats *Croustillant,* 1 tasse avec ½ tasse de lait 1 %	1,4	171	240
Raisin Bran (Kellog's), 1 tasse avec ½ tasse de lait 1 %	1,3	185	241
Beigne glacé	4	61	242
Chex multi-grains (General Mills), 1 tasse avec ½ tasse de lait 1 %	1,4	179	251
Gruau crémeux aux abricots, page 71	0,9	294	265
Crêpes de blé entier au babeurre et aux petits fruits, page 66	1	230	270
300 à 400 calories			
Pain doré aux petits fruits cuit au four, page 67	1,1	286	315
Pâtisserie danoise à la cannelle	4	87	349
Croissant au beurre avec œufs, bacon et fromage	3,3	117	386
Plus de 400 calories			
Muesli réduit en gras, 1 tasse avec ½ tasse de lait 1 %	2	216	431
Grape-nuts (Post), 1 tasse avec ½ tasse de lait 1 %	1,9	237	451
Saucisse de porc (2)	6,7	76	506
Biscuit avec œuf et saucisse	3,2	182	581
Muesli, 1 tasse avec ½ tasse de lait 1 %	2,5	248	620

Liste modulaire des soupes

N'oubliez pas que si vous prenez une soupe comme entrée, elle devra contenir 150 calories ou moins. Les soupes qui contiennent plus de calories font de bons plats principaux satisfaisants pour les repas du midi ou du soir. Prenez aussi des soupes à l'heure du goûter. Si vous achetez des soupes du commerce, lisez bien l'étiquette pour connaître leur densité énergétique et leur valeur calorique qui peuvent varier considérablement selon les marques choisies.

	DENSITÉ ÉNERGÉTIQUE	POIDS (en grammes)	CALORIES
Moins de 100 calories			
Bouillon de poulet sans gras, 1 tasse	0,07	243	17
Bouillon de bœuf sans gras, 1 tasse	0,08	250	20
Bouillon de légumes, 1 tasse	0,09	222	20
Bouillon de bœuf, 1 tasse	0,12	250	30
Bouillon de poulet, 1 tasse	0,16	244	39
Gaspacho, 1 tasse, en conserve, prêt à servir	0,23	243	56
Soupe à l'oignon, 1 tasse, en conserve, condensée, préparée avec de l'eau	0,24	242	58
Soupe aux légumes végétarienne, 1 tasse, en conserve, condensée, préparée avec de l'eau	0,3	240	72
Soupe poulet et nouilles, 1 tasse, en conserve, condensée, préparée avec de l'eau	0,31	242	75
Soupe minestrone, 1 tasse, en conserve, condensée, préparée avec de l'eau	0,34	241	82
Soupe aux tomates, 1 tasse, en conserve, condensée, préparée avec de l'eau	0,35	243	85
Soupe au poulet, riz et légumes, 1 tasse, en conserve, prêt à servir	0,38	237	90
Chaudrée de palourdes de la Nouvelle-Angleterre, 1 tasse, en conserve, condensée, préparée avec de l'eau	0,39	244	95
100 à 200 calories			
Crème de chou-fleur au cari, page 96	0,3	350	105
Chaudrée de maïs et tomates, page 93	0,4	263	105
Soupe aux haricots noirs, 1 tasse, en conserve, condensée, préparée avec de l'eau	0,47	247	116
Gaspacho, page 103	0,28	429	120
Soupe végétarienne à l'orge, page 102	0,4	300	120
Soupe aux légumes, 1 tasse, en conserve, prêt à servir	0,51	239	122

	DENSITÉ ÉNERGÉTIQUE	POIDS (en grammes)	CALORIES
Soupe rustique aux tomates, page 97	0,4	312	125
Minestrone, page 98	0,5	250	125
Soupe aux lentilles et au jambon, 1 tasse, en conserve, prêt à servir	0,56	248	139
Soupe d'automne à la citrouille, page 94	0,4	375	150
Soupe bœuf et légumes, 1 tasse, en conserve, prêt à servir	0,63	243	153
Crème de brocoli, page 95	0,6	267	160
Soupe aux tomates, 1 tasse, en conserve, condensée, préparée avec de l'eau	0,65	248	161
Soupe au bœuf, 1 tasse, en conserve, prêt à servir	0,71	239	170
Soupe aux haricots avec bacon, 1 tasse, en conserve, condensée, préparée avec de l'eau	0,68	253	172
Soupe poulet et nouilles, 1 tasse, en conserve, condensée, préparée avec de l'eau	0,73	240	175
Soupe aux pois avec jambon, 1 tasse	0,77	240	185
Chaudrée de pommes de terre au jambon, 1 tasse, en conserve, prêt à servir	0,8	240	192
Chaudrée de maïs, 1 tasse, en conserve, prêt à servir	0,82	244	200

Plus de 200 calories

	DENSITÉ ÉNERGÉTIQUE	POIDS (en grammes)	CALORIES
Crème de champignons, 1 tasse, en conserve, condensée, préparée avec du lait 2%	0,82	248	203
Soupe aux lentilles et aux tomates, page 101	0,6	383	230
Soupe aux haricots et au jambon, 1 tasse, en conserve, prêt à servir	0,95	243	231
Soupe orientale aux haricots noirs, page 99	0,7	343	240
Soupe aux cannellinis, page 100	0,5	470	265
Soupe-repas au poulet et aux légumes, page 104	0,6	483	290

Liste modulaire des mets d'accompagnement

Cette liste contient tout un assortiment de mets d'accompagnement – légumes, céréales, salades, entrées, etc. Plusieurs se situent dans la catégorie des moins de 100 calories. Il y en a un nombre respectable dans les 100 à 200 calories, et quelques-uns de plus de 200 calories qui peuvent servir aussi de plats principaux.

	DENSITÉ ÉNERGÉTIQUE	POIDS (en grammes)	CALORIES
Moins de 100 calories			
Chou-fleur, ½ tasse, bouilli	0,23	61	14
Chou vert, ½ tasse, bouilli	0,23	74	17
Courge d'été, ½ tasse, bouilli	0,2	90	18
Bette à carde, ½ tasse, bouilli	0,2	90	18
Épinards, ½ tasse, bouilli	0,22	95	21
Fèves vertes, ½ tasse, bouilli	0,35	62	22
Asperges, ½ tasse, bouilli	0,24	92	22
Carottes, ½ tasse, cru	0,43	61	26
Choux de Bruxelles, ½ tasse, bouilli	0,39	77	30
Brocoli à la menthe, page 149	0,28	125	35
Betteraves, ½ tasse, bouilli	0,44	84	37
Courge d'hiver, ½ tasse, cuit au four	0,39	102	40
Champignons farcis à la florentine, page 86	0,4	113	45
Salade crémeuse de concombres à l'aneth, page 127	0,28	179	50
Asperges grillées, page 151	0,4	125	50
Salade de fenouil au citron, page 130	0,36	153	55
Insalata mista, page 131	0,39	154	60
Bruschetta aux haricots blancs, page 78	1,5	50	60
Pois verts, ½ tasse, congelés, bouilli	0,78	79	62
Haricots verts sautés, page 152	0,4	163	65
Salade de chou au poivre, page 134	0,6	108	65
Salade de chou piquante, page 133	0,43	151	65
Maïs, ½ tasse, en conserve, bouilli	0,81	81	66
Ratatouille, page 150	0,5	150	75
Boulghour, ½ tasse, cuit	0,83	92	76
Maïs en épi (1), bouilli	0,86	90	77
Semoule de sarrasin (kacha), ½ tasse, grillé, cuit	0,97	79	77
Salade grecque de Charlie, page 126	0,5	160	80
Salade de roquette et d'oranges au fenouil, page 128	0,58	138	80
Haricots à œil noir, ½ tasse, bouilli	0,97	82	80

	DENSITÉ ÉNERGÉTIQUE	POIDS (en grammes)	CALORIES
Légumes grillés à l'ail, page 149	0,4	225	90
Kebabs de champignons au sésame, page 84	0,7	129	90
Frites, 1 oz	3,2	28	91
Haricots frits, ½ tasse, en conserve, sans gras	0,72	128	92
Maïs en crème, ½ tasse	0,72	128	92
Haricots de Lima, ½ tasse, congelés, bouilli	1,1	86	95
Orge perlée, ½ tasse, cuit	1,2	81	97

100 à 200 calories

	DENSITÉ ÉNERGÉTIQUE	POIDS (en grammes)	CALORIES
Salade Volumetrics, page 129	0,38	265	100
Haricots noirs, ½ tasse, en conserve	0,78	128	100
Tabboulé, page 139	1	100	100
Haricots secs, ½ tasse, en conserve	0,81	128	104
Insalata Caprese, page 80	0,81	130	105
Quinoa, ½ tasse, cuit	0,99	107	106
Haricots de Lima, ½ tasse, bouilli	1,2	90	108
Riz brun, ½ tasse, cuit	1,1	98	108
Pommes de terre rôties au four, page 156	1,6	69	110
Pommes de terre en purée, préparées avec de la margarine et du lait entier, ½ tasse	1,1	101	111
Lentilles, ½ tasse, bouilli	1,2	96	115
Pois cassés, ½ tasse, bouilli	1,2	96	115
Patates sucrées, ½ tasse, cuit au four	1	117	117
Haricots pinto, ½ tasse, bouilli	1,4	84	117
Haricots frits, ½ tasse, en conserve	0,94	127	119
Petits haricots blancs, ½ tasse, bouilli	1,4	92	129
Rouleaux de printemps avec sauce soja au gingembre, page 82	1,2	108	130
Pommes de terre nouvelles et petits pois, page 155	0,8	169	135
Pilaf aux légumes, page 202	0,9	150	135
Pois chiches, ½ tasse, en conserve	1,2	119	143
Millet, ½ tasse, cuit	1,2	119	143
Poivrons farcis au boulghour et aux légumes, page 160	0,5	300	150
Salade d'épinards et de fruits frais avec vinaigrette à l'orange et aux graines de pavot, page 132	0,64	234	150
Haricots Great Northern, ½ tasse, en conserve	1,1	136	150

	DENSITÉ ÉNERGÉTIQUE	POIDS (en grammes)	CALORIES
Haricots blancs, ½ tasse, en conserve	1,2	128	154
Salade de pommes de terre et de haricots à l'estragon, page 140	0,8	194	155
Purée de pommes de terre, page 157	0,9	211	155
Pommes de terre rissolées, ½ tasse	2,1	78	163
Fèves au lard, ½ tasse, fait maison	1,5	127	191
Quinoa au citron vert de mon amie Mary, page 203	0,77	253	195
Plus de 200 calories			
Courge farcie à l'orge et aux fines herbes, page 158	0,6	350	210
Pomme de terre au four (1), grosseur moyenne, avec la peau	1,1	193	212
Bruschetta aux crevettes et au citron, page 79	1,6	134	215
Rondelles d'oignon frites, 7 rondelles	4,1	70	285

Liste modulaire des plats principaux

Vous trouverez ici toute une variété de plats principaux. Viandes, volailles, poissons, pizzas, pâtes alimentaires, sandwiches et salades sont au rendez-vous – il y en a vraiment pour tous les goûts. Vous pouvez ajouter une entrée ou un mets d'accompagnement pour équilibrer vos repas ou si vous devez atteindre un certain niveau calorique.

	DENSITÉ ÉNERGÉTIQUE	POIDS (en grammes)	CALORIES
Moins de 100 calories			
Perche de mer, 3 oz, cuisson à chaleur sèche	0,89	85	76
Crabe d'Alaska, 3 oz, cuisson à chaleur humide	0,96	85	82
Homard, 3 oz, bouilli ou cuit à la vapeur	0,98	85	83
Crevettes, 3 oz, bouilli ou cuit à la vapeur	1	84	84
Morue, 3 oz, cuisson à chaleur sèche	1	89	89
Pétoncles, 3 oz, cuisson à chaleur humide	1,1	82	90
Thon, 3 oz, en conserve dans l'eau	1,2	83	99

	DENSITÉ ÉNERGÉTIQUE	POIDS (en grammes)	CALORIES

100 à 200 calories

	DENSITÉ ÉNERGÉTIQUE	POIDS (en grammes)	CALORIES
Perche, 3 oz, cuisson à chaleur sèche	1,2	83	100
Filet de dinde, 3 oz	1,3	85	110
Huîtres, 3 oz, cuisson à chaleur humide	1,4	83	116
Thon à queue jaune, 3 oz, cuisson à chaleur sèche	1,4	84	118
Flétan, 3 oz, cuisson à chaleur sèche	1,4	85	119
Poitrine de dinde hachée, 4 oz, 99 % sans gras	1,4	86	120
Palourdes, 3 oz, cuisson à chaleur humide	1,5	84	126
Saumon rose, 3 oz, cuisson à chaleur sèche	1,5	85	127
Espadon, 3 oz, grillé avec de la margarine	1,6	83	132
Foies de poulet, 3,5 oz, cuit à petit feu	1,6	83	133
Rouleaux de dinde à l'italienne, page 194	1	140	140
Côtelettes d'agneau au four et gremolata, page 174	1,3	108	140
Pizza au fromage, 1 pointe (⅛ d'une pizza de 12 pouces de diamètre), pâte régulière	2,2	64	140
Poitrine de poulet, 3,5 oz, rôti, sans la peau	1,7	84	142
Jambon, 3,5 oz, extra maigre (5 % de gras)	1,5	97	145
Poulet de Cornouailles, ½ poulet, sans la peau	1,4	105	147
Pizza végétarienne, 1 pointe (⅛ d'une pizza de 12 pouces de diamètre), pâte mince	2,1	70	148
Dinde, 3,5 oz, viande blanche, sans la peau	1,6	98	157
Tilapia au four et légumes sautés, page 178	0,8	200	160
Dinde hachée, 3,5 oz, maigre (7 % de gras)	1,9	84	160
Foie de bœuf, 3,5 oz, braisé	1,6	101	161
Poulet à la provençale, page 189	0,7	236	165
Thon, 3 oz, en conserve, dans l'huile	2	84	168
Huîtres, 3 oz, enrobé de pâte et frit	2	84	168
Palourdes, 3 oz, enrobé de pâte et frit	2	86	172
Macaroni, 1 tasse, au blé entier, cuit	1,2	145	174
Spaghetti, 1 tasse, au blé entier, cuit	1,2	145	174
Côtelette de veau, 3,5 oz, maigre, rôti	1,8	97	175
Jambon, 3,5 oz, 11 % de gras	1,8	99	178
Steak, 3,5 oz, surlonge, grillé	1,8	100	180
Filets de plie à la sauce au citron, page 180	1,2	150	180
Gibelotte de poisson fiesta, page 186	0,4	463	185
Dinde, 3,5 oz, viande brune, sans la peau	1,9	98	187

	DENSITÉ ÉNERGÉTIQUE	POIDS (en grammes)	CALORIES
Pizza végétarienne, 1 pointe (⅛ d'une pizza de 12 pouces de diamètre), pâte régulière	2,5	76	191
Poitrine de poulet, 3,5 oz, rôti, avec la peau	2	97	193
Pizza à la viande et aux légumes, 1 pointe (⅛ d'une pizza de 12 pouces de diamètre), pâte mince	2,4	80	193
Côtelettes de porc à la sauce soja à l'orange, page 171	1,6	122	195
Dinde, 3,5 oz, viande blanche avec la peau	2	98	195
Barbotte, 3 oz, enrobé de pâte et frit	2,3	85	195
Macaroni, 1 tasse, cuit	1,4	141	197
Spaghetti, 1 tasse, cuit	1,4	141	197

200 à 300 calories

	DENSITÉ ÉNERGÉTIQUE	POIDS (en grammes)	CALORIES
Salade de thon aux haricots blancs, page 141	0,66	303	200
Sandwich ouvert au rôti de bœuf, page 114	1,1	182	200
Poulet parmesan, page 188	1,8	111	200
Canard, 3,5 oz, sans la peau	2,1	96	201
Côtelette de porc, 3,5 oz, maigre, milieu de longe, grillé	2	101	202
Pizza au fromage, 1 pointe (⅛ d'une pizza de 12 pouces de diamètre), pâte épaisse	2,8	72	202
Pizza à la viande, 1 pointe (⅛ d'une pizza de 12 pouces de diamètre), pâte mince	2,9	72	208
Saumon au four avec sauce au yogourt à l'aneth, page 177	1,6	140	225
Dinde, 3,5 oz, viande brune, avec la peau	2,2	100	219
Ailes de poulet Buffalo, 3,5 oz, avec la peau	2,3	100	229
Filets de sole et légumes en papillotes, page 181	0,7	329	230
Dinde hachée, 3,5 oz	2,4	97	233
Pizza à la viande et aux légumes, 1 pointe (⅛ d'une pizza de 12 pouces de diamètre), pâte épaisse	2,7	87	234
Oie, 3,5 oz, sans la peau	2,4	99	238
Ravioli au bœuf avec sauce aux tomates et à la viande, 1 tasse, en conserve	0,95	252	239
Poulet au merlot, page 190	0,7	343	240
Pizza à la viande 1 pointe (⅛ d'une pizza de 12 pouces de diamètre), pâte épaisse	3,1	78	243
Navarin à la printanière, page 172	0,4	613	245
Bœuf sauté aux pois mange-tout et aux tomates, page 167	1,2	213	255

	DENSITÉ ÉNERGÉTIQUE	POIDS (en grammes)	CALORIES
Salade de poulet thaï, page 135	0,71	359	255
Bœuf haché, 3,5 oz, extra maigre, grillé	2,6	98	256
Poitrine de poulet, 3,5 oz, avec la peau, pané et frit	2,6	99	258
Pizza Margherita, page 220	1,3	204	265
Penne aux olives et aux épinards, page 213	1,4	189	265
Ragoût de légumes traditionnel, page 163	0,6	450	270
Bœuf haché 3,5 oz, maigre, grillé	2,7	101	272
Sandwich à la salade de poulet et aux amandes, page 110	1,4	196	275
Boulettes suédoises avec pâtes alimentaires, plat congelé réduit en calories, 9,1 oz	1,1	251	276
Salade californienne avec vinaigrette aux tomates et aux fines herbes sans matière grasse, page 136	0,82	341	280
Pitas savoureux à la salade de thon, page 120	1,2	238	285
Pizza aux légumes frais du potager, page 219	1,2	238	285
Manicotti aux 3 fromages, plat congelé réduit en calories, 11 oz	0,93	312	290
Risotto primavera, page 204	1	290	290
Pizza d'Aristote, page 218	1	290	290
Sandwich grillé aux champignons, page 115	1,2	242	290
Pizza au pepperoni de dinde, page 221	1,6	184	295
Poulet de Cornouailles, ½ poulet, avec la peau	2,6	114	296
Poulet désossé, 3,5 oz, tranché en morceaux, pané et frit	3	100	299

300 à 400 calories

	DENSITÉ ÉNERGÉTIQUE	POIDS (en grammes)	CALORIES
Dinde sautée et légumes croquants, page 193	0,8	413	330
Haricots rouges et riz des bayous, page 200	0,9	333	300
Sandwich méditerranéen à la dinde, page 113	1,4	214	300
Sandwich roulé à l'orientale, page 117	1,1	282	310
Hamburger à l'américaine, page 119	1,5	207	310
Chili au bœuf et aux légumes, page 198	0,7	450	315
Pâté chinois, page 170	0,9	350	315
Casserole de poulet à la mexicaine, page 192	0,5	650	325
Cari aux pois chiches, page 159	0,7	464	325
Riz sauté aux crevettes, page 184	1,1	295	325
Paelle Sencillo, page 201	1,2	271	325
Macaroni aux légumes et au fromage, page 216	1	330	330

	DENSITÉ ÉNERGÉTIQUE	POIDS (en grammes)	CALORIES
Goulasch traditionnelle aux légumes, page 168	0,6	558	335
Crevettes à la créole, page 183	0,6	558	335
Canard, 3,5 oz, avec la peau	3,4	99	337
Pâtes primavera de Charlie, page 210	0,8	431	345
Sandwich aux viandes froides et au fromage, page 212	1,2	288	345
Sandwich roulé Buffalo, page 116	1,2	292	350
Lasagne végétarienne, 1 tasse	1,4	250	350
«Lasagne» aux aubergines, page 162	1,1	322	355
Quèsadillas au fromage et aux champignons avec salsa à la mangue, page 85	1,4	214	355
Kebabs de thon et de fruits à la mode antillaise, page 182	1	360	360
Mélange pré-assaisonné pour pâtes alimentaires, 1 tasse, avec fromage et bœuf haché	1,6	225	360
Coquilles farcies aux tomates et aux brocolis, page 215	1	370	370
Nouilles et tofu sautés à la thaïlandaise, page 154	0,9	417	375
Pochettes au poulet et à l'avocat, page 118	1,3	288	375
Légumes sautés croquants, page 153	0,8	481	385
Pizza-fajita au poulet, page 222	1,6	244	390
Macaroni au fromage, 1 tasse	2	196	392
Lasagne à la viande, 1 tasse	1,6	249	399

Plus de 400 calories

	DENSITÉ ÉNERGÉTIQUE	POIDS (en grammes)	CALORIES
Salade de bifteck Santa Fe avec vinaigrette à la coriandre et au citron vert, page 138	0,79	506	400
Pâtes aux fruits de mer, page 212	0,8	500	400
Salade de pâtes à la façon de Liz, page 137	0,82	488	400
Spaghettis et sauce tomate au basilic frais, page 214	1	400	400

Liste modulaire des desserts

Les calories qui proviennent des desserts s'additionnent vite, à moins qu'on limite les portions ou qu'on choisisse des desserts de densité énergétique faible. J'ai inscrit la plupart des fruits dans la catégorie des collations, mais on peut tout aussi bien les manger au dessert, à la fin d'un bon repas équilibré.

	DENSITÉ ÉNERGÉTIQUE	POIDS (en grammes)	CALORIES
Moins de 100 calories			
Gélatine à saveur de fruits, ½ tasse, sans sucre	0,07	143	10
Petits fruits au vinaigre balsamique, page 228	0,37	149	55
Pudding à la vanille, ½ tasse, sans sucre, préparé avec du lait écrémé	0,53	132	70
Barre congelée au jus ou aux fruits, 3 oz	0,82	91	75
Pudding au chocolat, ½ tasse, sans sucre, préparé avec du lait écrémé	0,6	133	80
Gélatine à saveur de fruits, ½ tasse	0,59	141	83
Crème glacée light à la vanille, ½ tasse	1,4	66	92
100 à 200 calories			
Pomme cuite au four (1), grosseur moyenne, sans sucre	0,63	162	102
Glace italienne au citron, 1 tasse	0,53	232	123
Compote de fruits au four, page 230	0,38	329	125
Poires pochées et sauce aux framboises, page 231	0,6	208	125
Crème caramel à l'érable, page 237	1	130	130
Pudding à la vanille, ½ tasse, préparé avec du lait 2 %	1,1	128	141
Yogourt glacé aux fruits, ½ tasse	1,3	111	144
Pudding au chocolat, ½ tasse, préparé avec du lait 2 %	1,1	136	150
Petits gâteaux à la ricotta et aux framboises, page 236	1,1	150	165
Parfaits aux fruits frais, page 232	0,78	218	170
Croustade aux pommes et aux framboises, page 233	1	175	175
Gâteau aux miettes à saveur de café, 1 morceau (⅛ d'un gâteau de 8 pouces)	3,2	56	178
Bananes royales au four, page 229	1,2	154	185
Fondue au chocolat aux fruits frais, page 238	1,2	155	185
Petit gâteau au chocolat (1), fourré à la crème, avec glaçage	3,6	52	188
200 à 300 calories			
Pudding au riz, ½ tasse	1,4	155	217
Tarte aux cerises, 1 pointe (⅛ d'une tarte congelée de 9 pouces de diamètre), réduit en gras, sans sucre ajouté	1,8	122	220
Tarte à la citrouille, 1 pointe (⅛ d'une tarte congelée)	2,1	109	229
Bagatelle aux fraises et sirop au citron, page 234	1,2	208	250

	DENSITÉ ÉNERGÉTIQUE	POIDS (en grammes)	CALORIES
Brownie, carré de 2 pouces	4,4	61	269
Crème glacée à la vanille ou au chocolat, ½ tasse	2,5	108	270
Plus de 300 calories			
Tarte à la crème aux bananes, 1 pointe			
(⅛ d'une tarte de 9 pouces)	2,7	147	398
Gâteau allemand au chocolat, avec glaçage, 1 morceau			
(1/12 d'un gâteau de 9 pouces)	3,6	112	404
Tarte aux pommes, 1 pointe (⅛ d'une tarte de 9 pouces)	2,7	152	411
Gâteau au fromage, 1 morceau (⅙ d'un gâteau de 9 pouces)	3,6	127	457
Gâteau aux carottes, glaçage au fromage à la crème,			
1 morceau (1/12 d'un gâteau de 9 pouces)	4,4	110	484
Tarte aux cerises, 1 pointe (⅛ d'une tarte de 9 pouces)	2,7	180	486

Liste modulaire des collations

Cette liste contient une foule d'aliments qu'on peut manger entre les repas quand on a un petit creux – crudités, fruits, croustilles, biscuits, bonbons, etc. Certains aliments de d'autres listes, les soupes et céréales, par exemple, peuvent aussi servir de collation. Efforcez-vous ici de faire des choix judicieux! J'ai inclus des aliments à densité énergétique élevée, mais ce ne sont pas les meilleurs choix du fait qu'ils favorisent moins la sensation de satiété; il est donc facile d'en abuser. Notez que certains aliments de collation tels les fruits et le yogourt font d'excellents desserts!

	DENSITÉ ÉNERGÉTIQUE	POIDS (en grammes)	CALORIES
Moins de 100 calories			
Concombres, ½ tasse	0,13	77	10
Céleri, 1 branche	0,16	81	13
Poivrons, ½ tasse	0,27	74	20
Bonbon (1)	3,9	6	24
Tomate (1), grosseur moyenne	0,21	124	26
Galette de riz nature	3,9	9	35
Tangerine (1), grosseur moyenne	0,44	84	37

	DENSITÉ ÉNERGÉTIQUE	POIDS (en grammes)	CALORIES
Clémentine (1), grosseur moyenne	0,44	84	37
Salade de fruits en conserve dans un sirop léger, ½ tasse	0,31	119	38
Prune (1), grosseur moyenne	0,61	66	40
Sucette glacée, bâtonnet de 2 oz	0,72	58	42
Pêche (1), grosseur moyenne	0,43	98	42
Fraises, 1 tasse	0,3	143	43
Kiwi (1), grosseur moyenne	0,61	75	46
Mandarines, en conserve, ½ tasse	0,36	125	46
Olives noires (10)	1,1	46	51
Cantaloup, 1 tasse	0,35	160	56
Framboises, 1 tasse	0,48	123	60
Raisins, 1 tasse	0,67	93	62
Melon de miel, 1 tasse	0,35	177	62
Orange (1), grosseur moyenne	0,47	132	62
Abricots secs, ¼ tasse	1,1	66	73
Gâteau éponge, pointe de 1 oz (environ ¹⁄₁₂ de gâteau)	2,6	28	73
Pamplemousse, 1 tasse	0,3	247	74
Ananas, 1 tasse	0,49	155	76
Œuf cuit dur	1,6	49	78
Mon yogourt fouetté préféré, page 88	0,42	190	80
Gélatine, ½ tasse	0,59	136	80
Fromage en tranches, 1 oz	2,8	29	80
Bleuets, 1 tasse	0,56	145	81
Pomme (1), grosseur moyenne	0,58	140	81
Fromage cottage, 1 % de gras, ½ tasse	0,73	122	82
Carottes miniatures (15), avec 1 c. à soupe de vinaigrette ranch sans gras	0,53	155	82
Crème glacée sans gras, ½ tasse	1,3	69	90
Hoummos au citron, page 76	1,7	53	90
Barre glacée au chocolat, 1,75 oz	1,8	74	90
Gaufrettes à la vanille (5)	4,5	21	94
Poire (1), grosseur moyenne	0,59	166	98

100 à 200 calories

Pudding au chocolat sans gras, 1 portion	0,88	113	100
Croustilles sans gras, 1 oz	3,5	28	100

	DENSITÉ ÉNERGÉTIQUE	POIDS (en grammes)	CALORIES
Sorbet à l'orange, ½ tasse	1,4	73	102
Crème glacée light, ½ tasse	1,2	90	108
Banane (1), grosseur moyenne	0,92	118	109
Raisins secs, ¼ tasse	3	36	109
Biscuits aux figues (2)	3,5	31	110
Maïs soufflé, cuit à l'air chaud, 1 oz	3,8	28	110
Noix de soja, rôties au miel, 1 oz	3,9	28	110
Croustilles tortilla cuites au four, 1 oz	3,9	28	110
Chips cuites au four, 1 oz	3,9	28	110
Gâteau quatre-quarts, morceau de 1 oz	3,8	28	110
Barre tendre aux céréales, faible en gras, 1 oz	4	28	111
Biscuits en forme d'animaux (10)	4,5	25	112
Bretzels, 1 oz	3,9	29	113
Yogourt glacé mou, ½ tasse	1,6	71	114
Biscuits Graham (4)	4,2	28	118
Croustilles tortilla cuites au four, 1 oz, avec ¼ de tasse de salsa	2	60	119
Yogourt sans gras, sucré à l'aspartame, 8 oz	0,53	226	120
Sorbet aux fruits, ½ tasse	1,1	109	120
Bagel de blé (½), avec 1 c. à soupe de fromage à la crème light	2,1	58	120
Galette de riz nature, avec 1 c. à soupe de beurre d'arachide	5,2	25	130
Mélange de randonnée, 1 oz	4,7	28	131
Soupe en conserve à base de bouillon, 1 tasse	0,51	261	133
Pomme (½), avec 1 c. à soupe de beurre d'arachide	1,6	85	135
Maïs soufflé, cuit à l'huile, 1 oz	5,1	28	142
Croustilles tortilla régulières, 1 oz	5,1	28	142
Fromage, 1 oz de cheddar réduit en gras, avec 7 craquelins de blé minces	3,6	40	144
Chips régulières, 1 oz	5,4	28	152
Chips de maïs, 1 oz	5,4	28	153
Bonbons haricot (15)	3,7	42	156
Bâtonnets au fromage, 1 oz	5,6	28	157
Pudding au chocolat, 1 portion	1,4	113	160
Sorbet fouetté des tropiques, page 89	0,7	236	165
Avocat (½), avec jus de citron	1,1	152	170

	DENSITÉ ÉNERGÉTIQUE	POIDS (en grammes)	CALORIES
Graines de tournesol rôties, ¼ tasse	5,8	32	186
Noix mélangées rôties à sec, ¼ tasse	5,8	33	190
Plus de 200 calories			
Amandes rôties à sec, ¼ tasse	5,9	35	206
Bretzel mou, 2,25 oz	3,5	62	215
Yogourt faible en gras, saveur autre que nature, 8 oz	1	220	220

Liste modulaire des condiments

Lorsque vous faites le compte de vos calories, n'oubliez pas de compter les calories issues des garnitures, tartinades et condiments. Les condiments à densité énergétique telle la mayonnaise ajoutent pas mal de calories supplémentaires à un mets donné.

	DENSITÉ ÉNERGÉTIQUE	POIDS (en grammes)	CALORIES
Moins de 100 calories			
Vinaigre, 1 c. à soupe	0,14	14	2
Salsa, 1 c. à soupe	0,32	16	5
Mayonnaise sans gras, 1 c. à soupe	0,62	16	10
Salsa aux tomates cerises, page 222	0,25	40	10
Moutarde, 1 c. à soupe	0,8	15	12
Sauce barbecue, 1 c. à soupe	0,75	16	12
Fromage à la crème sans gras, 1 c. à soupe	0,95	15	14
Sauce au yogourt à l'aneth, page 177	0,52	29	15
Fromage de yogourt, page 81	0,9	17	15
Ketchup, 1 c. à soupe	1,1	15	16
Sauce aux framboises, page 231	0,8	25	20
Sauce soja au gingembre, page 82	1,2	21	25
Sirop de table réduit en calories, 1 c. à soupe	1,6	16	25
Vinaigrette maison, page 76	0,75	40	30
Vinaigrette dijonnaise, page 142	1,2	29	35
Vinaigrette italienne, page 143	1,5	23	35
Fromage à la crème réduit en gras, 2 c. à soupe	2,2	16	35

	DENSITÉ ÉNERGÉTIQUE	POIDS (en grammes)	CALORIES
Vinaigrette à la coriandre et au citron vert, page 138	1,6	24	38
Garniture à la guimauve, 1 c. à soupe	3,3	12	40
Vinaigrette à l'orange et aux graines de pavot, page 132	1,2	38	45
Vinaigrette balsamique, page 142	2	22	45
Confitures, gelées ou marmelades, 1 c. à soupe	2,4	20	48
Mayonnaise réduite en gras, 1 c. à soupe	3,3	15	50
Margarine réduite en gras, 1 c. à soupe	3,5	14	50
Fromage à la crème régulier, 1 c. à soupe	3,5	15	51
Sirop d'érable, 1 c. à soupe	2,6	20	52
Sirop de table, 1 c. à soupe	2,9	20	57
Salsa à la mangue, page 81	0,58	103	60
Miel, 1 c. à soupe	3	21	64
Guacamole, page 80	0,83	78	65
Vinaigrette au citron vert et au gingembre, page 143	3,1	21	65
Beurre d'arachides, 1 c. à soupe	5,9	16	94
Salsa tex-mex, page 77	0,65	146	95
100 à 200 calories			
Mayonnaise, 1 c. à soupe	7,1	14	100
Beurre d'amande, 1 c. à soupe	6,3	16	101
Margarine, 1 c. à soupe	7,2	14	101
Beurre, 1 c. à soupe	7,2	15	108
Garniture au fudge, 2 c. à soupe	3,5	42	146

Liste modulaire des boissons

Vous avez sans doute remarqué qu'il n'y a aucun breuvage inscrit au plan de menus à l'exception du lait. Cela ne veut pas dire que vous n'avez pas le droit de continuer de consommer vos boissons préférées, bien au contraire. Le tout est que vous comptiez les calories qu'il y a dans ces breuvages. Vous voulez boire un verre de vin au dîner? Pas de problème, mais alors compensez en sautant le dessert ou en prenant une collation moins calorique par la suite. Les calories que vous buvez s'ajoutent à celles que vous mangez, ne l'oubliez pas! Allez donc autant que possible vers les boissons qui contiennent peu ou pas de calories.

	DENSITÉ ÉNERGÉTIQUE	POIDS (en grammes)	CALORIES
Eau, 8 oz liq.	0	237	0
Club soda, 12 oz liq.	0	360	0
Boisson gazeuse diète, 12 oz liq.	0	360	0
Thé, infusé, sans sucre, 8 oz liq.	0,1	237	2
Café, 8 oz liq.	0,2	237	5
Jus de légumes, 8 oz liq.	0,19	242	46
Vin blanc, 4 oz liq.	0,68	118	80
Jus d'oranges, 6 oz liq.	0,45	186	84
Vin rouge, 4 oz liq.	0,72	118	85
Lait écrémé, 8 oz liq.	0,35	245	86
Jus de pommes, non sucré, 6 oz liq.	0,47	186	87
Bière légère, 12 oz liq.	0,28	354	99
Lait 1%, 8 oz liq.	0,42	244	102
Whisky, 1,5 oz liq.	2,5	42	104
Jus de raisins, 6 oz liq.	0,61	186	113
Vin panaché, 8 oz liq.	0,5	240	120
Lait 2%, 8 oz liq.	0,5	244	122
Bière, 12 oz liq.	0,41	356	146
Lait entier (3,3%), 8 oz liq.	0,61	244	149
Lait de soya au chocolat, 8 oz liq.	0,62	242	150
Boisson gazeuse, 12 oz liq.	0,41	372	152
Soda à l'orange, 12 oz liq.	0,46	360	167
Sherry, sec, 4 oz liq.	1,4	120	168
Daiquiri, 4 oz liq.	1,9	121	224
Margarita, 4 oz liq.	2,2	124	271
Lait de poule, 8 oz liq.	1,4	245	343

Références

ANDERSON, G. H. and MOORE, S. E. (2004). Dietary proteins in the regulation of food intake and body weight in humans. *Journal of Nutrition,* 134, 947S-979S.

ANDERSON, G. H. and WOODEND, D. (2003). Consumption of sugars and the regulation of short-term satiety and food intake. *American Journal of Clinical Nutrition,* 78 (suppl), 853S-849S.

BELL, E. A., CASTELLANOS, V. H., PELKMAN, C. L., THORWART, M. L. and ROLLS, B. J. (1998). Energy density of foods affects energy intake in normal-weight women. *American Journal of Clinical Nutrition,* 67, 412-420.

CATON, S. J., BALL, M., AHERN, A. and HETHERINGTON, M. M. (2004). Dose-dependent effects of alcohol on appetite and food intake. *Physiology and Behavior,* 81, 51-58.

DELLAVALLE, D. M., ROE, L. S. and ROLLS, B. J. (2005). Does the consumption of caloric and non-caloric beverages with a meal affect energy intake? *Appetite,* 44, 187-193.

DILIBERTI, N., BORDI, P., CONKLIN, M. T., ROE, L. S. and ROLLS, B. J. (2004). Increased portion size leads to increased energy intake in restaurant meal. *Obesity Research,* 12, 562-568.

EISENSTEIN, J., ROBERTS, S. B., DALLAL, G. and SALTZMAN, E. (2002). High-protein weight-loss diets: are they safe and do they work? A review of the experimental and epidemiologic data. *Nutrition Reviews,* 60, 189-200.

ELLO-MARTIN, J. A., LEDIKWE, J. H., ROLLS, B. J. (2005). The influence of food portion size and energy density on nergy intake: implications for weight management. *American Journal of Clinical Nutrition,* 82, 236S-241S.

ELLO-MARTIN, J. A., ROE, L. S., LEDIKWE, J. H., BEACH, A. M. and ROLLS, B. J. Dietary energy density in the treatment of obesity: A year-long trial comparing two weight-loss diets. *American Journal of Clinical Nutrition,* in press.

FEINLE, C., O'DONOVAN, D. and HOROWITZ, M. (2002). Carbohydrate and satiety. *Nutrition Reviews,* 60, 155-169.

First Data Bank, Inc. (2004). Nutritionist Pro (computer software). San Bruno, CA.

GREENE, L. F., MALPEDE, C. Z., HENSON, C. S., HUBBERT, K. A., HEIMBURGER, D. C. and ARD, J. D. (2006). Weight maintenance 2 years after participating in a weight loss program promoting low-energy density foods. *Obesity,* 14, 1795-1801.

HOWARTH, N. C., SALTZMAN, E. and ROBERTS, S. B. (2001). Dietary fiber and weight regulation. *Nutrition Reviews,* 59, 129-139.

Institute of Medicine of the National Academies (2002). *Dietary Reference Intakes: Energy, Carbohydrate, Fiber, Fat, Fatty Acids, Cholesterol, Protein and Amino Acids.* Washington, D.C.: The National Academies Press.

JAKICIC, J. M., MARCUS, B. H., GALLAGHER, K. L., NAPOLITANO, M. and LANG, W. (2003). Effect of exercise duration and intensity on weight loss in overweight, sedentary women. *JAMA: The Journal of the American Medical Association,* 290, 1323-1330.

KLEIN, S., SHEARD, N. F., PI-SUNYER, X., DALY, A., WYLIE-ROSETT, J., KULKARNI, K. and CLARK, N. G. (2004). Weight management through lifestyle modification for the prevention and management of type 2 diabetes: rationale and strategies. A statement of the American Diabetes Association, the North American Association for the Study of Obesity, and the American Society for Clinical Nutrition. *American Journal of Clinical Nutrition,* 80, 257-263.

KLEM, M. L., WING, R. R., LANG, W., MCGUIRE, M. T. and HILL, J. O. (2000), Does weight loss maintenance become easier over time? *Obesity Research,* 8, 438-444.

KOH-BANERJEE, P. and RIMM, E. B. (2003). Whole grain consumption and weight gain: a review of the epidemiological evidence, potential mechanisms and opportunities for future research. *Proceedings of the Nutrition Society,* 62, 25-29.

KRAL, T. V. E., ROE, L. S. and ROLLS, B. J. (2004). Combined effects of energy density and portion size on energy intake in women. *American Journal of Clinical Nutrition,* 79, 962-968.

LEDIKWE, J. H., BLANCK, H. M., KETTEL-KHAN, L., SERDULA, M. K., SEYMOUR, J. D., TOHILL, B. C., ROLLS, B. J. (2006). Dietary energy density is associated with energy intake and weight status in US adults. *American Journal of Clinical Nutrition,* 83, 1362-1368.

LEDIKWE, J. H., BLANCK, H. M., KETTEL-KHAN, L., SERDULA, M. K., SEYMOUR, J. D., TOHILL, B. C., ROLLS, B. J. (2006). Low-energy-density diets are associated with high diet quality in adults in the United States. *Journal of the American Dietetic Association,* 106, 1172-1180.

LIU, S., WILLETT, W. C., MANSON, J. E., HU, F. B., ROSNER, B. and GOLDITZ, G. A. (2003). Relation between changes in intakes of dietary fiber and grain products and changes in weight and development of obesity among middle-aged women. *American Journal of Clinical Nutrition,* 78, 920-927.

National Institutes of Health (1998). National Heart, Lung, and Blood Institute. *Clinical Guidelines on the Identification, Evaluation, and Treatment of Overweight and Obesity in Adults.* Washington, D. C: U. S Department of Health and Human Services.

PENNINGTON, J. A. T. and DOUGLASS, J. S. (2005). *Bowes & Church's Food Values of Portions Commonly Used.* 18th Edition. Baltimore: Lippincott, Williams & Wilkins.

POPPITT, S. D. (1995). Energy density of diets and obesity. *International Journal of Obesity,* 19, S20-S26.

PRENTICE, A. M. and JEBB, S. A. (2003). Fast foods, energy density and obesity: a possible mechanistic link. *Obesity Reviews,* 4, 187-194.

ROLLS, B. J. (1985). Experimental analyses of the effects of variety in a meal on human feeding. *American Journal of Clinical Nutrition,* 42, 932-939.

ROLLS, B. J. (2003). The supersizing of America: portion size and the obesity epidemic. *Nutrition Today,* 38, 42-53.

ROLLS, B. J. and BARNETT, R. A. (2000). *The Volumetrics Weight-Control Plan.* New York: Quill, 2000.

ROLLS, B. J. and BELL, E. A. (2000). Dietary approaches to the treatment of obesity. In M. D. Jensen (ed.), *Medical Clinics of North America* (Vol. 84, March 2000, pp. 401-418). Philadelphia: W. B. Saunders Company.

ROLLS, B. J., BELL, E. A. and THORWART, M. L. (1999). Water incorporated into a food but not served with a food decreases energy intake in lean women. *American Journal of Clinical Nutrition,* 70, 448-455.

ROLLS, B. J., CASTELLANOS, V. H., HALFORD, J. C., KILARA, A., PANYAM, D., PELKMAN, C. L., SMITH, G. P. and THORWART, M. L. (1998). Volume of food consumed affects satiety in men. *American Journal of Clinical Nutrition,* 67, 1170-1177.

ROLLS, B. J., DREWNOWSKI, A., Ledikwe, J. H. (2005). Changing the energy density of the diet as a strategy for weight management. *Journal of the American Dietetic Association,* 105, S98-S103.

ROLLS, B. J., ELLO-MARTIN, J. A. and TOHILL, B. C. (2004). What can intervention studies tell us about the relationship between fruit and vegetable consumption and weight management? *Nutrition Reviews,* 62, 1-17.

ROLLS, B. J. and HILL, J. O. (1998) Carbohydrates and weight management. ILSI Press Washington, D.C.

ROLLS, B. J., ROE, L. S., BEACH, A. M. and KRIS-ETHERTON, P. M. (2005). Provision of foods differing in energy density affects long-term weight loss. *Obesity Research,* 13, 1052-1060.

ROLLS, B. J., ROE, L. S., KRAL, T. V. E., MEENGS, J. S. and WALL, D. E. (2004). Increasing the portion size of a packaged snack increases energy intake in men and women. *Appetite,* 42, 63-69.

ROLLS, B. J., ROE, L. S., MEENGS, J. S. and WALL, D. E. (2004). Increasing the portion size of a sandwich increases energy intake. *Journal of the American Dietetic Association,* 104, 367-372.

ROLLS, B. J., ROE, L. S., MEENGS, J. S. (2004). Salad and satiety: energy density and portion size of a first course salad affect energy intake at lunch. *Journal of the American Dietetic Association,* 104, 1570-1576.

ROLLS, B. J., ROE, L. S., MEENGS, J. S. (2006). Reductions in portion size and energy density of foods are additive and lead to sustained decreases in energy intake over two days. *American Journal of Clinical Nutrition,* 83, 11-17.

ST. JEOR, S. T., HOWARD, B. V., PREWITT, E., BOVEE, V., BAZZARRE, T. and ECKEL, R. H. (2001). Dietary protein and weight reduction. A statement for healthcare professionals from the Nutrition Committee of the Council on Nutrition, Physical Activity, and Metabolism of the American Heart Association. *Circulation,* 104, 1869-1874.

SARIS, W. H. M. (2003). Sugars, energy metabolism, and body weight control. *American Journal of Clinical Nutrition,* 78 (suppl), 850S-857S.

SLENTZ, C. A., DUSCHA, B. D., JOHNSON, J. L., KETCHUM, K., AIKEN, L. B., SAMSA, G. P., et al. (2004). Effects of the amount of exercise on body weight, body composition, and measures of central obesity: STRRIDE-a randomized controlled study. *Archives of Internal Medicine,* 164, 31-39.

STUBBS, R. J., JOHNSTONE, A. M., O'REILLY, L. M., BARTON, K. and REID, C. (1998). The effect of covertly manipulating the energy density of mixed diets on ad libitum food intake in 'pseudo free-living' humans. *International Journal of Obesity,* 22, 980-987.

SWINBURN, B. A., CATERSON, I., SEIDELL, J. C. and JAMES, W. P. T. (2004). Diet, nutrition and the prevention of excess weight gain and obesity. *Public Health Nutrition,* 7, 123-146.

WING, R. R. and HILL, J. O. (2001). Successful weight loss maintenance. *Annual Review of Nutrition,* 21, 323-341.

WYATT, H. R., GRUNWALD, G. K., MOSCA, C. L., KLEM, M. L., WING, R. R. and HILL, J. O. (2002). Long-term weight loss and breakfast in subjects in the National Weight Control Registry. *Obesity Research,* 10, 78-82.

YAO, M. and ROBERTS, S. B. (2001). Dietary energy and weight regulation. *Nutrition Reviews,* 59, 247-258.

Index

1 c. à thé	5 ml	5 g (sel, sucre, tapioca)
		3 g (fécule)
1 c. à soupe	15 ml	5 g (fromage râpé)
		8 g (cacao, café, chapelure)
		15 g (sucre semoule, farine, riz, semoule, beurrè, crème fraîche)
1 tasse à café	100 ml	
1 tasse à thé	125 ml	
1 tasse	250 ml	
1 bol	350 ml	300 g de farine
		425 g de sucre semoule
		440 g de légumineuses
		470 g de riz
1 assiette à soupe	250 ml	250 g environ
1 verre à liqueur	30 ml	
1 verre à bordeaux	100 à 150 ml	
1 verre à eau	200 à 250 ml	100 g (farine, café)
		140 g (sucre glace)
		180 g (lentilles crues)
		200 g (riz)

Poids : Équivalences approximatives des mesures impériales et métriques

1 oz	30 g
¼ lb (4 oz)	125 g
⅓ lb	150 g
½ lb (8 oz)	250 g
¾ lb (12 oz)	375 g
1 lb	500 g

Capacités : Équivalences des mesures impériales et métriques

¼ tasse	50 à 60 ml
⅓ tasse	75 à 80 ml
½ tasse	125 ml
⅔ tasse	150 à 160 ml
¾ tasse	175 ml
1 tasse	250 ml

Table des matières

Achevé d'imprimer au Canada
sur papier Quebecor Enviro 100 % recyclé
sur les presses de Quebecor World Saint-Romuald

100%